Vous êtes, cher Francis Balmi,
un des plus évidents inspirateurs
non pas simplement de ce
livre, mais des temps qui
viennent.
J'rici donc l'hommage
rendu à un " passeur "

Bien cordialement

christian ferrapi

NOS 20 PROCHAINES ANNÉES

DU MÊME AUTEUR

Bureau d'études, récit de société, Les Impressions nouvelles, 2008.

Le Peuple des têtes coupées, enquête sur les mascarons, essai, Coprah, 2005.

En respectant le chemin des Dragons, roman, L'Harmattan, 2003.

De Conchita Watson, le Ciel était sans nouvelles, roman, L'Harmattan, 2000.

L'Île du Serpent-Coq, roman, L'Harmattan, 1999.

CHRISTIAN GATARD

NOS 20 PROCHAINES ANNÉES

l'Archipel

www.editionsarchipel.com

Si vous souhaitez recevoir notre catalogue
et être tenu au courant de nos publications,
envoyez vos nom et adresse, en citant ce
livre, aux Éditions de l'Archipel,
34, rue des Bourdonnais 75001 Paris.
Et, pour le Canada,
à Édipresse Inc., 945, avenue Beaumont,
Montréal, Québec, H3N 1W3.

ISBN 978-2-8098-0202-3

À Isabelle, ma femme, compagne lumineuse
des vingt dernières et des vingt prochaines

À Delphine et Valentine,
mes filles chéries,
qui écrivent les nouvelles règles
du grand jeu

Sommaire

À la recherche du futur... vu d'ici

Ne croyez que ceux qui doutent.
Lu Xun

Curieux de ce qui se dit sur les deux prochaines décennies, j'y suis allé voir. J'ai interrogé et écouté citoyens et consommateurs, prospectivistes et futurologues. C'est mon métier : mener des études et des recherches en psychosociologie de la consommation. Avec une particularité : les méthodes qualitatives. Le qualitativiste explore les choses de la vie de tous les jours à la manière de l'aventurier qui remonte le fleuve en pirogue – il risque de recevoir des flèches empoisonnées dans le derrière ! Il est sur la ligne de front, il parle à chacun, les yeux dans les yeux. Il participe à la vie des « vraies gens ». Il rencontre le monde réel qui ne se cache ni derrière les chiffres ni derrière les théories. C'est donc là que j'ai mené cette enquête. L'exercice consistait à explorer les contes et les légendes que déjà l'on imagine, les ragots et les rumeurs qui vont se propager, les faits et les méfaits que l'on soupçonne, les promesses et les espoirs que le monde d'aujourd'hui raconte sur celui de demain. J'ai cherché à me mettre dans la position d'un observateur actif décidé à regarder et à s'impliquer puisque, avec les progrès de la médecine, on a des chances de vivre l'aventure. Comme chacun parlait de possibles et de probables, de désirs et de fantasmes, ce que j'observais était du virtuel, ce à quoi je participais était de l'éventuel. C'est ainsi que, bardé d'incertitudes, j'ai emprunté les chemins qui se sont présentés. J'en suis revenu tout imprégné de ce que j'ai rencontré.

Le lecteur doit donc être alerté. Cette enquête ressemble à notre perception du futur. Elle est aussi déroutante que nos vingt prochaines années vues de là où nous sommes. C'est une cybercaverne d'Ali Baba. S'y entassent, pêle-mêle, les perles semi-précieuses d'une haute technologie toujours plus téméraire, les coffres poussiéreux d'une nostalgie indécrottable, des règles du jeu sociétal qui s'agitent et d'autres immuables, et mille morceaux d'un passé-présent-futur qui gravitent autour. Un sentiment de déjà-vu, un autre d'improbable. Du bricolé, du rapiécé, tout de bric et de broc. Pas une seconde pour s'ennuyer.

À quoi est-ce dû ?

Est-ce parce cette enquête relève de la pensée buissonnière ? C'est-à-dire pas bien académique, fureteuse et furtive ? La pensée buissonnière relève de la « sérendipité », c'est-à-dire l'art de saisir au bond ce qu'on cherchait sans le savoir. C'est une technique nomade, un art de survie dans la forêt, une façon peut-être de chevaucher la flèche qu'on vous décoche. C'est une façon de faire feu de tout bois. Cette flèche, c'est de l'information. Brute. C'est ainsi que je glanais la matière première de cette enquête. Cette matière, ce sont des fragments, des bribes, des passages lancés. Quelquefois ce sont des leurres, et j'ai dû m'y laisser prendre. D'autres fois, ce sont de bonnes prises, mais comment savoir ? Ma recherche a fini par ressembler à ce que j'étudiais.

Est-ce parce qu'il n'y a aucune raison pour que le futur soit plus malin que le présent, c'est-à-dire aucune raison pour que les choses s'arrangent et que, dans les années qui viennent, nous soyons mieux organisés, plus cohérents, moins contradictoires, plus sages ? Ce futur excite, amuse, terrifie. Un futur vu d'ici, de l'Extrême-Occident, comme un dernier regard avant que les polarités basculent, avant que l'Occident ne devienne un territoire exotique. Et pourquoi pas ? Soyons beau joueur.

Ce futur, c'est déjà maintenant et c'est une interrogation : réalité et/ou fiction ? Une enquête sur le futur, dans le futur, est forcément fictive et pourtant chaque jour qui passe nous rapproche de son réel bien réel. Nous sommes entrés dans une ère où l'opposition entre la réalité et la fiction ne convainc plus personne. Les technologies dans le monde réel ainsi que les avancées dans le monde spirituel et mental ont créé une porosité entre le patent et l'invisible, entre l'avéré et l'imaginaire. La fiction nous en apprend plus sur le réel que le documentaire. C'est ainsi qu'il m'a semblé devoir témoigner de ce travail : une promenade en équilibre entre les deux.

On peut donc s'apprêter à lire ce livre comme on regarde un film.

On entre tout de suite dans le vif du sujet. Les gros plans sur *les tribulations du moi* font la part belle aux personnes – vous et moi. Qui est-on? Où va-t-on? avec qui? dans quelles tribus? comment? dans quel courant du fleuve? du côté de l'*upstream* – c'est-à-dire vers l'amont, à contre-courant, en défricheur? du côté du *mainstream* – c'est-à-dire vers le confort protecteur de l'appartenance au plus grand nombre? ou du côté du *downstream*, c'est-à-dire vers la pente naturelle d'une permissivité insouciante ou décalée?

Des plans de coupe racontent ensuite notre *art de vivre* ses inflexions, ses sidérations, ses facéties. C'est le gras de l'enquête. Les choses simples de la vie le seront-elles encore? Comment va-t-on « gérer le quotidien »? Surprises et déceptions sont au rendez-vous. Ce qu'il faut prendre comme une excellente nouvelle: le neuf ne viendra sans doute pas de là où on l'attend.

Un travelling évoque ensuite la *mobilité* à laquelle un chapitre entier est consacré, parce que la planète sera un immense terrain de jeux que l'on visitera, mobile ou immobile.

Une voix off chuchote dans un court interlude qu'il faut sans doute faire confiance aux artistes mais se méfier des chuchoteurs. Ce qui menace les vingt ans qui viennent, c'est probablement l'indécrottable et méchante bêtise, d'où *quelques sujets d'inquiétude.*

On cherche alors à définir *l'horizon de nos utopies,* ce qui permet de « situer l'action »: les apocalypses annoncées ne sont pas une certitude, les mythes sont une mine inépuisable de représentations pour l'imaginaire collectif, les cycles sociétaux sont une source d'espoir et les accumulations de toutes sortes le meilleur moyen de faire passer la pilule.

Puis ce sont des plans larges sur les *lignes de haute tension.* On s'attarde ici sur les sept registres, les sept angles de vue qui vont donner le ton aux deux décennies qui viennent: de l'émancipation au surhumain. On notera que la technologie est réduite à une portion congrue. Les priorités seront ailleurs.

Des bonus permettent toutefois d'introduire *quelques paradigmes* éclairants: la musique, les médias, les marques, les mythodromes, le luxe – la panoplie de l'homme moderne des vingt ans qui viennent?

Enfin on s'intéresse à deux « passeurs », Pisani et Grunitzky, qui incarnent sans doute les réponses les plus enthousiasmantes et les plus virulentes aux théories du complot: une bienfaisante lumière, dans *les nuages et les carrefours.*

Il faut bien conclure. Après une illustration par le réel, on propose en annexe une série de mantras prospectifs. À déguster en silence car, si tous les témoignages recueillis dans cette enquête sont forcément sujets à caution, ils sont aussi « un lieu de construction des mémoires collectives des sociétés actuelles[1] » et, tous, le point de départ de visions dont la subjectivité est peut-être toute la richesse.

Nous verrons bien.

✱

Cette enquête n'est pas un ouvrage collectif – je prends la responsabilité de ce que j'écris et des citations que je convoque –, mais c'est une forme de travail à plusieurs. Lire, écouter, regarder aura entraîné une collaboration secrète et bienveillante avec tous les témoins et protagonistes.

On aura beau jeu de contester tel scénario taxé de décevante banalité, telle piste improbable, telle contre-vérité qui seront dénoncés sitôt lues ces pages. Ce qu'on va lire relève de l'imagination de chacun. Le grand moteur d'aujourd'hui, c'est la coopération entre experts et amateurs (frontière floue), entre consommateurs et producteurs (partenariat à la mode)… Tant que faire se pouvait, j'ai rendu à mes inspirateurs ce qui leur revenait.

Enfin, parce qu'on n'imagine plus de lancer un film ou un produit sans un slogan plus ou moins mystérieux et prometteur, cette enquête ne pouvait non plus en faire l'économie. Voici donc quelques épigraphes. Première accumulation. Il va falloir s'y faire : le futur en sera saturé.

⊙ Nous pénétrons dans le XXIe siècle avec les pouvoirs d'un demi-dieu et les instincts d'un primate.

(Thierry Gaudin)

◉ Le futur a été créé pour être changé.

(Paulo Coelho)

⊙ Ne t'écarte pas des futurs possibles avant d'être certain que tu n'as rien à apprendre d'eux.

(Richard Bach)

◉ Philosophiquement parlant, la mémoire n'est pas un prodige moindre que la divination du futur.

(Jorge Luis Borges)

⊙ Je ne pense jamais au futur. Il vient bien assez tôt.

(Albert Einstein)

---

1. Sophie Moirand, *Observer, analyser, comprendre*, PUF, 2007.

◉ L'urgence, c'est le pressant avenir immédiat... le futur en train de se faire présent.

(Vladimir Jankélévitch)

◎ Une fois qu'on a goûté au futur, on ne peut pas revenir en arrière.

(Paul Auster)

◉ Les choses anciennes, déclarez-nous ce qu'elles furent, et nous y appliquerons notre cœur, pour en connaître l'issue.

(Isaïe, 41, 22)

◎ Tout porte à croire qu'il existe un certain point de l'esprit d'où la vie et la mort, le réel et l'imaginaire, le passé et le futur, le communicable et l'incommunicable, le haut et le bas cessent d'être perçus contradictoirement.

(André Breton)

◉ Les empires du futur seront spirituels.

(Winston Churchill)

◎ Plus vous saurez regarder loin dans le passé, plus vous verrez loin dans le futur.

(Winston Churchill)

◉ Le futur n'est plus ce qu'il était.

(André Fontaine)

◎ Le futur appartient à celui qui a la plus longue mémoire.

(Friedrich Nietzsche)

◉ Je préfère un futur imprévisible à un futur imposteur.

(Maurice Schumann)

◎ La sagesse du futur, celle qui évitera le suicide de l'humanité, ne consistera plus à gagner du temps mais à le remplir, à le vivre, à en prendre toute la mesure.

(Jacques Attali)

◉ Le futur c'est tout de suite.

(Guy Sorman)

◎ L'avenir est trop immense pour qu'elle l'imagine, il arrivera, c'est tout.

(Annie Ernaux)

◉ Le futur peut exister indépendamment de l'avenir qui lui n'est certain de rien. Le miracle serait que nous puissions marcher sur l'abîme.
Mais les miracles
Ne sont pas éternels.

(Michel Gorsse)

◎ À supposer qu'on laisse à la presse, à l'histoire et aux organisations non gouvernementales la totalité des témoignages présents et à venir, le champ de la littérature n'en serait pas réduit d'un iota. L'imaginaire et le secret des hommes restent à découvrir.

(Luc Dellisse)

Et surtout...

☑ Le futur est déjà là. Simplement, il n'est pas réparti de manière uniforme.

(Robert Metcalfe)

Nous le constaterons en effet : le futur est un assemblage hétéroclite de champs temporels.

Au fond, personne ne sait rien sur rien. Le futur, c'est très intéressant, c'est très instable, « c'est tout de suite », dit Guy Sorman dans son blog. C'est bien là le propos. Ce futur incertain n'est peut-être que notre présent en costume.

Bien sûr, le trivial et le futile sont de la partie. La banalité quotidienne. Mais on peut toujours la réenchanter. C'est très tendance, le réenchantement ! C'est une preuve de bonne humeur et de bonne volonté. C'est notre liberté. Et on va en avoir besoin.

⇨ **Qu'est-ce qui fait courir les gens ?**

⇨ **Qu'imagine-t-on de nos vingt prochaines années ?**

1 Les tribulations du moi

▶ L'EFFET TOPDOG

Avant d'envisager autre chose, il n'y en a que pour soi. Et on en rajoute des couches. Succès de TopDog.com. À l'origine, ce logiciel vise à augmenter le référencement automatique des sites Web et à suivre leur positionnement. Il devient culte. C'est la parution d'un article mi-ironique, mi-admiratif dans la livraison du nouveau média global My Wor!d[1], qui met le feu aux poudres. Le site d'un Ukrainien de 12 ans vient d'apparaître en tête sur tous les moteurs de recherche quelle que soit la requête. Olaf, devenu héros planétaire du jour au lendemain, a bricolé le logiciel dans le seul but de devenir célèbre.

C'est une des retombées de la *pipolisation*. Il faut être célèbre, ne serait-ce que dans son pré carré, dans son coin de cité, dans son quartier. Le fantasme dominant est celui du *chef de bande*. Les blogs servent à ça. Les technologies de l'information favorisent une réalité augmentée de soi. Les sites communautaires continuent de faire florès. Le nouveau site *Double-U* prend en compte cette dimension, non sans cynisme, ou en tout cas dans le cadre d'un marketing très opportuniste qui suscite encore peu de protestations. Ses applications permettent le repérage permanent et nomade de quiconque passe dans la zone de captation de l'*Uphonx*, le nouvel intégrateur d'amis multimédia de *Mark Zuckerberg.inc* qui a détrôné le iPhone d'Apple. Le créateur de Facebook vient de lancer sa plate-forme

---

1. Fusion du *Monde/New York Times/Guardian/País*.

multicommunautaire et multicommunicante. Il en a profité pour changer de raison sociale et mettre son nom en haut de l'affiche. Signe des temps, le monde d'Olaf et celui de Mark se rejoignent. Pour quelques heures en tout cas. Olaf disparaît vite du paysage. Mark y reste. Mark est un entrepreneur planétaire. Olaf reviendra sous d'autres couleurs. Pour l'instant, il se contente d'engranger les retombées de son fait d'armes au niveau local. À chacun son heure. L'*Ecclésiaste* a toujours raison.

Il y a un temps pour tout

Un temps pour toute chose sous les cieux

Un temps pour moi, donc.

On agrège tout ce qui passe.

Le *désir d'être soi* est la grande figure paradigmatique. La soif d'accomplissement personnel est désormais l'indicateur le plus suivi par les observateurs.

Parallèlement – effet ou cause – la société porte sur elle-même un regard plus intense que jamais.

▶ LA SOCIÉTÉ, GRAND CORPS INQUIET ET PRESSÉ

La société cherche à s'éprouver, se prouver, se sentir exister. Tension nombriliste à tous les étages de 2010 à 2020. Les médias donnent la parole à tout le monde.

La prise de parole de plus en plus ostentatoire de l'opinion – prise de parole qui ressemble à une prise de pouvoir – est un des signes forts de l'époque. Pas un programme de télévision ou de radio, de loisirs récréatifs ou d'information politique, économique ou sportive qui ne soit ponctué d'interventions individuelles, spontanées ou manipulées. C'est un des innombrables lieux d'expression du « moi-je » : « Moi, j'ai droit à la parole. » Ce qui est convoqué, voire recherché par les médias, c'est plutôt l'éclat de l'instant, la spontanéité, l'émotion à fleur de peau, à peine contrôlés par des indices de décence au demeurant très fluctuants. C'est du spectacle de rue sous surveillance débonnaire. C'est très efficace.

Les rubriques « société », « vous », « la parole aux lecteurs », les blogs, aussi, ont leurs prix littéraires… Ce n'est plus l'expertise que l'on récompense mais la participation sociétale, le témoignage. La société se raconte à peu de frais. Si ce n'est le temps qu'il faut pour lire et assimiler toutes ces informations. Chacun est un média, parmi les anciens, les nouveaux, les milliers de micromédias qui tissent le paysage du jour. Les mêmes questions depuis la nuit des temps : « Qui sommes-nous ? D'où venons-nous ? Où allons-nous ? »

Phénomène nouveau : les réponses n'étant jamais satisfaisantes, c'est sur un autre registre qu'elles sont abordées, celui de la frénésie et de l'urgence.

Est-ce parce que l'équipe de José Senovilla de l'université de Bilbao estime que le temps ralentit que nous avons l'illusion qu'il finira par s'arrêter ? L'universitaire espagnol envisage la fin du scénario d'ici à quelques milliards d'années. Certes. Mais déjà en formuler l'hypothèse nourrit les fantasmes qui déterminent certains comportements[1]. Pas un instant à perdre.

Passés, présents, futurs – tout y passe. Besoin de mettre le monde en spectacle ? De se mettre soi-même en spectacle ? Sans doute. Besoin de s'éprouver dans différents avatars, sûrement. S'éprouver. Palper. Nous y reviendrons.

Les magazines sur l'histoire revisitent le passé. On note d'ailleurs, avec un brin d'étonnement, la pérennité des magazines papier qui coexistent avec leurs pendants sur le Net. La nostalgie devient source de délectation. Le Moyen Âge tient la corde, période de référence préférée des jeux de rôle, âge d'or de prédilection. Il s'agit maintenant d'aller plus loin dans l'expérimentation du soi dans tous ses états. On réactualise, on rejoue, on investit et on s'investit dans des jeux de rôle qui vont plus loin que la seule occupation ludique. On y passe des week-ends et on reconstruit des châteaux forts dans la vie réelle. On trouve ses sources d'inspiration et les moyens de les réaliser dans la bibliothèque-monde qu'Internet devient chaque jour davantage. Bien entendu le Moyen Âge n'est qu'un exemple. Très vite tout se revisite, toutes les époques, tous les états du moi, donc. On joue à être un autre pour mieux se retrouver.

Second Life a disparu mais les sites de communautés virtuelles, d'inventions technologiques en visions évangéliques, absorbent le temps des foules, se renouvelant sans cesse.
La *seconde vie* n'est d'ailleurs bientôt plus sur l'écran de l'ordinateur mais dans la vie même. C'est le triomphe de la *troisième vie :* une actualisation permanente du jeu dans la vie de tous les jours[2] et un empilement de ces vies.

▶ Sortir de l'écran

La relation à l'écran de l'ordinateur ou à celui du téléphone portable avait construit une gestuelle précise, un ensemble de gestes et de réflexes quasiment autistes. L'événement majeur – qui va parvenir à

---

1. Kurzweil, www.kurzweilai.net/news/
2. Voir le chapitre « Règles du jeu », p. 121.

maturité en 2020, mais qui se dessine dès maintenant – c'est la disparition de la machine. L'ubiquité – l'informatique omniprésente – est arrivée par « petites touches », selon les prévisions d'Adam Greenfield[1]. Le concept dominant est celui des objets *spime* (espace-temps), néologisme de l'auteur de science-fiction Bruce Sterling. Une classe d'objets capables de s'identifier et de se situer dans l'espace-temps, donc constamment localisables, en lien permanent avec leurs utilisateurs. Après plusieurs générations technologiques qui se sont succédé rapidement, cette version améliorée du GPS débouche sur un système omniscient, omniservice, d'interconnexions généralisées de tous les objets de la vie quotidienne entre eux. Chacun a le sentiment d'être une tour de contrôle globale de son monde. Le monde physique et le monde virtuel se rencontrent[2]. Troisième vie !

La publicité, le marketing, le journalisme de vulgarisation ont-ils été les témoins ou les acteurs de ces changements ? En fait, c'est tout le corps social qui avance dans l'intégration du monde nouveau. Chacun est observacteur du monde et cherche à gagner du terrain, de la visibilité, de la légitimité. Être soi pour soi, pour les autres, pour l'histoire.

Mais sur cette notion du « moi » règne l'incertitude.

Qui suis-je ? Et si j'ai une réponse, ai-je envie d'être cela ? C'est de cela qu'il va être question à partir de 2015-2020.

▶ LA FATIGUE DE SOI[3]

Peu à peu une dimension nouvelle se fait jour, parallèlement à une gestion personnelle de plus en plus difficile du temps consacré à soi. Le passage du « moi-je » au « je-nous » est en train d'opérer. Faire de l'ego un logo permanent et triomphant finit par être épuisant. Les ressources personnelles ne suffisent plus à assumer. À force d'être une marque, un média, une foi, une légende, l'ego est exsangue. Bonne nouvelle pour la sociabilité. *L'autre* existe à nouveau. Le vrai, pas seulement la reproduction narcissique de soi dans une forme autre. On entre dans une nouvelle logique, d'ouverture, de transversalité interpersonnelle. Des gourous autoproclamés s'équipent de nouvelles technologies d'interconnexion décompressive. Le concept fait fureur dans les années 2020. Les titres des best-sellers de l'époque – *L'Enfer c'était moi, Lâchez-moi* – ouvrent le champ à la nouvelle gnose : le soi-monde. Ce nouveau Graal évoque la nécessité d'une

---

1. Adam Greenfield, *Everyware*, FYP éditions, 2007.
2. On retrouve toujours les clés de la voiture.
3. Jolanta Bak, *La Société mosaïque*, Dunod, 2007.

ubiquité du soi dans le monde – qui fonctionne en parallèle avec la nouvelle ubiquité totale que l'informatique omniprésente propose d'une façon opérationnelle et finalement calme, c'est-à-dire acceptée par le plus grand nombre. L'adjectif fait fureur, si l'on peut dire. Calme.

On jette un regard désabusé sur les décennies précédentes. L'expression de soi en a vu de toutes les couleurs depuis une trentaine d'années. Dans les années 1980, elle passait par l'injonction d'être plus, de posséder davantage. Les valeurs clés du moi étaient d'accéder à un statut, de posséder des objets griffés rehaussant le prestige, de gérer des symboles de puissance, de liberté, de permissivité. Être signifiait avoir. Vinrent les années 1990 : être soi-même acquit une autre signification. Être mieux, se sentir mieux dans sa peau, donner du sens à ce que l'on fait devint la nouvelle clé. L'expertise, la qualité, l'authenticité : autant de slogans incontournables de cette période. Au début du siècle, la nouvelle *doxa* fut de progresser. On ne parlait plus que de créativité personnelle, d'innovation, de plaisir et d'interprétation personnelle du monde. Puis vint le déclin du début du siècle : le marketing de soi passait pour être le phénomène sociétal le plus évident. La crise financière des années 2008-2010 mit le feu aux poudres. Cette obligation publique de soi était-elle soutenable ? On se mit à rêver d'un développement durable de soi et à imaginer une décroissance soutenable du moi.

La lumière rouge qui clignotait depuis un moment finit par embraser la planète pensante : la lassitude de soi. L'intelligence artificielle allait-elle voler au secours des gens ? C'était l'horizon fantasmatique proposé par Ray Kurzweil. C'était un horizon très lointain. Restons calme.

⇨ **Chaque chose en son temps**

Qui suis-je ?

▶ UNE GÉOGRAPHIE DE SOI

En 2015, on sait très bien où se situer sur une carte imaginaire : au centre. Et en hauteur, car on a une vue imprenable sur la planète grâce au formidable vecteur d'informations que constituent les néoréseaux sociaux. Tout le monde appartient à plusieurs réseaux, ce qui demande un certain savoir-faire. Les moteurs de recherche intuitifs font le ménage, renseignent et trient. On finit par s'y retrouver. En 2015, on a une place très individualisée et repérable, personnelle et unique. Chacun est à la fois un média, une marque et une patte-d'oie. C'est-à-dire un embranchement, un carrefour, un *hub*, comme on va le voir. On maîtrise des flux interconnectés, interactifs et intelligents. On pilote tous les paramètres de son marketing personnel avec jubilation. On est entré dans l'ère de la palpation. Il s'agit d'apprécier le monde dans sa totalité, de le ressentir dans tous ses effets sur soi. C'est en quelque sorte l'application des techniques de massage du corps à l'échelle de la relation au monde. Tout cela est très sensuel. Pas question de s'en tenir au stade virtuel et de rester en permanence à contempler les autres sur écran. Le passage du virtuel au réel fait partie du jeu.

Varuna. Ce nouvel outil, créé grâce aux nanotechnologies, intègre toutes les fonctions de la connectique, avec reconnaissance par la pensée, donne accès à toutes les banques de données et se consulte soit par télépathie soit sur un écran virtuel qui se déploie sans support physique. Il se porte sur la main ou sur l'épaule, comme les pirates d'autrefois portaient un perroquet. Le plus souvent, il est utilisé pour sa fonction de drone.
Sa technologie intuitive en a fait un succès mondial, et les plus grandes marques y apposent leur griffe… à des prix exorbitants.
Omniscient et omnipotent, Varuna est le maître du *rita*, l'énergie qui permet de maintenir l'ordre de l'univers – les inspirations orientales, toujours.

On reste donc vigilant sur l'état du monde réel, car il n'est pas très bien vu de fermer les yeux sur le délabrement général et sur les fractures multiples. On existe très fort, très intensément et d'autant plus fort et intensément qu'on sait bien qu'il faut assumer ce monde tel qu'il est et quel que soit son état. C'est nouveau… et fragile.

Le « je » omnivore, obsessionnel, dictatorial, qui a triomphé dans la décennie précédente, commence donc à laisser place au « nous » qui va charpenter les vingt années qui viennent.

À dire vrai la transition ne se fait pas toujours facilement, et encore moins d'une façon homogène. Pour les uns, ce « nous » – c'est-à-dire bon gré mal gré « les autres » – débarque comme des *boat people* qu'il faut bien secourir, comme des réfugiés qu'on ne peut pas laisser crever de faim. Est-ce une résurgence, une réplique sismique des croyances en l'ère du Verseau et à la nouvelle grande fraternité universelle ? On a le sentiment d'une responsabilité commune sur le passé, le présent et le futur. Comme si la solidarité pouvait mener à un équilibre général : en s'intéressant aux autres, on a des chances de préserver un peu de soi. Pour d'autres, ce « nous » évoque plutôt des envahisseurs venus d'autres planètes – ce qui tombe bien car l'espoir de découvrir des civilisations extra-terrestres se fait de plus en plus prégnant. On comprend la résistance à ce nouvel œcuménisme laïc : il faut accepter qu'une partie de soi vient d'ailleurs, qu'on est le morceau de quelque chose, le maillon d'une chaîne. La solidarité planétaire implique une fraternité, une consanguinité qui ne s'accorde pas toujours avec le réenchantement du régionalisme : comment conjuguer son territoire et le cosmos ? Comment assumer, avec bonheur, un peu de fierté et pas mal de sérénité, le fait qu'on se sente bien chez soi, dans son village – fût-il néo, fût-il nanti, fût-il ghetto –, et revendiquer aussi le sentiment d'appartenir à la grande histoire de l'humanité ?

On explique que la survie de l'espèce passe par ce réajustement. Certains l'admettent mais la patience n'est pas la vertu principale de la décennie, c'est souvent un peu houleux. Le retrait dans sa bulle géographique est une tentation permanente. Malgré tout, un nombre suffisant d'êtres humains (au sens statistique du terme) considèrent qu'on doit pouvoir trouver des solutions. Il était temps.

Depuis la mise en évidence du code génétique, la communauté scientifique admet que la vie est un seul et même phénomène « de l'amibe à l'éléphant » – en passant par l'homme, évidemment. Il en résulte une fraternité renouvelée avec l'ensemble des êtres vivants. Une attitude plus respectueuse s'installe progressivement[1].

En fin de compte, ce qui est en jeu est le sentiment d'appartenance à l'histoire de l'espèce et à la planète Terre. La nouvelle se diffuse de façon furtive dans le corps sociétal, dans la *mare imaginalis*[2], cet immense réservoir en perpétuel renouvellement de l'imaginaire humain. À la question du « Qui suis-je ? » se greffe donc maintenant celle du « Qui sommes-nous ? ». Certains restent figés dans une méditation perplexe : n'est-ce pas une question vieille comme le monde ? N'a-t-on pas déjà mille fois traité de ces choses dans les manuels ? C'est bien là le problème, leur répond-on. C'est resté dans les

---

1. Thierry Gaudin, entretien dans *Nouvelles Clés* (www.nouvellescles.com).
2. « ... cette mer imaginale sur laquelle vogue l'être humain et qui de siècle en siècle, et quels que soient les lieux et les époques, demeure le lien fondamental de nos consciences » (conférence d'Adrien Salvat, 8 janvier 1927 au Collège de France, cité par Frédérick Tristan).

manuels. La grande utopie des deux décennies qui s'annoncent c'est qu'on va passer de la théorie à la pratique… qu'on va s'impliquer.

Il s'agit de repérer où et quand on peut se mailler au monde. Se relier, se connecter. Les technologies sont désormais simples d'accès, faciles à manipuler, voire ludiques. Il suffit d'exercer une forme de vigilance – pour ne pas perdre de temps, pour optimiser chaque seconde de l'existence.

De quoi se compose l'ADN numérique d'un individu[1] ?

• Les coordonnées,
• Les certificats,
• Les contenus publiés ou partagés,
• Les avis sur des produits,
• Les hobbies,
• Les achats réalisés,
• La connaissance,
• Les portails et réseaux sociaux,
• Les services qui gèrent la notoriété de l'individu et sa réputation,
• Les services de rencontre.

Cette vigilance s'applique aux choses simples comme aux choses complexes, au trivial comme au sublime, au croustillant comme au savant. L'accès permanent à l'information donne à chacun le pouvoir de s'inscrire dans un processus de commerce avec le monde.

Il s'agit de diffuser, négocier, franchiser, mandater ce que l'on est : le soi est une multinationale d'un nouveau type, au centre d'un circuit d'échanges, de rouages innombrables. Innombrables mais pas inaccessibles car le repérage de la transaction recherchée est possible en quelques clics. L'ordinateur personnel avait ouvert la voie. Le Varuna l'amplifie.

Dans le monde *cognitif-connecté* de l'*upstream*, c'est-à-dire de la population de créatifs culturels qui se réclame de la *Nouvelle Renaissance*, le moi est un bien négociable, producteur de valeur ajoutée. Les créatifs culturels avaient commencé à faire parler d'eux au tournant du siècle. L'écologie, le féminin, l'être plutôt que le paraître, la connaissance de soi, l'enjeu sociétal, le culturel étaient leurs chevaux de bataille[2]. C'était assez bien vu. Tous ces thèmes vont imprégner les deux décennies qui viennent sous des appellations diverses pour

---

1. Source : *Entreprise* 2018, conception éditoriale René Duringer (www.issuu.com/hubee/docs/entreprise_2018).
2. Voir le chapitre « Les tribus », p. 71.

devenir la *Geistzeit* de la nouvelle ère. La « nouvelle origine » propose qu'on agisse dès maintenant, la « génération renaissance » propose qu'on s'inspire de la période en question, et le transhumanisme interpelle un très lointain futur. En bloc, ces concepts fonctionnent très bien, comme des machines à remonter et descendre le fil du temps – temps qui appartient ainsi à tout un chacun.

L'information – la bibliothèque-monde – est non seulement disponible mais claire et lisible. On sait tout sur tout. Des esprits chagrins distillent cependant, çà et là, des versions plus sombres de cette affaire – surtout dans les fictions, les films qui prennent un malin plaisir à voir tout en noir. La BD tient la corde pour explorer plus profondément les imaginaires du temps.

Dans l'ensemble, les technologies intuitives font parvenir à chacun ce dont il a besoin, ce dont il pourrait avoir besoin, ce dont il ne sait pas encore qu'il a besoin mais qu'il est bien content de trouver. L'information est une *instruction* donnée à la machine-monde pour que chacun organise son microcosme. Chacun est à la fois acteur et observateur. L'émergence du concept d'*observacteur*, qui était réservé d'une façon un peu arrogante aux « experts », devient le lot de chacun. Observé, observant, s'observant, dans l'action. La prise de parole de tous dans l'hyperconnectivité des blogs et de leurs successeurs, les *hubs* personnels ou communautaires, rend possible un nouveau rapport au monde : il y a là quelque chose d'enivrant, de sensationnel. De l'ordre de la sensation.

Ceux qui pensaient que l'internet était une poubelle, un lieu de désinformation, en sont pour leurs frais. Les nouveaux logiciels *sentinelles* (on ne dit plus « espions », ce qui est un des signes de la réconciliation homme-machine et plus politiquement correct) permettent de faire le tri selon la pertinence de l'interlocuteur, de l'information, de la transaction. C'est là le nouveau mot-clé : pertinence – *What's in it for me?* « Je gagne quoi ici ? ». Je fais partie de l'histoire de l'espèce et je suis l'espèce humaine à moi tout seul – aussi !

L'internet étant donc partout, il ne pose pas plus question que l'air qu'on respire. On investit de nouvelles zones de la géographie du moi au sein desquelles la technologie passe au second plan.

Les trois nouveaux hauts lieux du moi vers 2018 sont :

⇨ **Le *hub***   ⇨ **Le texte**   ⇨ **Le *locus solus***

▷ *Le* **hub**

C'est un site virtuel sans doute – mais cette terminologie est désuète, on parle de *hub personnel* –, partout accessible, partageable, modulable. Vous voulez savoir qui je suis, où je suis, où j'en suis ? C'est le rôle du *hub*. L'air du temps en 2018 est au nomadisme et à la fluidité, comme prévu. L'ère de la transparence numérique est arrivée : on sait tout sur tout et sur tout le monde. Le moi de chacun est un spectacle total partagé dans les néoréseaux sociaux, mis en scène et actualisé en permanence.

Vous allez à un premier rendez-vous avec une fille… Aucun problème pour tout savoir sur elle, avant : ses ex, sa famille, son job, son parfum, ses positions sexuelles préférées et ses films-cultes. Ce qui nous aurait semblé totalement intolérable il y a quelques années est devenu la norme… et la fille sait, elle aussi, tout sur vous… on s'adapte.

On sait tout de vous, vous savez tout de tous. Grâce au *hub*. À cause du *hub*.

Bénéfice sociétal inattendu : les rues sont plus sûres et les villes plus accueillantes… car cette hyperconnaissance, cette transparence absolue est une forme d'autosurveillance généralisée. Puisque tout est transparent, on observe davantage.

Autosurveillance généralisée ? Ça vous fait peur ? Ne craignez rien. Tout cela est maintenant parfaitement acceptable, voire applaudi. On est tellement plus tranquille ! Des plans vigipirates auto-générés et consensuels voient le jour. Ça vaut mieux, le pire n'est jamais sûr mais il est très probable en cette période. Le risque terroriste se nichant partout, les instances de surveillance elles-mêmes sont transparentes. On a voté pour elles. Toutes ces caméras, visibles nulle part, présentes partout, tous ces contrôles présents partout, visibles nulle part, c'est nous qui les avons demandés.

On vous expliquera ça un jour. C'est comme le whisky : *an acquired taste*, disent les Anglais… « un goût qui s'apprend ».

Ce *hub*, donc, est accessible sur le Net, depuis votre téléphone portable, depuis votre Varuna.

▷ *Le texte*

Livre, article, Post-it magnétique qui flotte dans la cuisine, petit mot griffonné à l'ancienne – sur du papier avec un crayon, luxe nostalgique –, ou tout support écrit qui permet de faire passer l'information qu'on veut transmettre, qui fixe un message, qui rythme sa propre existence, son épopée, sa chronique de soi.

C'est le mot-texte qui est retenu, presque contre le cours du temps – car si l'image tend à supplanter le mot, la bataille n'est pas gagnée ; le mot-texte est même un enjeu fort car prendre le temps de la lecture, de l'appropriation du sens dont il est le dépositaire devient un vrai défi. Refus d'épouser l'accélération radicale qu'autorisent les nano-technologies. Défi que l'on relève, ou bonne conscience que l'on voudrait se donner, dans ce moment de décélération qu'est le temps long et retrouvé de la lecture – plaisir rare, presque un peu coupable.

▷ *Le* locus solus[1]...

... enfin, qui est l'instant où tout s'arrête dans le monde, l'espace de la rencontre avec le monde réel, avec l'autre, avec l'essentiel *autre* reconnu comme tel, repéré comme allié de soi au monde – et ce lieu, peut être sa maison, son hôtel, le banc public sur lequel on vient s'asseoir et bavarder avec un inconnu. C'est le lieu de retrouvailles. Au vrai, le café du commerce d'autrefois ferait l'affaire. Cela se sophistique toutefois un peu, et les lieux en question sont souvent des endroits où l'on parle, où l'on se restaure, où l'on peut même parfois dormir. On n'ose pas dire que c'est un hôtel comme autrefois. On parle plutôt de caravansérail mais, comme le mot est finalement trop long, on se rabat sur l'appellation de *fundouk* qui signifie la même chose. Ce qui change par rapport aux décennies précédentes – et qui est assez radical – c'est que les technologies sont interdites dans ces *fundouks*. Aucun téléphone n'y vibre, aucun écran 3D ne capte l'attention, aucun e-journal n'est disponible pour le chaland. Seule y compte la parole échangée. Richesse retrouvée de la conversation. On laisse son Varuna au vestiaire.

Sommes-nous entrés dans une post-postmodernité où high-tech et low-tech coexistent et collaborent ? Peut-être, encore que les optimistes de l'*upstream* parlent plus volontiers de *neoorigine* voire de *neworg* – prononcer « niuvorg », cela fait plus chic – pour nommer l'époque actuelle telle qu'ils l'envisagent. Les pessimistes et les décalés du *downstream* affichent leur perplexité en parlant de *décad*, terme évocateur. Les gens du *mainstream* ne disent rien du tout mais s'investissent avec acharnement dans leur réussite personnelle, ou se tournent vers une vie tranquille, dont le succès se mesure à l'aune de la relation avec leurs proches et au cours de laquelle ils se protègent comme ils peuvent.

---

1. En hommage à Raymond Roussel... pour dire la richesse insondable du rapport magique avec l'autre.

▶ Upstream, downstream, mainstream… La culture, fleuve intranquille

Prolongeons les courbes pour les vingt ans qui viennent… On assiste à un renouveau de la culture comme art de vivre global, intégrant à la fois le repli sur soi et l'ouverture au monde sans que ces tensions soient vécues comme contradictoires.

Les deux courants sont en opposition et en tension mais avec des passerelles.

La tendance nostalgique s'accentue, avec un retour-recours au patrimoine, plutôt passéiste donc, privilégiant la musique classique, le théâtre et un fort engagement dans la vie culturelle. Pour autant le terme de classique recouvre maintenant l'agrégation de musiques venues d'univers géographiques et historiques différents. C'est une culture nostalgique qui n'a d'ailleurs rien de dépressif. Elle est l'objet d'un partage avec d'autres – toujours cette idée qu'on fait les choses ensemble, en tribu – et permet de reconstituer des moments, des lieux, des circonstances – que l'on n'a pas forcément vécus mais sur lesquels se cristallisent des représentations idéalisées. On n'ôte pas facilement aux gens l'idée qu'avant c'était mieux. Les technologies de réalité augmentée offrent un éventail infini de théâtres d'opérations parfois mélancoliques.

La renaissance culturelle se centre sur la capacité et le désir de chacun d'émerger, de faire de sa propre vie une œuvre – c'est l'ADN de l'*upstream*.

On assiste à une plus grande disponibilité et une plus grande proximité vis-à-vis de l'offre culturelle, avec un fort tribalisme identitaire et une méfiance à l'encontre des médias qui jouent l'événement cru, l'ostentatoire qui aveugle. On finit par les détester, ce qui permet à d'anciens médias de renaître : renouveau des feuilles de chou à l'ancienne – lues par un public limité, mais fidèle et proactif – avec un rapport à l'écrit, au papier et au temps de lecture qui fait dire que la vie intellectuelle ne se dissocie guère de la vie sensorielle.

On reviendra sur cette thématique sens-sensorialité dont une des logiques est dans le sexe, la violence et la cruauté spectaculaires. Cette tension entre transversalité culturelle et repli identitaire est le fait majeur qui arrive à maturité.

▷ *Les nouvelles cultures*

Pendant un temps, on espère que ces clivages ne recouvrent pas une réalité sociologique au sens strict. On avance qu'ils ne sont pas erronés ni inutiles, qu'ils sont simplement les expressions d'un vécu *à la carte*. À tout moment ou presque, chacun estime qu'il peut choisir de faire partie d'une de ces cohortes. L'utopie centrale est là : chacun devrait pouvoir choisir un style, une panoplie et en changer à sa guise. On a envie de goûter à tout, de faire feu de tout bois, d'expérimenter toutes les formes possibles de soi – à un moment ou un autre. Un seul principe de réalité subsiste, et il est terrible : il faut en avoir les moyens – culturels, économiques, énergétiques.

On parie quand même pendant quelques années sur cette illusion. Le métissage artistique est la norme. Le credo de l'époque affirme que c'est la vie même qui est une œuvre d'art potentielle. Ce qui en soi n'est pas très nouveau. Ce qui l'est davantage, c'est la commercialisation du concept[1].

L'art depuis longtemps n'a plus de frontières. Du jour au lendemain, des objets ou des lieux considérés auparavant comme parfaitement insignifiants acquièrent un statut équivalent à celui de patrimoine mondial.

La notion de légitimité artistique traditionnelle est dépassée mais le talent compte encore. Pour réussir socialement, il faut y mettre du style, voire du génie. Ce qui fait l'affaire des artistes, qui redeviennent les héros du jour. Chacun est en droit d'espérer d'être un artiste dans son domaine.

Ainsi la ville bénéficie-t-elle de ce réamour de l'art et de son expression dans notre paysage quotidien. Cela explique le grand retour des architectes, urbanistes, paysagistes.

Dans les années 2015, les disciplines artistiques sont à nouveau enseignées dans les écoles et les lycées, et l'on espère que l'ensemble des activités humaines bénéficiera de ce regain d'intérêt pour l'art. Le « grand artiste » est celui qui navigue entre les genres, qui goûte à toutes les expériences sociales. Et chacun veut en être.

Puis les frontières entre culture *upstream*, culture *mainstream* et culture *downstream* deviennent plus étanches. Les clivages se forment. Les fractures se creusent.

La société se solidifie dans son haut et dans son bas. On n'ose pas dire dans son haut de gamme et son bas de gamme parce que ce serait politiquement incorrect. On tente cette image parce que la comparaison est commode. C'est très délicat. Autour de 2015-2020, les mœurs et opinions dominantes de chaque culture autorisent peu

---

1. *Idea Futures,* de Nick Bostrom, fait un malheur. Voir chapitre « Ombres et lumières », p. 259.

la déviance. Pendant que les fractures se creusent, chaque culture se rigidifie sur ses fondements. L'idéal naïf selon lequel il était possible de naviguer d'une culture à l'autre se heurte à la réalité : leur ghettoïsation. Certains insistent sur le fait que la culture *mainstream* – qui serait alors le milieu de gamme de la société – tend à disparaître, comme tous les produits milieu de gamme de consommation de cette époque. Le milieu de gamme est un compromis qui ne fonctionne plus… Il faut en finir avec la dictature de la moyenne, clament les entrepreneurs et commerçants.

On s'interroge : mais alors que penser de ces individus qui, dans le monde entier, viennent d'accéder au statut de classe moyenne, qui sortent de leur condition de pauvres absolus, qui ont eu accès au micro-crédit, qui maintenant peuvent s'acheter une voiture à bas prix… et qui sont de plus en plus nombreux ? Partout !

Plus que jamais cette catégorie sociale est lancée dans la course vers l'*upstream* – rêve de gloire et de richesse, désir d'ascension au-dessus de l'abîme de la misère. Terreur permanente d'y retomber. D'où sa nervosité profonde mais pas forcément visible à l'œil nu. La culture *mainstream* est en équilibre précaire, et pourtant c'est le lot du plus grand nombre : une immense classe moyenne de par le monde est en instabilité permanente. Dans l'Occident nanti, le *mainstream* semble s'être installé un peu plus solidement.

▷ *Culture du* mainstream, *vers un bonheur terne ?*

La culture *mainstream* est sans doute l'héritière des courants les plus anciens. Elle s'ancre dans le sillon profond d'une culture populaire, roborative comme ses plats préférés. Sans haine ni violence elle s'abandonne au cours du fleuve, se délasse sur ses rives quand elle peut les aborder. Futuroscope, Center Parcs et autres Disneyland sont devenus à peine abordables mais ils continuent de représenter des parenthèses de déréalisation du monde tout en offrant – grâce aux performances de la réalité augmentée – des spectacles interactifs d'une puissance émotionnelle encore jamais atteinte. *Panem et circenses*[1].

La Belle de Cadix, le dimanche après-midi dans les villes de province, incarne une culture de la nostalgie, convenable et conformiste, un brin pimentée et racoleuse dans sa version mise au goût du jour, culture de clichés qui ont la vie dure et durent ce que durent les seniors, c'est-à-dire de plus en plus longtemps.

---

1. On reviendra sur ce thème dans le chapitre « Voyager », p. 200.

Les individus de l'ère hypermoderne et de la civilisation des loisirs affichent des goûts personnels et éclectiques. Les sociologues s'en arrachent les cheveux : « pratiques culturelles légitimes », « illégitimes », ces classifications ne deviendraient-elles pas un peu obsolètes ? On y repère les mêmes schémas que dans l'évolution du fait religieux : bricolage pour soi, bricolage de sensorialité, d'expériences émotionnelles et physiques.

Les jeux de hasard et d'argent sont les grands gagnants. On les nomme pudiquement *services récréatifs*. Mais personne n'est dupe. L'époque est au surnaturel et à la magie.

Les tirages de ces jeux, retransmis par les médias, se font désormais dans des églises catholiques apostoliques et romaines – qui sont, malgré tout, les seuls lieux de culte à s'adonner à ces pratiques au motif d'une reconquête des esprits qui fait fi des états d'âme.

Les autres religions se sont officiellement retranchées derrière un déni offusqué. Mais leurs adeptes ont tôt fait d'investir des lieux parallèles où communautarisme et invocation des dieux du hasard font bon ménage.

Restent néanmoins les valeurs sûres : les concerts, le théâtre, le music-hall, le cirque, la corrida, le zoo…

La culture *mainstream* est celle de la multitude. Les observateurs constatent que la notion antique de majorité silencieuse est plus que jamais d'actualité. On a beau la savoir connectée sur le Net, équipée de téléphones portables, sollicitée par les politiques… c'est un immense ronronnement un peu sourd qui la signale. La révolte *mainstream* n'est pas pour aujourd'hui. Chacun a trop à faire avec sa survie immédiate. On se protège tant bien que mal, on avance mais pas trop vite, sans trop de vagues.

C'est dans les extrémités du champ sociétal que le spectacle a lieu.

▷ *Culture* upstream, *vers un bonheur au final sage ?*

On hésite à la qualifier, cette culture *upstream*. Est-elle celle d'une minorité sociologique ? Est-elle encore accessible ? Elle a ses hérauts, son organisation, ses attitudes. Elle prétend à une forme d'avant-gardisme. La culture y est vécue comme expérience et expérimentation de soi.

Qu'est-ce qu'être à l'avant-garde ? Faire preuve d'éclectisme, d'ironie, être en dissidence… il faut en avoir les moyens.

On joue sur les *dissonances culturelles* qui consistent à alterner des pratiques dites populaires avec d'autres considérées comme plus *légitimes*, à s'adonner à un match de foot au village l'après-midi tout en se rendant au festival d'Avignon le soir… Pétanque l'après-midi, musique classique le soir.

C'est aussi une culture de l'encanaillement, de recherche de l'exotisme, dans laquelle un brin de dédain se mêle à une vraie curiosité : l'*upstream* explore le *mainstream* comme il va au zoo.

Des questions se posent : l'*upstream* est-il totalement déconnecté ? Que sont devenus les créatifs culturels que l'on avait regardés comme une certaine élite transnationale, qui ont pris un peu de bouteille mais sont toujours vaillants ? Saturés d'expériences, rassasiés de virtualité, cernés par l'individualisme autant que par le tribalisme intellectuel, ils ressentent une amertume certaine : la planète ne va pas mieux malgré leur ardeur à défendre l'écologie et à dénoncer l'immoralité foncière du monde.

De l'humour et de l'ironie ils ont certes fait un usage large et généreux mais cela n'a pas suffi.

Ce qui caractérise la culture *upstream* des années 2010-2020 c'est la reprise effective des négociations entre l'individu et le monde. Ce qui sous-entend donc que la culture *mainstream*, elle, a perdu la main et obéit aux ordres (essentiellement les ordres publicitaires et marketing), tandis que la culture *downstream* a bifurqué et quitté la table des négociations.

On comprend ici que l'organisation du monde n'a pas vraiment changé : il y a les querelles de chefs au niveau de la gouvernance mondiale entre les politiques et les industriels, entre États et ONG, entre le monde de l'assurance et celui du divertissement[1] mais cela n'a pratiquement aucune influence sur le quotidien des gens. Chacun doit trouver son territoire.

▷ *L'upstream coproduit*

L'*upstream* négocie ferme avec les puissances commerciales, s'assied à la table de travail, il coproduit. Dans l'*upstream*, on ne consomme que du sur-mesure. Et pas pour des fortunes, pas des produits hors de portée. L'*upstream* s'est fait le partenaire du monde marchand. Les marques ont su s'adapter et répondre à la demande, accompagner leurs clients, partenaires, amis. Ça vous fait rire ? Vous avez tort… La relation émotionnelle avec le monde change. Grâce à un degré d'adaptation des outils de production jamais atteint, la réactivité des marques aux désirs émis par les clients est totale, ce qui

---

1. Polarisation théorisée par Jacques Attali.

permet une personnalisation extrême des produits. Encore qu'ici une remarque s'impose : l'objet absolument original, incomparable, dont la valeur ne peut donc pas être évaluée, mesurée, ne rencontre pas tellement de succès. Dans l'*upstream* comme ailleurs, la possession d'un objet doit avant tout susciter le sentiment d'appartenance à une tribu, un clan, une cohorte. Mais ce qui va se révéler de plus en plus juste, de plus en plus pertinent, ce sont les nouvelles stratégies de valorisation de la proximité (citadine, familiale, professionnelle…) qui permettent le partage en temps réel d'un moment fort, d'un événement quel qu'il soit. Ainsi se fabrique-t-on des événements sur mesure, à la mesure de son désir, mais qui restent des produits pas si originaux que ça, pas si décalés. Tout simplement parce que ce n'est pas l'envie du moment : l'originalité à tout crin, c'est un truc d'autrefois, un peu démodé, qu'on regarde avec une certaine condescendance, et qui semble appartenir au *mainstream*, ou peut-être aussi – oui, surtout – au *downstream*. Même si, pour l'*upstream*, cela n'a pas vraiment d'importance. L'*upstream* est très libéral, très généreux… D'ailleurs cette notion de produit elle-même est vite dépassée pour l'*upstream* qui cherche des solutions, des mesures qui fluidifient son expérience du monde… Le partenariat avec l'entreprise n'est qu'un premier pas : le rapport entre l'*upstream* et le monde qui l'entoure est fait de combinatoires complexes intégrant des savoir-faire complémentaires mais au bout du compte c'est toujours la même chose : des services que l'on transforme en concepts un peu grandiloquents. Le traiteur devient « organisateur d'événements », le vendeur de fenêtres un « expert en sécurité » ou un « marchand de silence[1] ».

▷ *Comment accède-t-on à l'upstream ?*

Au terme d'un parcours assez complexe : un mélange de résilience victorieuse, de connectivité lucide maîtrisée, qui permet une meilleure lisibilité du monde, mais aussi parce qu'on a choisi la bonne cohorte. La résilience fut un concept à la mode et une qualité indispensable pour passer le cap difficile du scénario *pax americana*[2] des années 2012. Le feu terroriste avait rendu la vie urbaine difficile, la menace était permanente et de fait s'était abattue sur les réseaux de communication, au motif que la vie sociale s'était réglée

---

1. Inspiré de Raphaël Berger, responsable adjoint du département « consommation » du Credoc.
2. Alexandre Adler, *Le Rapport de la CIA*, Robert Laffont, 2005.

sur la communication entre individus. Le terrorisme cherchait à détruire le monde par pure haine de celui-ci. Le défi, l'agression ultime ressemblaient en tous points à une vision hollywoodienne de l'Apocalypse… c'est-à-dire toujours réitérée, toujours virtuellement meurtrière mais sans cesse évitée. L'Upstreamien est celui qui en réchappe. Dur à cuire. Ou plutôt endurci par l'épreuve.

On l'aura compris, la société qui se prépare prolonge et intensifie une grande fiction, une fresque qu'on ne cherche pas à dénoncer mais à énoncer : la logique du présent annonce celle de demain, qui sera l'apanage de tous – la place de l'individu dans le concert des autres. L'*upstream* est une utopie sociétale qui aimerait bien exister. Destin de spermatozoïde. Un seul à l'arrivée sur des millions au départ.

▷ *Culture de zones : les exocultures, creuset du devenir ?*

Une culture urbaine endémique – « *hard gang culture* », fermée sur elle-même – génère ses propres mythes et son antimythologie. La culture du boire[1] en fait partie. Elle se caractérise par un rejet massif de tout ce qui se rattache aux autres formes de culture – aussi bien le néohumanisme *mainstream* que le transhumanisme *upstream* – et l'idée même d'un contact avec ces dernières est méprisée. Elle est portée par les jeunes de banlieue qui ont quinze ans en 2020. Ils modifient radicalement la géographie et l'histoire culturelles en réinventant en permanence coutumes et langages et en annexant de vastes zones géoculturelles qui risquent de disparaître à terme des cartes sociologiques officielles. Intégration en panne, désintégration comme art d'y vivre. C'est le cauchemar des sociologues de tous poils et la divine surprise des voyeurs. Le fossé se creuse car la langue y évolue différemment – au point que l'échange et le contact réel avec les autres deviennent difficiles… On voit apparaître de nouvelles professions : traducteur-interprète des sabirs locaux, guide de trekking en banlieue…

Les « safaris banlieue » ont leur mythe fondateur…

❝ *Trois ans après les émeutes de novembre 2005 […], le maire PCF du Blanc-Mesnil a eu l'idée […] d'inviter des hommes politiques américains et de leur faire visiter les quartiers sensibles de sa ville […]. Hier, une délégation d'hommes politiques américains accompagnés du maire du Blanc-Mesnil a donc*

---

1. Voir le chapitre « Boire », p. 94.

« arpenté » la ville en car de tourisme, appareils photo à la main, pour se rendre dans le quartier le plus sensible de la ville : la cité des « Tilleuls ». Dans le jargon touristique appliqué à la banlieue, on appelle ça un « safari »[1]."

... et le voyage n'y est pas de tout repos

❝ *Aux quatre coins de notre univers se perpétuent des viviers de guerriers jeunes et moins jeunes, débraillés ou en uniforme, également avides de conquérir à tout prix logements, galons, femmes et richesses. Quitte à quadriller, à la mitrailleuse et au mortier, campagnes et méga-bidonvilles en faisant exploser voitures piégées et bombes humaines pour dominer sans partage. Quitte pour les États ambitieux et sans scrupules à puiser dans ces viviers de tueurs afin d'accéder, en parrainant divers terrorismes, à la puissance par la nuisance[2]."*

Ces *nouvelles cités interdites* s'adossent à une mythologie remise au goût du jour par le film *La Haine* de Mathieu Kassowitz et le clip provocateur *Stress* du groupe Justice. Retour de *La Horde sauvage*. Les Lupercales, fête de l'Antiquité romaine instaurée en l'honneur du dieu Faunus (l'équivalent du Pan grec), en avaient dessiné les contours. Des bandes d'hommes furieux, vêtus de peaux de bouc ou de loup, les luperques, sillonnaient la ville en s'y livrant aux plus licencieuses violences. Ils renouaient ainsi avec des temps plus anciens encore, jusqu'à ce que les citadins agressés réagissent et s'unissent pour les traquer hors les murs.

Ces exocultures contemporaines remplissent-elles une fonction purificatrice ? Les banlieues jouent-elles un rôle secret de bouc émissaire ? Ces thèses sont parfois abordées, avec prudence, par les observateurs en mal d'explications du monde. En fait, la confusion règne : les bandes furieuses en question sont parfois des essaims de précaires issus du *mainstream*. Ils crèvent de faim, ils sont chômeurs. On les taxe de *nouveaux gueux* pour rappeler que l'histoire marche par cycles mais ça ne remplit par leurs Caddie. Ils trouvent parfois dans l'*upstream* des complices bienveillants à l'égard de leur rébellion, qui les aident à prendre d'assaut les supermarchés[3].

---

1. www.amago.blogs.nouvelobs.com
2. André Glucksmann, « L'Amérique, la guerre d'Irak et la "somalisation" de la planète », *Le Figaro*, 15 octobre 2007.
3. Christian Losson, *Libération*, 3 janvier 2009.

La musique est au cœur de ces cultures. Les comportements, les manières de s'habiller, les pratiques sportives, les façons de marcher, de parler accentuent les fractures, voire précipitent les points de non-retour. On croit parfois que toutes les banlieues constituent des exoghettos.

En fait et encore une fois se joue ici une mise en scène entre fiction et réalité, dont on ne sait plus très bien qui est l'auteur, l'acteur, le manipulateur. Les grandes banlieues *chaudes* se fabriquent une image d'elles-mêmes volontairement acide dont on se demande si ce n'est pas un écran de fumée, une pellicule de protection contre les *touristes* et autres visiteurs indésirables. Les citadins du monde nanti sont trop heureux d'y trouver une raison de s'effrayer. Les uns et les autres, au demeurant, agissent pour le même motif : davantage de sensations, de palpations – un plaisir qui donne du sens à la vie en emplissant le corps des vibrations de la planète.

Les liens ne sont pas rompus dans tous les domaines. Un minimum de principe de réalité subsiste là aussi. L'école existe encore s'efforçant de créer du liant social, d'assurer une visibilité à toutes les cultures, voire de faire coexister les cohortes. Vœu pieux, ce dernier défi est impossible à relever, et le ministère doit se résoudre à ce que la fréquentation des lycées et collèges soit déterminée en fonction des affinités communautaires.

C'est à l'école que se teste le rapport à l'autorité et aux autres cultures. Dans les exocités il est fondé sur l'inversion du modèle : il s'agit de ne pas être trop bon élève car cela fait *bouffon* ou *intello*. On est y socialement marginalisé si l'on affiche quelque chose qui n'est pas de l'ordre de l'appartenance à sa cohorte. Le poids culturel du groupe n'autorise aucune déviance[1]. Le refus de la norme dominante est peut-être imprégné d'une hésitation à s'y confronter. Avec le sentiment que le combat est truqué, les dés pipés et que le monde de l'*upstream* s'est disqualifié par son arrogance, celui du *mainstream* par sa nonchalance. Les ghettos des banlieues sont peu ou pas irrigués par la croissance économique et culturelle. En face d'eux, du côté des riches en capital, en culture et en présence physique permanente, sur les grands boulevards de la richesse, des échanges et des ressources, s'exhibe une croissance stimulante et heureuse. De quoi se fâcher quand on n'en fait pas partie.

Le clivage est clair et les fractures se confirment. Dans cette optique, certains affirment que la banlieue est l'atelier avancé du monde de demain. Une organisation en réseau, qui combine

---

1. Claudine Castelnau, sur son site castelg.club.fr

relations sociales et économiques, et qui permet d'assurer la survie des individus et leur identité.

▷ *Culture* **downstream,** *choisir par défaut ?*

Du côté des exocultures émerge une attitude de même inspiration (la mise en marge) mais d'application radicalement différente, qui se caractérise par un repli inquiet dans une bulle personnelle cohabitant tant bien que mal avec les bulles des autres. Une sorte de camping automobile d'ego mal dans leur peau.

Son apogée correspond aux premiers signes sociétaux de la grande fatigue du moi, dont on avait vu quelques signaux faibles émerger çà et là depuis une vingtaine d'années.

Tu verras bien qu'un beau matin fatigué
J'irai m'asseoir sur le trottoir d'à côté
Tu verras bien qu'il n'y aura pas que moi
Assis par terre comme ça[1]

Le *downstream* est une culture parallèle, décalée qui représente un modèle culturel alternatif qui a perdu foi en toute rébellion radicale. *Il n'y a que moi qui m'intéresse mais je ne suis pas tout seul.* C'est le sillage que trace le *downstream*, c'est son fil rouge. On refuse les modèles établis, on n'adopte que ce qui fait sens pour soi et ses proches, sans haine ni violence, avec l'espoir que ça va fonctionner mais sans trop d'illusions. On se met en marge et on ironise. En petits groupes d'abord.

« Le moi de chacun, en se creusant, débouche sur le nous[2]. » Vraiment ? Oui, mais sans idéalisme illuminé. Surtout pas d'angélisme. On récupère quelques classiques. La *noosphère* de Teilhard de Chardin fait l'affaire : cette « pellicule de pensée enveloppant la Terre, formée des communications humaines ». Voire un clin d'œil tardif au personnalisme d'Emmanuel Mounier pour qui la personne renferme « comme une absence, un besoin, une tâche et une tension continuellement créatrice ». De belles idées qu'on détourne sans doute sans y voir malice.

---

1. Alain Souchon, il y a bien longtemps…
2. Gérard Demuth, *Rien n'est plus pareil et ce n'est pas un drame*, Stock, 1997.

Le *downstream* joue à fond la carte du recyclage où l'on fait feu de tout bois. Chacun puise dans une lecture rapide, hâtive, des textes et des penseurs, un vocabulaire qui semble exprimer le sens (ou le bon sens) qu'on recherche. Les esprits chagrins – ou les vrais savants – ont beau fustiger la superficialité de ces récupérations, rien n'y fait! L'époque réclame un panthéon de réconciliations et de rapiéçages. Les succès de librairie se font sur l'exagération de la pensée, la surcharge des effets, leur dramatisation, la tension, l'exubérance et une grandeur parfois pompeuse. Et de la dérision ironique. Le *downstream* est très fort pour ça.

Le tribalisme est reconnu comme légitime au motif qu'il est l'un des fondements du vivre ensemble – revisité sans doute par les nouveaux gourous. Quand il se sent trop seul dans sa caravane, le Downstreamien renoue donc avec la tribu d'à côté et enfonce les plots de sa bulle dans le sol. Vie commune et réenchantement communautaire, annonçait Duringer. Nous y voilà. Le moi de chacun se ressource dans de nouvelles appartenances qui coexistent avec les anciennes. On se prend au jeu avec le *crowdsourcing*. On n'est pas moins malin que les autres dans le *downstream*. On se regroupe sur Internet pour exercer la pression nécessaire et tenter d'obtenir ce qu'on veut[1]. On y a aussi ses *class actions* qui défendent les grandes causes de proximité, et c'est aussi une façon de reconnaître que chacun peut avoir quelque chose à dire, quelque chose d'intéressant à proposer pour le bien commun. Le bien commun? Dans le *downstream*? On voyait plutôt le *downstream* enfermé sur lui-même et guère préoccupé par le bien commun. Alors disons le *bien de leur commune* : les causes régionales, locales – *les grandes causes de proximité* – ont triomphé avec le retour des aristocraties citoyennes que ces rapprochements de tribus ont fait surgir.

▷ *On réajuste les valeurs*

De fait, l'individualisme sceptique du *downstream* laisse peu à peu la place à une forme de souverainisme négocié et culturel. Autour du camping, on a bâti des murs. On reconstruit le village. Est-ce reparti pour un tour? Va-t-on reconstituer les clans et raviver les haines de voisinage? Il faut dire que, dans le *downstream*, le souverainisme est encore entaché d'une sale réputation d'extrême droite. La bête immonde est-elle encore terrée dans son antre nauséabond? On n'élude pas la question. Elle est souvent posée. Le tribalisme

---

1. *Trendwatching.*

est-il délétère ? Mais attendez : qui pose la question ? On ne sait pas trop. Des vieux sans doute, qui bloguent sur des blogs de vieux et qui ressassent des histoires anciennes de complot planétaire et de paranoïa culturelle. En 2018, on sourit avec commisération devant un tel aveuglement. Le grand maillage est en route : on danse la bourrée de Nasbinal au Milliardaire, club encore branché sur les Champs-Élysées, le Périgord pourpre défie la Mandchourie extérieure à la capoeira[1], on assiste à la messe selon le rituel d'avant le concile de Trente au Café de Flore.

On se teste. On expérimente. On cultive des amphétamines dans son potager, on tient le coup comme on peut. La fatigue de soi attendra. Le *downstream* multiplie les expériences divertissantes et marginales. À la fin des années 2020, on estime que le *downstream* est la vision du monde la plus rigolote depuis des lustres. Son ironie fait des ravages.

▷ *Comment s'échapper ?*

On sait tout sur tout et sur tout le monde. Nous avons vu que cela allait rendre les rues plus sûres et les villes plus accueillantes… car la surveillance est généralisée et on y prend goût. Les instances de surveillance elles-mêmes sont transparentes. À se demander si le *downstream* n'a pas raison : une noosphère bienveillante surveille le monde.

Ce n'est sûrement qu'un nouveau mythe mais cela plaît à tout le monde. On ne croit plus à grand-chose, on n'espère plus grand-chose de précis, on se laisse porter par le courant. On reconstruit en parallèle un monde à soi, fait de tous les autres mondes, de tous les potentiels de la modernité. La technologie aurait-elle généré une nouvelle spiritualité ? À travers l'évolution du Net, l'ubiquité généralisée – les systèmes d'information ont tout envahi –, se serait introduite, en filigrane, *une pensée du monde*, une pensée démocratique et bienveillante. Tant mieux.

Il a fallu du temps pour que cela fonctionne… mais je sais qui me surveille et je peux interagir. La relation avec l'autorité tutélaire qui organise la vie est interactive, libre et autogérée.

C'est grâce aux nanotechnologies… mais alors qui surveille le système global ? Ah oui, c'est là le problème.

Est-ce un **problème** ?

---

1. Voir le chapitre « Le corps », p. 174.

Il faut que les grandes puissances qui dominent les nanotechs soient à l'abri d'un fou furieux qui prendrait possession du *nanopower*...

Les gens sont-ils dupes? Croient-ils vraiment à cette nouvelle représentation du monde? Qui peut le dire? Le besoin d'utopie est incommensurable.

Imaginons que le scénario *pax americana* de la CIA se vérifie : « Les attaques terroristes sur l'Europe font des milliers de morts en 2010[1]. » Donnons-nous deux ans de répit : en 2012, le feu terroriste accrédite en creux l'idée de fin du monde des astrologues spiritualistes. Pour autant la vie continue. Le scénario en question développe l'idée que l'Europe va se serrer les coudes. Si c'est bien le cas, la logique sociétale du début du siècle va y trouver son compte. L'instinct tribal reste une pulsion puissante. C'est peut-être parce qu'elle est archaïque qu'elle a le plus de chance de resurgir[2].

Dans ce vaste capharnaüm, chambardement généralisé, dans cette confusion des sentiments, se dessine une idée épatante : et si ces trois cultures n'étaient rien d'autre que de vastes parcs à thèmes où réel et virtuel s'étaient enfin (*pour de vrai ?*) agrégés ? Et si on pouvait selon l'humeur y faire des séjours ? Et si on avait droit à tout ? Et si on pouvait tout expérimenter ? Et si on pouvait passer d'une rive à l'autre ?

▶ Histoires de soi : le passé revisité sous toutes ses coutures

Les sociétés traditionnelles s'étaient construites sur un temps long, sans coupure. Dans les temps nouveaux, le présent est court et fragmenté. On a beau lire çà et là que c'est le propre de la modernité,

---

1. Alexandre Adler, *Le Rapport de la CIA*, Robert Laffont, 2005.
2. J.-F. Dortier, in *Sciences humaines*, Grands Dossiers, n° 9, « L'origine des sociétés ».

qu'il faut faire avec, que l'homme s'y fera comme il s'est fait au reste, résilience oblige, personne n'est convaincu.

Le déroulement du temps lui-même, et donc le passé, est à son tour concerné par le maillage, par le raccommodage. Devant les annonces de fins des temps complaisamment réitérées, on se raccroche non plus aux branches mais aux racines. Ce n'est pas nouveau, nous l'avons vu tout à l'heure, mais c'est intense. Ce n'est pas que l'histoire n'intéressait pas. Les livres d'histoire, tout ce qui concerne l'histoire du pays et des hommes, avaient fait l'objet de recherches soutenues et le succès public était déjà considérable. Cela montre bien que quelque chose se tramait depuis longtemps. On avait d'abord pensé que les gens se complaisaient dans la nostalgie. On regarde maintenant le passé avec fascination, comme s'il recelait des secrets qui n'avaient pas encore été mis au jour.

On constate d'abord qu'on a oublié ses passés et que l'on a perdu de vue la notion d'appartenance à une histoire multiple, secrète, ensorceleuse. Le besoin de densité, d'épaisseur des histoires communes se fait férocement sentir. Il y a une fascination à se découvrir comme l'un des maillons d'une chaîne ininterrompue – c'est à la fois du narcissisme et une manière de s'en libérer. On s'émerveille de l'importance du maillon que l'on est et on se dissout dans la chaîne.

Depuis longtemps, la généalogie ne consiste plus à rechercher une parentèle mais un imaginaire : celui de sa propre trace dans l'histoire du monde. Non pas l'histoire retracée dans les livres mais celle qui flotte dans la *mare imaginalis*. C'est le nouveau grand jeu. On annonce que chacun est un être unique recomposé à chaque génération, transmuté en quelque sorte. C'est ce glissement qui fait fortune. Il est sans doute lié au sentiment de la menace collective et aux fins du monde sans cesse promises. L'histoire officielle est considérée comme un pan de réalité qui masque l'appartenance de chacun à un mythe qui lui est propre et qui lui révèle son sens profond. Chacun se vit comme un peuple à la dérive dont l'immense histoire authentique est ensevelie sous un maillage prodigieux.

Le grand jeu est l'exploration du passé ou plus exactement une forme de *palpation* – toujours ce besoin de sensations – du passé, sur les rives duquel on patrouille, avec passion et stupéfaction, à la recherche des grandes secousses dont les répliques vont se faire sentir loin dans le siècle. La découverte de Troie par Schliemann, celles du Machu Picchu par Bingham, des grottes de Lascaux, de la tombe de Toutankhamon avaient autrefois sidéré le public. Ces moments sont reconstitués avec un réalisme jamais atteint sur les plateaux holographiques. Le rayonnement fossile remonte au début de l'univers… difficile d'aller plus loin. On le met en scène.

▷ *Y comprend-on quelque chose ?*

On se fait une vague idée du passé. Qui suffit à faire rêver. Le mystère du destin de La Pérouse et la découverte des deux frégates *La Recherche* et *L'Espérance* dans l'île de Vanikoro donnèrent lieu à de belles expositions, visitées avec émotion. Le *Titanic* de James Cameron fut un des plus grands succès de l'histoire du cinéma. Les (re)découvertes s'accélèrent. Arkaim, une antique cité vieille de quarante siècles, version russe de Stonehenge, est mise au jour dans le sud de l'Oural et suscite un cortège de rumeurs fantastiques.

> " *Certains chercheurs estiment même que* [les] *cercles* [qui entourent la ville et ne se voient que du ciel] *étaient utilisés comme plate-forme d'atterrissage d'un ancien aéroport spatial*[1]."

On a souvent rameuté les extraterrestres pour résoudre certaines énigmes. Peu importe, ça ne lasse personne.

On se découvre une nouvelle Antiquité. À la différence de l'intérêt que suscitèrent Athènes et Rome à la Renaissance – thème désormais récurrent –, les textes antiques revisités aujourd'hui sont plus ambitieux : c'est toute l'histoire du monde, toute sa géographie qui sont concernées.

La découverte du corps d'Abel par une expédition de créationnistes militants figure parmi les controverses de la décennie. Les premiers contacts avec une civilisation extraterrestre coïncident avec le début de la civilisation terrestre. Vous n'y croyez pas ? Vous voulez dire : ce n'est pas vraiment vrai, pas scientifiquement prouvé. Vous avez sans doute raison, mais il est trop tard. Les fictions à réalité augmentée brouillent les frontières. Un tsunami informationnel a submergé la planète.

▷ *Une anthropo(s)cène*

De quoi s'agit-il ici sinon d'une quête avide de vertiges, d'éblouissements, d'ivresses pour se réapproprier l'histoire de l'humain sous toutes ses formes ? Ce n'est pas tant la disparition de la planète ou l'éclosion d'histoires impossibles qui occupent les esprits que la

---

1. http://foxxy1.revolublog.com/article-17107-93998-arkaim.html

question de l'humain et des nouveaux champs de sa réalité. Comment faire de l'anthropocène[1], cette nouvelle période où l'empreinte humaine surdétermine l'ensemble des mécanismes naturels, une *anthroposcène* où le vécu de chaque instant sera un bouillonnement d'ardeur orgasmique – une scène de théâtre ?

▷ *Les pièges de la transparence*

L'intimité est donc en voie de disparition. On a vu que c'était peut-être une des conditions de la survie urbaine, et qu'elle était due à une hypersurveillance. C'est aussi une des conditions de l'être ensemble de la génération qui a vingt ans en 2015. L'ostentation y est la norme. Les anciens ont beau n'y voir que parade et étalage, c'est la richesse exhibitionniste qui prévaut. Le registre de l'intimité entame son purgatoire, sa traversée du désert. Nous entrons dans l'ère de l'extrême visibilité. Dans une période où il est plus difficile de consommer d'une façon ostentatoire – l'horreur économique est une réalité pour beaucoup (même si ce n'est pas vraiment *horrible*, c'est juste agaçant parce qu'on n'a jamais assez d'argent pour faire tout ce qu'on voudrait) – on se rattrape sur l'exhibitionnisme… On en fait des tonnes, on frime, on fausse le jeu, on rit très fort. Sans aucune pudeur.

Et on se prend les pieds dans le tapis quand on souhaite être embauché dans une entreprise : le DRH a tôt fait de vous *woogeliser*. Ah oui ! le rachat de Windows par Google – ou l'inverse, on ne sait plus – est au cœur de la surveillance généralisée du monde. Surveillance bienveillante depuis que Bill Gates, mort dans la force de l'âge, est en passe d'être béatifié et de recevoir toutes sortes de décorations… Le secret de sa réussite résidait donc dans sa compassion pour l'espèce humaine. Vous croyez qu'on plaisante ? Attendez voir, car vous n'avez encore rien vu. Le DRH, donc, vous *woogelise*. Si vous avez trop déliré, il y a de grandes chances pour que ça vous revienne dans la figure. Heureusement, les services « rewoogelez-vous » vont nettoyer tout ça. Ils vont vous refaire une personnalité, un look, un nez… Escroquerie ? Pas si sûr. La société hypermoderne navigue à vue entre fiction et réalité, et pas seulement dans les médias, mais dans l'expérience immédiate du quotidien…

---

1. Paul J. Crutzen, prix Nobel de chimie, et Erik Stoemer ont donné le nom d'*anthroposcène* à l'ère géologique dans laquelle nous vivons (http://www.mpch-mainz.mpg.de/~air/anthropocene).

▷ *La société hypermoderne favorise la démesure et le dérisoire, ère de la gravanité*

Graffiti et vanité s'accouplent sans grâce. La qualité n'est plus rien, n'a plus de sens, seule compte la quantité. Le nombre d'expositions de soi, devant le public le plus large, est la nouvelle mesure du succès. Le succès, c'est la sensation d'exister. Peut-être est-ce la faute aux astrophysiciens qui annoncent, ou plutôt confirment, que nous sommes tous poussières d'étoiles : nous venons de là et c'est là que nous retournerons. Pour les cœurs simples, la promesse paraît bien mesquine : rejoindre des milliards de rien du tout dans l'immensité sidérale n'est pas le destin de la star que je rêve d'être. Star ? Vous avez dit star ?

Les *non-ébrités* (*nonebrities* il n'y a que l'anglais pour créer des néologismes aussi malins – anti-célébrités serait beaucoup moins efficace) se sont développées à la télévision, grâce à la téléréalité qui produisait des fulgurances médiatiques, aussitôt recyclées dans l'anonymat grand public. Elles ont pourtant laissé des traces (in)dé(lé)biles. Elles se sont propagées *on-line* avec les blogs. Et leur prolifération a culminé quand le *on-line* a cédé la place à l'ubiquité, faisant de la vie quotidienne une fête foraine permanente où le moindre écran diffuse le *soap* personnel de chacun.

Autre nouveauté : pour une somme dérisoire, on se fabrique des pseudo-amis qui envoient de pseudo-commentaires enthousiastes sur vos sites perso[1].

⇨ **Bref, ce futur-là pousse le bouchon un peu loin...**

Surveiller et protéger

La tendance « politique » à la répression et à la punition est-elle une nécessité inhérente à l'époque ? Elle répond, en tout cas, à un besoin de rassurer et de limiter les dérives liées au non-respect de l'autorité, de l'ordre établi. Les fichiers de surveillance généralisée à haute performance ont un temps suscité la polémique. Elle s'est vite calmée.

---

1. www.nowandnext.com

Certains observateurs annonçaient que, pour l'inconscient collectif, de tels fichiers sont bienvenus… Il a bon dos, l'inconscient collectif !

L'analyse ci-dessous impressionne et affole à la fois. Il est difficile d'en prendre l'exacte mesure.

> **"** *Ainsi, Internet n'était pas seulement l'outil « peer to peer » longtemps attendu qui allait donner de l'autonomie aux individus et aux communautés, mais aussi une matrice dans laquelle nous sommes tous des points traçables à loisir. Un médium « do it yourself » comme Internet pouvait aussi bien servir d'outil de surveillance. La surveillance, par définition, est une activité qui génère une architecture totalitaire : si tout le monde regarde tout le monde, cela crée une pression sociale pour un comportement homogène, cela mène, pour utiliser les mots de Richard Sennett, à un « espace public mort[1] »."*

La confusion langagière est devenue l'un des passe-temps favoris. Ainsi, le « tout-sécuritaire » se mue-t-il en « valeur sûre ». Le recours à cet expédient est peut-être révélateur d'un désir d'enfermement frileux face à la crainte de l'avenir, mais c'est plus encore l'affolement devant le temps qui passe – qu'il faudrait arrêter – qui le motive. C'est donc pour cela qu'il faut préserver les acquis ? Oui, coûte que coûte.

L'époque n'est pas dénuée de cynisme. Pour certains observateurs finauds, la crainte de l'avenir ne pose aucun problème ; en réalité, la crainte est une sensation délicieuse.

Tout tourne autour de l'intensification des sensations. Et, de temps à autre, on fait une pause pour reprendre son souffle.

Tranquilliser le monde est l'affaire de tous. On cherche à comprendre : à quoi cela ressemble-t-il d'aller moins vite ? Quelle sensation éprouve-t-on ?

La quête de valeurs sûres et de références connues s'amplifie chez les consommateurs[2]. Tous les secteurs cherchent à s'adapter pour en profiter. Dans tous les domaines, face à l'afflux de nouveautés, les consommateurs manifestent une envie croissante d'intemporel. Cette quête semble le seul moyen de se rassurer.

Peut-être, peut-être…

---

1. Manu Luksch, cité par Marie Lechner, sur ecrans.fr
2. Clotilde Briard, *Les Échos*, 13 février 2009.

▷ *Une recherche inquiète de l'équilibre*

La peur de perdre l'emporte sur l'envie de gagner. « La société française est la meilleure », clament certains. Pourtant, des couches sans cesse plus larges de la population sont menacées par la précarité. Le danger apparaît de plus en plus clairement. On a beau faire l'apologie de l'argent et de tous les moyens imaginables pour en gagner[1], l'Eldorado est le plus souvent inaccessible.

Pour pallier l'horreur économique – la vraie –, on brandit les valeurs « zen » : équilibre, cohérence et unité avec soi-même, calme et repos sans passivité, tolérance, créativité. Les projets de vie intègrent ce désir et ce besoin de maîtrise de soi, en tant qu'individu, mais aussi en tant que membre de la société. On recherche une forme d'harmonie (avec les proches, l'environnement) davantage que la réussite sociale, on préfère la libre disposition de son temps et de son corps aux plaisirs extrêmes. Mais tout le monde n'y accède pas. La violence théâtralisée, la démesure (protéiforme), le dépassement des limites font leur retour de flamme. Néanmoins, dans l'ensemble, on tente de délimiter un périmètre de calme pour se protéger des tempêtes qui s'annoncent. Le calme vaut bien une messe et s'accommode d'un *Big Brother* sécuritaire.

▷ *Une recherche de rédemption*

L'avenir n'est donc pas complètement sombre. La découverte des autres, à travers le voyage et l'accès généralisé à la culture, ouvre de nouveaux horizons : multiculturalité, nouvelles technologies de la communication, appétit pour des esthétiques différentes et lointaines, sensibilité en éveil. Pour ces identités à la recherche de plénitude, la santé est devenue une préoccupation centrale. On tente d'équilibrer la balance instable du corps et de l'esprit à travers des dualités simples : stress/antistress, anxiété/bien-être, déprimer/avoir le moral, souffrance/plaisir.

Faire simple et calme dans le chaos ambiant.

⇨ **« Circulez. La complexité du monde est notre affaire, pas la vôtre. »**

Qui parle ? Qui dit cela ? C'est incertain. On ne sait pas trop. Des autorités supérieures sans doute. Autre grand fantasme de l'époque. Une sorte de théorie du complot inversée. Des autorités, oui sans doute. Mais, de nouvelles autorités. Non plus des organes de pouvoir gouvernementaux ou institutionnels mais des individus dont le

---

1. Jacques Juillard, *Le Nouvel Observateur*, 3 janvier 2008.

mérite, la séduction, les actions imposent le respect et la confiance. Face à la faillite des premiers, les seconds décident d'agir. Ils le font au travers d'ONG, d'organisations non conventionnelles, parfois de sociétés discrètes sinon secrètes.

Que faut-il en déduire ? Qu'il existe des gens de bonne foi qui ont les moyens, grâce à leur puissance intellectuelle, économique et leur volonté, de tirer le monde du chaos et de bricoler des portes de sortie. Quand ils prennent en charge la complexité, la cruauté et les injustices contemporaines, ils le font sans alerter les médias, dont ils ont compris les pièges. Lorsque le pouvoir d'achat diminue, que l'insécurité s'accroît et que les inégalités se creusent, on se prend à rêver de nouveaux messies… La méfiance et la défiance grandissent vis-à-vis des institutions, de la mondialisation, de l'Europe, des médias, du progrès technique, de l'école, de la consommation. On attend des figures charismatiques. Quand ces nouveaux messies sont sincères et malins, ils évitent les pièges de la pipolisation et opèrent incognito. Comme on n'en connaît rien, l'existence de ces anges gardiens bénévoles et bienveillants reste un mystère. La notoriété de Bill Gates laisse dans l'ombre ces nouveaux humanistes. Cette enquête nous a permis d'en rencontrer quelques-uns. Leur logique propre est l'anonymat. Ces James Bond et Superman de l'ombre souhaitent qu'on les respecte. Dont acte.

Quand il s'agit de se défendre contre l'ordre établi, les nouveaux médias partent à l'assaut. Et le monde entier est alerté. En diffusant les images de manifestations sur Internet, la jeunesse grecque a empêché son gouvernement de mentir sur le développement des heurts[1]. Le modèle sera suivi.

L'autosurveillance

« Vidéo originale du meurtre d'Andreas Grigoropoulos. Vidéo éclaircie de la même scène. On voit un jeune homme passer de dos, puis deux coups de feu et enfin deux hommes quitter les lieux, ce serait deux policiers.

Vidéos des échauffourées le jour de l'enterrement, celle de Mega Channel, puis celle d'un amateur avec les onze coups de feu. Vidéo « police et néonazis » envoyée par Mihalis Panagiothakis. On y voit au premier plan des policiers, ensuite un autre groupe en civil qui, selon Mihalis, appartiendrait à des groupuscules nazis et qui affronterait les manifestants. Il y aurait

---

1. Bakchich, Tunisia Watch.

eu des précédents, comme l'atteste cette autre vidéo « police et néonazis ». Cette vidéo date de février dernier, les néofascistes de Xrysh Avgh avaient prévu une commémoration dans le centre-ville d'Athènes. Les antifascistes se sont réunis en contre-manif, c'est parti en bagarre sous l'œil complaisant des CRS. Si vous visionnez jusqu'au bout, vous verrez que des individus ont des drapeaux dans les mains, ce sont les drapeaux bleu et blanc de la Grèce, toujours mis en évidence par ces groupuscules d'extrême droite.

Vidéos des policiers déguisés en émeutiers.

En ce qui concerne le journaliste licencié, un syndicat de journalistes grecs a envoyé un communiqué aujourd'hui, repris par la presse.

Merci au journaliste indépendant Matthew Tsimitakis, 35 ans, et au blogger et webmaster Mihalis Panagiothakis, 44 ans, qui ont répondu d'Athènes via Skype à nos questions.

Merci à la gentille traductrice qui nous a préservé des contresens[1]. "

 Quand le futur fait peur !

Commander une pizza en 2015...

STANDARDISTE : *Speed-Piz', bonjour !*
CLIENT : Bonjour, je souhaite passer une commande.
STANDARDISTE : *Puis-je avoir votre NIN, monsieur ?*
CLIENT : Mon numéro d'identification national, oui, un instant, voilà, c'est le 6102049998-45-54610.
STANDARDISTE : *Je me présente, Habiba Ben Saïd, merci M. Jacques Lavoie. Donc ? Nous allons actualiser votre fiche, votre adresse est bien le : 174 avenue de Villiers à Carcassonne, et votre numéro de téléphone le 04 68 69 69 69 ? Votre numéro de téléphone professionnel à la société Durand est le 04 72 25 55 41 et votre numéro de téléphone mobile le 06 06 05 05 01. C'est bien ça ?*
CLIENT (*timidement*) : Oui...
STANDARDISTE : *Je vois que vous appelez d'un autre numéro qui correspond au domicile de Mlle Isabelle Denoix, votre assistante technique. Sachant qu'il est 23 h 30 et que vous êtes en RTT, nous ne pourrons vous livrer au domicile de Mlle Denoix que si vous nous envoyez un XMS à partir de votre portable en précisant le code suivant : AZ25/JkPp+88**.*
CLIENT : Bon, je le fais, mais d'où sortez-vous toutes ces informations ?
STANDARDISTE : *Nous sommes connectés au « système croisé », monsieur.*

---

1. www.wikio.fr/international/europe/grece/andreas_grigoropoulos

CLIENT (*soupir*) : Ah bon ! Je voudrais deux de vos pizzas spéciales mexicaines.

STANDARDISTE : *Je ne pense pas que ce soit une bonne idée, monsieur.*

CLIENT : Comment ça ?

STANDARDISTE : Votre contrat d'assurance maladie vous interdit un choix aussi dangereux pour votre santé car, selon votre dossier médical, vous souffrez d'hypertension et d'un niveau de cholestérol supérieur aux valeurs contractuelles. D'autre part, Mlle Denoix ayant été médicalement traitée il y a trois mois pour hémorroïdes, le piment est fortement déconseillé. Si la commande est maintenue la société qui l'assure risque d'appliquer une surprime.

CLIENT : Aïe ! Que me proposez-vous, alors ?

STANDARDISTE : Vous pouvez essayer notre pizza allégée au yaourt de soja. Je suis sûre que vous l'adorerez.

CLIENT : Qu'est-ce qui vous fait croire que je vais aimer cette pizza ?

STANDARDISTE : *Vous avez consulté les* Recettes gourmandes au soja *à la bibliothèque de votre comité d'entreprise la semaine dernière, monsieur. Mlle Denoix a fait, avant-hier, une recherche sur le Net, en utilisant le moteur www.moogle.fr, avec comme mots clés « soja » et « alimentation ». D'où ma suggestion.*

CLIENT : Bon, d'accord. Donnez-m'en deux, format familial.

STANDARDISTE : *Vu que vous êtes actuellement traité par Dipronex LP et que Mlle Denoix prend depuis deux mois du Ziprovac à la dose de trois comprimés par jour et que la pizza contient, selon la législation, 150 mg de phénylseptine par 100 g de pâte, il y a un risque mineur de nausées si vous consommez le modèle familial en moins de 7 minutes 37 secondes. La législation nous interdit donc de vous livrer. En revanche, j'ai le feu vert pour vous livrer immédiatement le modèle mini.*

CLIENT : Bon, va pour le modèle mini. Je vous donne mon numéro de carte de crédit.

STANDARDISTE : *Je suis désolée, monsieur, mais je crains que vous ne soyez obligé de payer en liquide. Votre solde de carte Visa dépasse la limite et vous avez laissé votre carte American Express sur votre lieu de travail. C'est ce qu'indique le credicard-satellis-tracer.*

CLIENT : J'irai chercher du liquide au distributeur avant que le livreur n'arrive.

STANDARDISTE : *Ça ne fonctionnera pas, monsieur : vous avez dépassé votre plafond de retrait hebdomadaire.*

CLIENT : Ce n'est pas vos oignons. Contentez-vous de m'envoyer les pizzas. J'aurai le liquide. Combien de temps cela va-t-il prendre ?

STANDARDISTE : *Compte tenu des délais liés aux contrôles de qualité, elles seront chez vous dans environ 45 minutes. Si vous êtes pressé, vous pouvez gagner 10 minutes en venant les chercher, mais transporter des pizzas en scooter est pour le moins acrobatique.*

CLIENT : Comment diable pouvez-vous savoir que j'ai un scooter ?

STANDARDISTE : *Votre Peugeot 408 est en réparation au garage de l'Avenir ; en revanche, votre scooter est en bon état puisqu'il a passé le contrôle technique hier et qu'il est actuellement stationné devant le domicile de Mlle Denoix. Par ailleurs, j'attire votre attention sur les risques liés à votre taux d'alcoolémie. Vous avez, en effet, réglé quatre cocktails « afroblack » au Tropicalbar, il y a 45 minutes. En tenant compte de la composition de ce cocktail et de vos caractéristiques morphologiques, ni vous ni Mlle Denoix n'êtes en état de conduire. Vous risquez donc un retrait de permis immédiat.*

CLIENT : @#%/!!!@&?# !

STANDARDISTE : *Je vous conseille de rester poli, monsieur. Je vous informe que notre standard est doté d'un système anti-insulte en ligne qui se déclenchera à la deuxième série d'insultes. Je vous informe en outre que le dépôt de plainte est immédiat et automatisé. Or, je vous rappelle que vous avez déjà été condamné en juillet 2009 pour outrage à agent.*

CLIENT : (*Sans voix.*)

STANDARDISTE : *Autre chose, monsieur ?*

CLIENT : Non, rien. Ah si, n'oubliez pas le Coca gratuit avec les pizzas, conformément à votre pub.

STANDARDISTE : *Je suis désolée, monsieur, mais notre démarche qualité nous interdit de proposer des sodas gratuits aux personnes en surpoids. Cependant, à titre de dédommagement, je peux vous consentir 15 % de remise sur une adhésion flash au contrat Jurishelp, le contrat de protection et d'assistance juridique de Speed-Assurance. Ce contrat couvre, en particulier, les frais annexes liés au divorce. Vu que vous êtes marié à Mme Claire Lavoie, née Girard, depuis le 15-02-2008, et vu votre présence tardive chez Mlle Denoix, ainsi que l'achat il y a une heure à la pharmacie du Canal d'une boîte de 15 préservatifs et d'un flacon de lubrifiant à usage intime, cela pourrait vous être utile. D'ailleurs, je vais faire joindre aux pizzas un bon de 5 euros de réduction pour vos prochains achats de préservatifs, valable chez Speed-Parapharma. Bonsoir, monsieur, et merci d'avoir fait appel à Speed-Piz''*[1].

⇨ **Va-t-on raconter ce genre d'histoires aux enfants ?**

Remue-ménage : enfant, homme, femme...

▶ LA LIGNE DE FORCE

Chacun retrouve et affirme son sexe, son identité, son âge. Il en va des gens comme des choses, comme de l'histoire et de la géographie : la globalisation, la mondialisation n'a pas tout balayé sur son passage. Sans compter qu'elle-même est sujette à des retours de balancier. Être un enfant, un homme, une femme est une chose après tout assez naturelle, et ce n'est pas détestable.

Alors est-ce un retour en arrière ou est-ce la poursuite de la spirale ascendante de notre histoire ? Vient un moment où les querelles entre progressistes et réactionnaires finissent par tomber en désuétude. Il n'est pas rétrograde d'être ce que l'on est, ce que l'on a envie

---

1. http://conneriesdunet01.canalblog.com

d'être, et les idéologues peuvent remballer leurs doctrines. Ce futur-là n'est pas doctrinaire. Il est juste pragmatique.

▶ L'ENFANT-ROI AU TRÔNE DE COTON

Signe des temps – mais tout est signe des temps ! –, les enfants détiennent le pouvoir de la manipulation adroite, facile et intuitive des machines.

▷ *Les enfants prennent le pouvoir par les objets...*

L'enfant à la maison se transforme en directeur du service informatique local. De même, dans l'entreprise, de jeunes embauchés peuvent être recrutés à des salaires plus élevés que des ingénieurs chevronnés : ils connaissent les logiciels parfaitement – ils les ont souvent écrits[1] ! La transmission du savoir s'inverse : la valeur de l'expérience en prend un coup. Des années de confrontation adulte à la vraie vie, aux tracas de l'existence, aux bonheurs et aux malheurs du monde ne pèsent pas lourd face à la relation quasi inspirée de l'enfant avec les nouvelles machines. Méditation admirative des parents, et léger agacement.

Toutefois, ce pouvoir-là ne dure qu'un temps. La machine, nous l'avons déjà dit, se fond dans le paysage : elle est bientôt reliée aux fonctions cognitives. La pensée se transforme en réflexe-machine. La société Emotiv avait dégainé la première avec son casque Epoc[2]. Il détecte la volonté et les émotions. Il commande aux logiciels.

L'enfant ne va pas rester longtemps aux commandes. Les temps sont à l'égalité : des sexes, des âges, des capacités de maîtrise des machines... mais pas des comptes en banque. La fracture s'accroît.

▷ *... et le perdent en tant que sujets*

Dès qu'un enfant disparaît pendant plus d'une heure, toutes les polices de France sont alertées. Est-ce un réflexe possessif de la part des parents, une lâche mesure de représailles contre l'omnipotence des gosses, une obstination à préserver l'enfant-trésor, l'enfant-poisson pilote de l'adulte désorienté ? L'enfance a-t-elle cessé d'être un jardin fleuri par une imagination fertile, enthousiaste et libre ? On passe par une période où rien n'est laissé au hasard, et surtout pas à l'autonomie émancipatrice. Pas question de prendre le moindre

---

1. Serge Guérin, www.perspectivesenior.com
2. http://aksk800.blogspot.com/2008_07_01_archive.html

risque. Protectionnisme et interventionnisme sont les vaches sacrées de l'éducation et de la pédagogie. Les caméras de proximité sont omniprésentes et, bien entendu, les écrans de contrôle aussi, le plus souvent dans les téléphones portables et, de plus en plus, dans les Varunas qui ne quittent plus l'épaule de tout parent un tant soit peu responsable.

Disparus les terrains vagues, les arbres à hautes branches, les culbutes dans le foin, les courses sur le macadam. Les nouveaux sols constitués de fibres de polypropylène et de polyéthylène accueillent avec souplesse et douceur la chute des petits culs. Des brins en plastique sont plantés dans un mélange particulier de sable et de granules de caoutchouc (provenant souvent de pneus de voitures recyclés). La bonne conscience écologique y trouve son compte.

Cette tendance « peluche » de l'éducation va connaître ses heures de triomphe. Illusoire. On est en train de construire un monde où l'enfant perd son indépendance réelle et son potentiel de résilience. Les défis de l'enfance ne peuvent se limiter à la maîtrise des consoles de jeu. L'enfant va sentir le vent du boulet.

▶ Retour de bâton…

Pendant un temps, la surenchère permanente des images d'une planète ravagée par la haine, la guerre, les attentats, les meurtres, l'apocalypse écologique entame l'appétit d'en découdre avec la vie. Sortir de chez soi s'apparente à une opération de survie. À se demander si les médias n'organisent pas ce spectacle pour nous obliger à rester enfermés… et à les consommer. On s'isole dans la maison-bulle.

Et un jour, on sort à nouveau, on retrouve le goût des cabanes dans les arbres et des cascades. Des livres à succès en préparent l'émergence. *The Dangerous Book for Boys* avait ouvert la voie. L'éducation prend un nouveau virage. Tous dehors ! C'est la vraie vie.

L'ennui c'est que les familles redécouvrent les vertus de la prise de risque, les joies du plein air et la nécessité de laisser libre court à l'instinct de bagarre et de facéties, avant les administrations. Celles-ci continuent d'ouvrir des parapluies même quand il fait soleil et surprotègent la marmaille avec force textes contraignants et paranoïaques : interdiction des produits à l'origine douteuse, des produits tranchants, de ceux qui pourraient être avalés de travers ou donner la colique. Le déphasage entre les pouvoirs publics et la société est une autre fracture qui exaspère les parents[1].

Pourtant, les pères qui fabriquent des arcs pour leurs enfants et les entraînent dans des courses-poursuites sur les sentiers de montagne ne font que rejouer leur propre enfance disparue. Ce simulacre de révolte n'intéresse guère les enfants des années 2020. Ils n'ont que faire de cet héritage-là : dans leur vie à eux, le papa en veut toujours plus et court toujours plus vite. Comme chaque génération avant eux, les enfants prennent consciencieusement le contre-pied de la précédente. Ils gardent peut-être la console de jeux et l'écran-tissu sur lesquels ils jouent, mais ils sont en quête d'autre chose. Quelque chose qui serait de l'ordre de la spiritualité ? Pas si vite ! La spiritualité est l'emblème de la génération qui arrive à l'âge adulte dans les années 2010-2020. Ce n'est pas sur cet héritage qu'ils peuvent se construire, puisqu'ils veulent à leur tour un monde nouveau. Ils sont les enfants d'un univers où toutes les expériences disponibles sont désormais totalement accessibles. Ce qui est beaucoup, et, certainement, beaucoup trop. À leur tour, ils saturent. C'est le triomphe annoncé de moments de rien, d'inactions apparentes, de réflexions et de rêveries, auxquels se mêle la recherche d'une rugosité qui leur donne le sentiment d'exister[2]. L'enchantement et le magique de l'enfance a quelque chose à voir avec les contes de fées d'autrefois – en réalité augmentée, car désormais on peut les vivre *pour de bon*. Ils se retrouvent dans de vastes aires qu'ils ont aménagées dans les sous-sols et les caves. Une boîte de conserve rouillée vaut autant qu'une console holographique. Ils se transportent dans des mondes aux frontières entre le réel et la fiction, investissent les terrains vagues de cités abandonnées et jouent à Blanche Neige et au Vaillant Petit Tailleur : sept d'un coup ! Sept enfants morts d'un seul regard augmenté... On ne sait pas si les victimes sont de vrais enfants ou des personnages virtuels...

La technologie suscite l'émerveillement quand elle s'applique à des objets de découverte ou d'apprentissage. Mais elle provoque aussi de l'affliction quand il s'agit de nouvelles armes de guerre urbaine... Chic et glamour, les armes incapacitantes – genre Taser[3] – intègrent la panoplie d'accessoires obligés dans le sac à main des dames, et les enfants les portent à la ceinture, à côté du smartphone.

---

1. *The Guardian* (UK) et www.nowandnext.com.
2. Inspiré de Brigitte Mantel, European Creative Planning Manager de Getty Images.
3. Taser chic *in* armscontrol.blogspot.com/2007_06_01_archive.html

---

La lecture redevient à la mode. Le vieux Kindle[1] d'Amazon a été mille fois copié, recyclé. L'idée reste la même. Une surface de lecture qui est une page de texte. Les e-books sont finalement remplacés par les écrans-tissus. Pliables, connectés en flux permanent et à affichage instantané.

Sa technologie intuitive en a fait un succès mondial, et les plus grandes marques y apposent leur griffe... à des prix exorbitants.

Les machineries compliquées à l'ergonomie douteuse et envahissante[2] obtiennent un franc succès parce que, précisément, elles vont à contre-courant de l'hyper-simplicité qui devient la norme, et qui manque de rugosité. C'est le cadeau idéal lors du solstice d'hiver (la nouvelle fête qui concurrence Noël et Halloween).

Que représente donc le bonheur pour ces enfants ? La réponse nous ramène vingt ans, cent ans en arrière : une famille, la santé, un bon boulot, des sous. Le rêve d'une vie paisible et ordonnée. Ce n'est pourtant pas ce que leur proposent les nouvelles fictions hollywoodiennes qui chambardent les références, bousculent à qui mieux mieux les modèles : les nouveaux héros perdent la boussole, les justiciers sont des salauds. L'inversion des valeurs est très à la mode dans la fiction. En attendant un nouveau retour de balancier, l'histoire du monde racontée aux adolescents est glauque et turpide. Rien de tel pour rêver à autre chose. C'est en prenant le contre-pied d'histoires de plus en plus violentes et abracadabrantes que la jeunesse se construit son monde idéal.

▶ DE L'HOMME IL EST MAINTENANT QUESTION...

La difficulté (ou l'intérêt) d'être mâle ? Une négociation entre la nostalgie de l'enfance et l'irrésistible ascension du féminin ? C'est ce que les médias aimaient raconter. Encore des histoires, du story-telling ? Attention, il ne s'agit pas ici de nous contredire à nouveau – cette enquête est suffisamment pleine de paradoxes pour ne pas en ajouter : les temps à venir seront certainement peu lisibles, quand il s'agira de faire la part entre fiction et réalité, mais il y a un moment où le bon sens doit prévaloir. Qu'est-ce qui intéresse l'individu ? Une forme de sensualisme mâtinée de sensationnalisme. Palper le monde et en ressentir les effets pour devenir chaque jour davantage ce que l'on désire être, avoir. Rien de spécifiquement mâle, en l'occurrence. Cette palpation du monde passe par la possession de biens matériels

---

1. Amazon.com et www.tierslivre.net/spip/spip.php ?article1413
2. Inspiré de http://stephetchou.org/

autant que spirituels. De la possession la plus gourmande, la plus désirante. Célébrité, argent, sexe. On a beau dire que l'homme, le mâle, est tenté par la féminisation de son comportement – ce qui est indéniable –, ce n'est pas là que réside l'enjeu. Son objectif, c'est de réconcilier en son sein les valeurs masculines et les valeurs féminines. Sa singularité, en ces temps nouveaux, est une pluralité : goûter à toutes les expériences, qu'elles soient considérées comme féminines, masculines, enfantines, voire infantiles, dépassées ou avant-gardistes.

Est-ce un désir exclusivement masculin ?

▶ AFFRONTEMENT ET RÉCONCILIATION, LES ENJEUX DU FÉMININ

Les vingt années qui viennent ne vont peut-être rien résoudre, mais elles seront celles d'une mise au point.

Trois horizons coexistent et se défient. L'horizon de l'individu, l'horizon du lien social, l'horizon de la planète. C'est sur ces trois registres que se construit l'avenir. Un lien entre eux : « hyper ». Hyperpossibles, hyperchoix, hyperinformation. Exagération, excès, intensité.

Pouvoir établir une présélection personnelle par rapport à la multiplicité des choix présentés.

Se réconcilier avec le monde et revenir à plus de simplicité, à du familier amélioré.

Sentiment sous-jacent d'être entre deux états, sorte de « schizophrénie » masquant de très fortes attentes : besoin d'un guide, d'une intermédiation entre une offre économique et le consommateur, entre des réseaux sociaux et l'individu (René Duringer).

Comment faire ? On prévoyait la prise de pouvoir par les femmes, un retour du temps des déesses mères et du matriarcat. Certes, elles décident sans doute plus qu'autrefois. Dans les démocraties d'opinion, elles font et défont les présidents. Elles mènent des *class actions* au triomphe – mais ces actions collectives, au succès de plus en plus retentissant, ne sont pas l'apanage des femmes.

Ce n'est pas la prise de pouvoir qui intéresse les femmes des années 2020-2030, c'est la convergence et la réconciliation. C'est le rééquilibrage et le partage.

Ce n'est pas gagné.

Les femmes de l'*upstream* se débrouillent mieux. Souvent, elles ont choisi un ou des hommes qui avaient su diluer leur machisme, voire – rare, mais pas tant que ça – des hommes qui ne savaient pas ce qu'est le machisme.

L'*upstream* n'est pas géographiquement circonscrit ni socialement délimité par un rideau de velours barbelé. L'*upstream* est un univers d'affinités, de rencontres transfrontalières, indépendantes des critères de revenus, de préférences culturelles ou sexuelles. Un monde où la qualité des relations, l'affectivité, la protection de la vie, l'harmonie avec la nature et le respect des rythmes biologiques sont à l'œuvre.

Un univers que l'on pourrait qualifier de féminin ? Proche des visions d'un architecte comme Vincent Callebaut qui invente des fermes flottantes aux formes inspirées des déesses mères[1] ? Les femmes, pourtant, refusent de s'identifier à ce qui pourrait apparaître comme un ghetto féminin qui, au bout du compte, les renverrait à une condition normée.

La grande utopie de l'*upstream*, c'est de déjouer les poncifs. Est-ce décevant ? Le monde idéal des femmes de demain ne sera pas un monde typiquement féminin, comme l'espéraient les uns ou le craignaient les autres. Le monde de demain sera en équilibre instable, entre tensions féminines et tensions masculines. Bref, il ne sera pas bien différent de ce que nous connaissons aujourd'hui. C'est le spectacle qu'il donnera de lui-même qui créera une impression de nouveau... et encore !

Les années 2020-2030 ne connaissent pas le règne de l'entente universelle. Tandis que les « valeurs » masculines – autorité, conquête, affirmation... – déclinent dans l'*upstream* occidentalisé, elles triomphent ailleurs.

---

1. Vincent Callebaut, archibioniste, www.vincent.callebaut.org/

Fracture, là aussi. Dans le monde ultraprotégé de l'*upstream*, une cohorte privilégiée sert de modèle, de pôle d'attraction, mais les espérances humanistes sont déçues presque partout.

Il va falloir attendre encore un peu, même s'il n'est pas bien vu de le constater. On a beau se révolter, les bonnes âmes s'attrister, le monde ne va pas du tout dans le sens espéré par les refondateurs idéalistes.

Au demeurant, cela ne sert à rien de s'affoler. Cette utopie puissante (la recherche d'un point d'équilibre) continue de faire rêver, et le projet lui-même suffit bien souvent à donner du cœur à vivre, envers et contre tout.

▶ NE PAS S'AFFOLER

La famille reste une allégorie du réel, et elle a de la consistance. Dans la logique, à peu près universelle, de demain, elle est maintenant fondée sur un contrat gagnant-gagnant. Les représentations anciennes de conflits insolubles entre générations, entre les sexes, se dissipent, voire s'inversent[1]. En fait, la famille est sans histoire notable : on continue à la composer, la décomposer, la recomposer. À la bricoler.

Ce n'est pas une mauvaise nouvelle. Il existe des problèmes plus graves.

Quand il s'agit de faire monter l'adrénaline, on part à la rechercher d'une autre cible. Toute désignée.

▶ LES RICHES, SEXE À PART

Résumons : femmes et hommes continuent de chercher leurs marques, et trouvent parfois un terrain d'entente. Le plus souvent en renouant avec une relation équilibrée, vécue comme libératrice et progressiste, fondée sur un partage des tâches, un projet commun, une reconstruction. On admet de plus en plus volontiers que les tâches autrefois considérées comme masculines ne sont plus l'apanage des mâles. Cela ne s'est pas fait en un jour. Les couples s'y préparent depuis des décennies. Mais pour autant, seule une petite frange de la population parvient à cet équilibre : les classes aisées et culturellement avancées. Avancées au sens d'en avance sur l'horloge sociétale. Dans le reste du monde, le poids des traditions est tel que les marges de manœuvre y sont autant réduites que celles d'un paquebot lancé en pleine course. Plus personne ne songe sérieusement à changer la nature humaine.

----

1. Dominique Pasquier, http://castelg.club.fr/ca20.htm

Mais comme tout va mal, on cherche…

Et au motif que c'est la richesse économique qui fait la différence entre les classes sociales, les riches sont la cible idéale. Pour tout le monde. Les riches ont accumulé un niveau de revenus et de patrimoine jamais atteint depuis un siècle, et ne manquent pas de le faire savoir en dilapidant leurs richesses ostensiblement[1]. Leur gaspillage – et le plaisir qu'ils y prennent – est frénétiquement imité par les classes qui s'estiment être dans la même trajectoire sociale ascendante et qui en sont les témoins voyeurs grâce aux médias, publicités, films, feuilletons en tous genres. Cible donc, mais plus objet de désir qu'ennemi à abattre. Vénération et exécration.

Partout l'aspiration essentielle est de suivre l'exemple venu de la classe plus avancée économiquement. Si les ultrariches sont la cible la plus visible, celui qui est plus riche que soi devient lui aussi l'objet de cet amour-haine.

C'est évident, depuis le début du siècle, dans les pays qu'on appelait « émergents » et qui ont fini par débarquer avec armes et bagages sur les plages de l'opulence : on sort de la pauvreté, on s'achète une automobile à bas prix, on la change bientôt pour une berline, et c'est le cas pour des millions d'individus et de familles qui veulent profiter de ce dont les plus riches qu'eux ont possédé avant eux. Sans s'appesantir sur l'impact écologique qui est dramatique – dit-on. Le processus est irréversible, et va se manifester dans toute son ampleur en 2020-2030. Le *mainstream* va-t-il prendre possession de la planète ?

Il faut se rendre à l'évidence, le riche exerce sur le moins riche que lui un pouvoir de sidération. Un inavouable désir : l'inviter en famille !

⇨ **Où trouver alors de bonnes idées… s'inspirer ?**

Les nouvelles sources d'inspiration

Qu'est-ce qui inspire l'Europe – si tant est qu'elle ait une vision géographique d'elle-même, ce qui est de moins en moins sûr à cause des NTIC et de l'ubiquité ?

L'échange des idées à l'échelle de la planète cohabite avec un souverainisme parfois inquiet, parfois enthousiaste. À l'échelle de la

---

1. Hervé Kempf, *Comment les riches détruisent la planète*, Seuil, Paris, 2007.

planète ? C'est une fresque immense et intense qui se déploie sur les écrans : le monde entier, ça a tout de même de la gueule ! Le souverainisme domestique a aussi ses quartiers de noblesse. On est bien chez soi – quand on en a un. Inquiétude de le perdre donc, mais ardeur à le construire en y introduisant les nouvelles fonctions dont tout le monde parle. Et, précisément, ces nouvelles fonctions domestiques proposent de plus en plus souvent des passerelles vers l'extérieur.

Les réseaux sociaux avaient ouvert la voie à une conversation généralisée entre les individus partageant une communauté d'intérêts, d'émotions, de désirs. On parlait beaucoup, les mots et les images étaient autant d'énergie vitale qu'on échangeait en un vaste commerce de soi, de toi, de moi. Le but plus ou moins avoué : une forme d'enrichissement émotionnel, sensoriel, à travers la mise en spectacle du monde. Au final, c'est du commerce. Marco Polo aussi, c'était du commerce.

Le prix du kérosène freine considérablement les voyages lointains. Le nomadisme se décline dans l'imaginaire et la fiction. Même pour les plus privilégiés, qui ont peut-être plusieurs maisons. Une raison sans doute de les épouser.

▶ PERPLEXITÉ CURIEUSE

L'Occident observe avec une certaine perplexité les pays qui semblent repasser le film de son histoire récente à une vitesse accélérée. Cela change la nature du voyage. Car s'il est vrai que le voyage tient dans ce double mouvement entre « retrouver ce que nous aimons » et « découvrir ce que nous ne sommes pas », on hésite à partir à la découverte des pays qui ont le vent en poupe... et dont on dit qu'ils ne cherchent qu'à nous rattraper.

Les sources d'inspiration émergent désormais d'horizons culturels radicalement différents. Le narcissisme européanocentré en prend un coup. Bien entendu, depuis des années, la culture manga avait envahi les étagères, et les imaginaires de générations en mal de sensations radicales. Une curiosité qui a fini par faire florès. Un immense bouillon de culture se met à germer en Extrême-Asie, fertilisé par un croisement intense entre la Corée, le Japon, puis la Chine. De l'autre côté de la planète, l'Amérique latine, Brésil en tête, envoie des signaux de plus en plus forts de créativité et de radicalité.

Vu d'Europe, le chambardement est considérable. Des identités culturelles fortes revendiquent le leadership de l'imaginaire, de la création artistique et, plus largement, des nouvelles valeurs culturelles.

Le voyage à pied, qui autorise une palpation rapprochée, reprend du service pendant qu'un raz de marée de cultures exotiques recouvre la planète. Chaque culture se nourrit de l'exotisme d'une autre. Les candidats sont nombreux et les observateurs, toujours avides de sensationnalisme, rivalisent de créativité pour annoncer les plus inattendus et improbables postulants.

L'Inde n'étonne plus personne, ou plutôt, son poids culturel, sa prégnance sont un fait acquis. Mais on va à Chandigarh, *Nano City* de la planète, pour se ressourcer de modernité, pour s'émerveiller devant les avancées de la biotechnologie. C'est là que se dessine désormais la nouvelle architecture de l'imaginaire. Un imaginaire très concret. Les bergers nomades du Rajasthan[1] y ont parfaitement intégré les rythmes de leurs transhumances, sautant toutes les étapes du développement. Ils racontent à vitesse accélérée comment la croissance peut diluer d'une façon heureuse les distinctions entre urbains et ruraux, créant, ou sans doute recréant, une relation harmonieuse entre des pratiques traditionnelles et des fonctionnalités hypermodernes. Chandigarh est une ville tous azimuts qui s'enorgueillit d'être la première à avoir aboli la distinction entre ville et campagne.

Les hyperagglomérations étouffent dans leur immensité tentaculaire. Alors que le chaos recouvre la plus grande partie du globe, chaque pays a néanmoins son modèle insurpassable et inégalable du bonheur, son Chandigarh. Fracture.

▷ *L'Orient se penche sur lui-même*

L'Orient n'a attendu personne pour se découvrir. Les échanges commerciaux entre le Golfe et l'Extrême-Orient atteignent 300 milliards de dollars en 2020. Le grand couloir asiatique et le Bassin persique sont désormais des acteurs de premier plan. Ils ont leurs propres scènes et c'est là qu'ils jouent leurs cartes. À la différence des fonds de pensions du monde occidental qui cherchaient à investir en dehors de leurs zones à économie ralentie, les investisseurs se sont mis là-bas à développer leurs propres espaces économiques et culturels. Les masses monétaires accumulées depuis des décennies dans ces Orients mythiques fascinent les économistes autant que les lecteurs de magazines. Le contrat pour l'exploitation du champ pétrolier iranien de Yadavaran conclu entre Téhéran et la Chine avait représenté une victoire politique pour l'Iran, face aux pressions américaines pour

---

1. Sandrine Prévot, *Les Nomades d'aujourd'hui. Ethnologie des éleveurs raika en Inde*, Aux lieux d'être, 2007.

dissuader les grands groupes internationaux d'investir dans la république islamique. Aucune compagnie pétrolière d'envergure internationale n'avait signé de contrat d'investissement en Iran depuis des années.

▷ *L'Orient se débrouille très bien tout seul*

Nouveau spectacle, nouvelle réussite. Depuis l'Europe, on contemple avec fascination l'inversion des polarités de la planète. Cela n'arrange pas le moral des ménages. L'Occident est-il hors course ?

L'Occident a peur ou se fait peur. On évoque même une inversion des pôles magnétiques terrestres. Ce n'est pas pour tout de suite, mais on se dit que ça ne doit pas être un hasard. Inversion du champ magnétique ? Pour une fois, l'homme et ses démesures ne sont pas incriminés. C'est étonnant, mais c'est naturel. C'est dangereux, mais on n'y peut rien. C'est aussi un changement assez radical, et une rumeur se propage : peut-être est-ce une inversion qui a provoqué la disparition des dinosaures ? On suppute que l'espèce humaine pourrait être menacée. Ce n'est pas pour tout de suite. On a encore quelques milliers d'années, mais c'est une nouvelle menace.

Les pays du N11 (le Bangladesh, l'Égypte, l'Indonésie, l'Iran, la Corée du Sud, le Mexique, le Nigeria, le Pakistan, les Philippines, la Turquie et le Viêtnam) s'invitent à leur tour et font mine de menacer le complexe Chindia, dont on a bien tort de croire qu'il ne fait qu'un... Mais vu de loin, vu de l'Europe, c'est le mythe émergent : un nouveau « péril jaune », d'autant plus menaçant que les nouveaux Eldorados des cybergypsies (ou des hypernomades selon Attali) sont en Extrême-Asie. Fuite des cerveaux ? Retour aux pays[1] !

Ces grandes manœuvres masquent des jeux plus modestes, mais dont les conséquences sont plus importantes encore pour les Occidentaux en mal de nouveaux modèles. Une mode revient : découvrir chez des peuples plus discrets, plus marginaux, des enseignements et des modèles. Ainsi en est-il des Badjos. Ce peuple nomade de la mer, en Indonésie, a privilégié un système de vie discontinu, fondé sur l'instabilité de ses groupes, de ses rythmes de production et de régulations sociales qui parviennent à garantir une vie sociale stable et solide[2]. Les Badjos fascinent mais l'Indonésie profonde reste un territoire lointain qu'on visite rarement. On ne va guère vérifier sur place.

---

1. James Harkin, *The Guardian*, 18 décembre 2007.
2. Philippe Cahen, en référence à l'ouvrage de F.-R. Zacot.

La marche à pied pousse l'Européen à redécouvrir ses racines et les cultures dont il est issu. Comminges, dans les Pyrénées, devient un Eldorado exotique tout à fait acceptable.

C'est plus prudent : à y regarder de près, les témoignages sur les pays émergents ne sont pas toujours rassurants. Le poids des traditions ne leur permet pas d'évoluer bien vite. On a le sentiment qu'ils ne sont pas très tendres entre eux, moins encore avec les femmes, qu'ils ne répugnent pas toujours à l'esclavage, sans parler de leur cruauté envers les animaux. On ne sait pas si ces rumeurs sont fondées, bien entendu, mais on ne va pas aller voir. Risque de balles perdues. On se dit qu'après tout les peuples doivent disposer d'eux-mêmes et que, par conséquent, ils ont droit à l'autonomie de leurs civilisations.

Retour à la case départ ? Vision pessimiste et réactionnaire ? Décidément, on a du mal à imaginer un futur paisible et radieux. L'innocence est-elle encore de saison ?

⇨ **Après ce coup de blues passager, revenons au pays...**

Sens et sensorialité

Résumé des épisodes précédents et à venir : la vie intellectuelle ne se dissocie pas de la vie sensorielle. La vie est un spectacle, chacun en fait partie. Bons et méchants, agresseurs et victimes. La vie n'a pas beaucoup plus de sens qu'autrefois. Elle est nettement plus dangereuse. C'est très fatigant, mais c'est le pied !

On est constamment dans un dispositif de défense-réassurance. L'urgence à vivre et à profiter « maintenant » se traduit en un *carpe diem* assez basique. Rien à voir avec l'hédonisme d'ascèse que préconisait le poète latin Horace. Il s'agit de profiter d'aujourd'hui avec le maximum d'insouciance, et beaucoup d'espérance dans un avenir immédiat. La formule « les années du tout à l'ego » indique néanmoins une forme de scepticisme. Cela peut-il durer ?

En fait, chacun a plutôt tendance à se sentir protégé et serein dans son environnement proche... et sceptique ou catastrophé par l'état général du monde. L'idée même de ne pas en profiter est insupportable. Il est de bon ton de faire appel aux grands penseurs de l'humanité pour y voir plus clair. Affirmer que la vie n'a pas beaucoup de sens n'est pas très satisfaisant.

Spinoza ? Un philosophe juif, athée, animiste ne peut pas être un mauvais bougre. À relire d'urgence ! Il définit l'individu par le corps et celui-ci par la complexité de sa structure et par ses échanges avec l'extérieur, c'est-à-dire ses relations avec ses semblables et avec la nature… Bonne prise dans un monde qui cherche à comprendre ses interconnexions généralisées. Parce que l'ère et l'heure des rugissants ne font peut-être que commencer, notre besoin de protestation est impossible à rassasier. La contestation de l'ordre établi est une autorégénération.

On l'a vu autrefois

« *Anvers fut de tout temps la ville païenne de la Cocagne belge. Son catholicisme de façade n'a guère plus de fond que celui de son illustre interprète, le grand Pierre-Paul Rubens, qui peignit les drames du Golgotha, hanté par les splendeurs de l'Olympe. De temps immémorial aussi, Anvers fut un foyer de libertinage, voire d'anarchisme érotique. Alors que ses sœurs des Flandres, Bruges et Gand, déchaînaient des révoltes motivées par des raisons d'ordre exclusivement politique, Anvers ne cessa de fomenter les hétérodoxies. Son histoire nous déroule une chaîne presque continue d'agitateurs, d'hérésiarques et de prêtres hors des rangs, prêchant les libertés de la chair en même temps que celles de l'esprit, la réconciliation des corps et des âmes, la croisade contre les préjugés et les épouvantails bibliques*[1]*.* »

On le voit aujourd'hui

« *Québec, le 24 juin. La fête de la Saint-Jean-Baptiste bat son plein. Des groupes de jeunes ont pris d'assaut les vieux quartiers de la capitale. Téméraires, […] ils fracassent les vitrines des commerçants, saccagent les édifices et insultent les représentants de l'ordre. […] Conduites extrêmes : confrontation avec*

---

1. Georges Eekhoud, *Les Libertins d'Anvers*, cité par Marcel Voisin, « À l'école buissonnière de la pensée », *Études littéraires*, vol. 21, n° 2, 1998.

les forces policières, mais aussi errance, consommation de drogues dures, utilisation de seringues contaminées par le VIH, prise de risques inutiles en se jetant devant une voiture, en grimpant sur les structures d'un pont ou en se prostituant sans condom. [...] Nos jeunes sont le reflet de notre société. Une société marquée du sceau du Dead End, en rupture avec son passé, les traditions, qui a mis la religion au rancart et, avec elle, les grands récits, les mythes et les rituels qui permettaient aux hommes d'apaiser les angoisses, les violences et les souffrances. « La jeunesse représente toujours dans sa forme la plus grave et la plus forte les sentiments communs d'une société, elle manifeste de façon tangible la révolte muette que plusieurs autres ne peuvent exprimer. » Les émeutiers de la Saint-Jean, autant que les jeunes de la rue ou les adeptes de sports extrêmes sont en quête de limites. Ultimement, [...] ils défient la mort pour donner un sens à leur vie. « Pratiquement tous les jeunes de la rue que nous avons rencontrés disent être en quête de la liberté. Mais ce n'est pas ça du tout. [...] Ils sont plutôt à la recherche de la limite, de l'obstacle, de la condition qui leur permettra de réintégrer la société et d'être enfin libre[1]. »"

On le verra demain

" *Ajoutons que l'explosion actuelle du virtuel, à travers les réseaux numériques de création-diffusion ou sous l'effet des futurs automates et robots dits autonomes, renforcera la part de l'hallucinatoire dans le développement social. Certains voient même aujourd'hui dans l'hallucinatoire le mode de fonctionnement « par défaut » des sociétés modernes. Or [...] il ne s'agirait que d'un lointain héritage, celui légué par les premiers hominidés ayant consommé « pour voir », entre autres plantes attirantes, le petit Lophophora williamsii, espèce de cactus sans épine de la famille des Cactaceae, dit aussi peyotl ou peyote[2].*"

---

1. Marie-Christine Bédard, interview de Denis Jeffrey qui se réclame de la *pensée molle*, un courant qui s'exerce en marge de la sociologie moderne et qui tente de comprendre les phénomènes, de les interpréter, de leur donner un sens, plutôt que de les quantifier. Pour cela, le professeur d'éthique, qui est venu à la didactique après un doctorat en sciences des religions et un détour par la philosophie et la sociologie, explore toutes les avenues possibles (http://www.scom.ulaval.ca/contact/art_03.html).
2. Jean-Paul Baquiast et Christophe Jacquemin, www.automatesintelligents.com/

La publicité

Dans le registre des tribulations du moi, la publicité a une place centrale. Après avoir été longtemps perçue comme le parent pauvre de la création artistique ou comme un instrument pour dresser le désir et domestiquer les comportements[1], elle a connu une phase difficile. Les bons esprits et autres observateurs perspicaces dénonçaient son ambiguïté : elle était le miroir de son temps, mais l'époque, au travers des représentations « augmentées », faussées, qu'en faisaient les publicitaires, finissait par être détestée. Mauvaise pioche.

▶ La pub donne dans la métaphysique

La publicité des années 2020-2030 élabore un mode d'être radicalement différent des décennies précédentes. On ne va pas jusqu'à dire que c'est une des rares bonnes nouvelles des temps nouveaux, mais c'est un signe culturel, économique et, pour certains, métaphysique. On a dit à plusieurs reprises que nous étions entrés dans une ère de spectacle, de fiction, de sensation et de sensationnalisme. La nouvelle pub incarne, par de nombreux aspects, cette nouvelle configuration.

Plusieurs raisons à cela. Une nouvelle génération de publicitaires, issue de la classe des *creative culturels*[2] de l'*upstream,* a pris le pouvoir.

Les *class actions* ont par ailleurs modifié les processus de production et les consommateurs-citoyens sont désormais impliqués dans l'élaboration des produits et des services. Plus personne ne voulant être dupe de personne, aucun produit n'est lancé sur le marché sans l'aval d'études de marché « conniventes ».

Dans un monde de plus en plus en quête de sens, satisfaire cette quête est la mission de l'intelligence cognitive, dont le principe essentiel est la connexion de tous les savoirs. Des philosophes sont invités aux réunions stratégiques. Pour parler de quoi ? Des principes de la pensée, de la réalité et des finalités ontologiques – c'est-à-dire de l'être du consommateur, indépendamment de ses déterminations particulières. Le philosophe dit le pourquoi et le comment des attitudes et des comportements. On n'hésite plus à recourir aux textes

---

1. Christian Salmon, *Storytelling. La machine à fabriquer des histoires et à formater les esprits*, La Découverte, 2008.
2. On fera plus ample connaissance avec eux dans les pages suivantes.

anciens, à l'histoire des civilisations, à l'analyse des grands cycles et des grands textes ésotériques.

La psychanalyse fait sa révolution copernicienne en découvrant les trous noirs de l'inconscient. L'interdisciplinarité, le transculturalisme, l'hybridation sont au cœur des dispositifs d'interprétation du monde de la consommation.

L'expertise du monde marchand – compris comme une métaphore du grand schéma organisationnel de la vie même – reste sans doute éphémère, aléatoire, fuyante…, et on assiste à une course aux interprétations, toujours renouvelées et enrichies par la multiplicité des sources. Les publicitaires s'intéressent à des nouveaux registres créatifs : émancipation, ordre, jouissance de soi, communion, évasion, accomplissement, surnaturel, surhumain…

▶ Les produits sont des contes

Les produits de consommation sont connectés entre eux, mais chacun possède sa vie propre, autonome. Manipulant d'immenses champs conceptuels et sensationnels (au sens propre), les marques inventent des histoires. Et les consommateurs s'aventurent dans une consommation à la fois marchande et mentale. Les histoires racontées par les produits sont les nouveaux contes populaires. Mêmes structures, mêmes schémas narratifs, mêmes (dés)espoirs.

Dans un monde en quête de cohésion, le cheminement commun des publicitaires, producteurs et consommateurs renouvelle radicalement la donne.

Les chercheurs en sciences de la consommation s'intéressent plus que jamais aux *process* sociaux et aux *scenarii* d'existence, car les produits sont intégrés dans les mythologies quotidiennes. Le but est de mieux comprendre comment ils organisent la pensée, le vécu, le rapport de chacun au monde. Leur triomphe ou leur déchéance sont l'objet de récits, de fictions articulées sur le désir de chacun. Mais ce désir est fondé sur des histoires communes, partagées et véhiculées par des porte-parole. Il faut donc être à l'écoute de ces derniers. L'écoute des chefs de clan, la recherche des passeurs, la connivence avec les inspirateurs des communautés de sens, d'intérêt, de passion seront au cœur de nouveaux dispositifs de veille. Le retour des grandes foires festives est l'occasion de rencontres entre producteurs et consommateurs, dans un monde transparent où chacun, tour à tour, joue les deux rôles.

▶ ÉPONGE ET CHAMAN

L'expert en sciences de la consommation – qui alimente en permanence les publicitaires et les industriels – est à la fois une éponge et un chaman. Intercesseur entre le producteur et le consommateur, entre le pouvoir et le peuple, entre le sacré et le profane, entre l'offre et la demande, il est au cœur d'une médiation entre les esprits des objets et la tribu des consommateurs, entre le sol qui produira encore le pain et le ventre des citoyens.

L'éponge absorbe le monde et le restitue. Le chaman est prêtre sorcier, devin et thérapeute.

Une ethnologie non intrusive se met en place. On assiste à l'émergence des informateurs socioculturels, des connivents – les taupes ethnographiques, nouvelle race de témoins *embedded*, chaleureux, nécessairement empathiques, qui jouent le rôle de médiateur, comme les chamans. Par endroits, par moment – et de plus en plus –, la solidarité anthropologique devient la norme. Les premières étapes sont celles de l'alliance, puis viennent celles du partage.

▶ LES RÉSEAUX SOCIAUX, FORCÉMENT

Ce travail d'empathie sociétale s'appuie sur des réseaux sociaux, qui sont de plus en plus *glocaux* (planétaires et villageois) et générateurs d'échanges. Dans les nouvelles formes de publicité, la parole et les mots restent un outil incontournable. La conversation est à l'ordre du jour. Mais le silence aussi, car, dans le bruit et la fureur du temps, chacun cherche des moments de calme et de tranquillité. Ressourcement et refuge. Il faut donc respecter le silence. Pour le décoder, on invente des méthodes inspirées de celles des non-voyants et des malentendants. Le décodage du non-verbal, l'analyse de la gestuelle et de la micro-gestuelle humaine, qui servaient auparavant à traquer l'inconscient, sont désormais utilisés pour décrypter le conscient. Un nouveau langage doit être analysé.

Les sociétés d'études de marché envoient des drones furtifs dans les espaces publics, les foyers, les espaces les plus privés, afin de recueillir des images. Un code de bonne conduite est mis en place. On se demande si les Varunas sont à même de répondre aux enquêtes.

Dans un monde toujours en quête de sensations, le cheminement commun des publicitaires et des consommateurs est une fête.

La consommation se développe sur l'espoir d'une expérience sensorielle accrue. Un produit de consommation est étudié sur sa capacité à créer de l'émotion : joie, révolte, admiration, amitié, amour, honte, expérience esthétique, bien-être, indignation, **crainte**, enthousiasme, aversion, inspiration...

Les produits sont désormais les héros d'aventures psychologiques, dont le scénario est créé en commun.

L'extrême fluidité du monde rend caduque toute tentative de fixer les types sociaux. Les classifications ou plutôt le corps sociétal lui-même s'organisent sur un autre registre. C'est ce que révèlent les analyses des nouvelles sciences molles. *Nihil novi sub sole* – rien de neuf sous le soleil : une même organisation symbolique du monde, une structure vaguement familière, la même depuis la nuit des temps, celle du macrocosme et du microcosme, en perpétuel changement et toujours identique – sans jamais le sentiment de s'affadir. Chacun est un type en soi dans la certitude d'un scénario à la fois unique et universel, à savoir que le secret de la jeunesse c'est de sortir de l'indifférencié, celui de l'âge mûr c'est de le retrouver. Se distinguer, émerger, affirmer sa différence puis, plus tard, ayant accompli cette mission, retrouver les empreintes de l'espèce humaine, en suivre les traces, et se fondre à nouveau dans le conte du monde, c'est le secret même de la condition humaine. Les NTIC nous y avaient préparés : leur Graal absolu était le *one-to-one*, le *peer-to-peer*, le message unique pour un consommateur unique. Les publicitaires doivent maintenant gérer une ultrapersonnalisation de leurs messages. Chaque individu est exceptionnel.

✳

Devant ce lyrisme intarissable, esprits chagrins et âmes moroses lèvent un sourcil perplexe. Où est le loup ? Les marques[1] sont omniprésentes et le *naming* est le sport marketing le plus pratiqué. Pas un stade qui ne soit baptisé et largement sponsorisé. De même les rues et les avenues, de même les théâtres et les musées, de même les parcs et chaque écomobile en location.

Pourquoi ce triomphe ? Les cohortes de consommateurs ont compris l'aubaine. L'émergence de soi dans le paysage sociétal reste la grande affaire. Quand les marques se sont mises à louer des mètres carrés d'affichage personnel en partenariat avec les réseaux sociaux sur Internet, le consommateur s'est précipité. Avons-nous assez dit que chacun était une marque, aspirait en tout cas à le devenir, jouait de tout le dispositif qui permettait d'y parvenir ?

---

1. Voir « Le paradigme des marques », p. 285.

Bref, l'individu devient aussi un budget, un client, un compte pour l'industrie publicitaire. Les créatifs culturels aux commandes sauront-ils éviter les dérapages ?

La publicité du futur

vue par Michel Hébert[1], président de Jump France

La reconstruction d'un monde où la vérité, la sincérité, la confiance seront les fondations, est capitale. Elle vient de faire l'objet de la couverture de la *HBR* (*Harvard Business Review*) : « Nous ne serons pas capables de reconstruire la confiance dans les institutions, dans le monde, tant que leaders et managers n'apprendront pas à communiquer honnêtement et n'auront pas créé des organisations dans lesquelles la confiance est la norme. »

Mon intime conviction est que le mot le plus important pour cheminer sur le sentier de la communication du futur sera celui de « Sincérité ». Une qualité, une valeur indispensable sur le plan social, dans tous les compartiments de la vie, personnelle et professionnelle, pour prétendre être perçu comme crédible, vrai, authentique, pour inspirer une confiance aujourd'hui disparue, pour faire en sorte que les gens se parlent, échangent sans réserves, bâtissent ensemble.

Tromperie et société du mensonge

N'oublions jamais que, depuis la fin des années 1990, est né un mouvement « anti-menteurs » (volontaires ou involontaires) qui correspond à une demande de sincérité vis-à-vis de tous ceux qui font autorité.

L'autorité se définit par l'accès aux médias. Tel est le cas, par exemple, des économistes ou des politiques, mais aussi des marques, c'est-à-dire nous, entreprises industrielles et agences de communication.

Promesses non tenues des politiques, prévisions économiques erronées (qu'a illustrées la crise économique), erreurs dans la commercialisation d'un produit que l'on admet trop tard, rapports contestés, publicité à moitié vraie dans la concrétisation des promesses produit... Tous les mensonges, volontaires ou involontaires, ont été jusqu'à ce jour possibles.

Dans certaines émissions télévisées, on peut apprendre que l'on peut vendre sous ce nom de la porcelaine de Limoges qui n'en est pas, que la « véritable charcuterie corse » labellisée est parfois composée de viandes surgelées de divers pays européens, ou que le savon de Marseille n'y est plus fabriqué suivant sa recette originale... D'autres vérités tardent à se faire jour. Dix-sept ans après les faits, on ignore la cause du crash du mont Sainte-Odile : « Les enjeux sont trop énormes », avance le représentant des victimes. Et passons sur les « mensonges de bonne foi » chers à Bernard Tapie, ou sur l'énormité de la tromperie Madoff... « Gare aux indicateurs publiés chaque jour, explique Laurent Caroué dans *La Tribune*. D'abord parce que beaucoup relèvent d'un bidouillage statistique non fiable. Ensuite parce qu'en mêlant, dans la plus grande confusion, les perspectives à trois mois, à un an et sur plusieurs années, les économistes sont victimes d'illusions optiques. »

---

1. Michel Hébert, *Raisonner métis*, Maxima, 2008.

Un livre entier reste à écrire sur les petits et grands mensonges qui rongent la confiance dans la société. La communication dépend certes des agences, mais aussi des commanditaires des campagnes (les industries). Du métier de publicitaire, Robert Rochefort disait qu'il était passé des « petits euphorisants [aux] grands mensonges ».

Expert en détection de mensonge

Prenons conscience de cette « société du mensonge » dont la crise actuelle est le plus grand exemple. Un magnifique mensonge mondial qui marquera les esprits à vie.
C'est ce que découvre le citoyen-consommateur, ébahi, depuis plusieurs années. La crise actuelle l'a définitivement convaincu de la société de la tromperie dans laquelle il vit.
Nous sommes tous entrés dans le « capitalisme du mensonge » (*Capital*). Nous avons dérapé, à notre insu, vers la manipulation extrême, les erreurs tragiques autorisées par... les milieux autorisés !
Face à ces promesses non tenues, à ces demi-vérités, le citoyen-consommateur a pris le pouvoir et décidé de devenir son propre expert. Il est devenu « consomexpert », un expert en détection de mensonges. Il s'est organisé à tous niveaux pour exiger la vérité, faire admettre son point de vue et rejeter celui des « experts ».

Défiance et transparence

Cette irruption de la société civile peuplée de « consomexperts » a changé et continuera de transformer la donne du métier de communicant.
La communication commerciale est évidemment bouleversée par la défiance que le public exerce vis-à-vis des entreprises : en 2008, 67 % de nos compatriotes disaient ne leur accorder aucune confiance.
En même temps, l'entreprise connaît une véritable mutation. Changeant de rôle, elle passe d'acteur économique à acteur social, voire sociétal. Cette évolution lui attribue de lourdes responsabilités que la communication se doit de traiter.
La situation qui en découle est totalement nouvelle. Nous avions pris l'habitude, dans nos métiers du marketing et de la communication, d'avoir un certain pouvoir de manipulation du citoyen, renforcé par une liberté de parole par laquelle on flirtait constamment entre demi-vérités et demi-mensonges.
Aujourd'hui, nous faisons face à un expert en commerce et en marketing, qui a compris qu'il avait un pouvoir (celui de boycotter une marque, par exemple), qui est saturé de mensonges et qui a donc un inéluctable besoin de transparence. Le problème des entreprises et de leurs communicants est qu'ils ont toujours appris la manipulation, pas la transparence !

"Sincère Inside®"

Dans le futur, cette montée en puissance de contre-pouvoirs ne pourra que s'amplifier. On peut raisonnablement imaginer que des sites Web consacrés aux mensonges et à leurs auteurs verront le jour et que les marques trompeuses y seront condamnées à figurer sur des listes noires. Aux États-Unis, de tels sites existent déjà, tel www.liars.com
On peut très bien imaginer l'apparition d'un label « Sincère Inside » sur les produits, les publicités, les textes commerciaux. Les citoyens-consommateurs

participeront à la remise du prix de la « Marque sincère de l'année » ou de la palme de « l'Adultère marketing », tout comme il existe aujourd'hui l'Entreprise ou le Manager de l'année.

Il nous faudra donc bâtir des offres qui supporteront la sincérité positive car la défiance généralisée qui caractérise notre monde nous cernera encore longtemps. Les idées de produits, l'innovation devront permettre de soutenir un discours sincère et vrai dans la communication.

Transparence, relationnel et vérité deviendront les valeurs des entreprises compétitives et devront transparaître dans leur communication. Les communicants devront évoluer pour devenir des experts en « communication sincère et responsable », afin de permettre à leurs clients de gagner les cœurs et les esprits à partir d'une crédibilité et d'un crédit renouvelés.

Dans le futur, on nommera un ministre de la Sincérité. Les gouvernements bénéficieront d'un CDD d'un an ; faute de mensonges au terme de cette période, ils seront reconduits en CDI.

Cependant, « nous devrons tous rester définitivement sceptiques », comme dirait la *Harvard Business Review*. C'est au prix du scepticisme que s'exercera en permanence une vigilance utile pour éviter les dérapages.

Il faut donc apprendre dès aujourd'hui à jouer la sincérité, à alimenter la preuve, à mettre l'accent sur la pédagogie de l'offre, à recréer de la confiance sans faire de « surpromesse » ni répondre à de faux besoins.

En somme, les marques et leurs agences devront communiquer en respectant la trame suivante : « Moi, marque, voici ce que je vous promets, voici la preuve. » Telle sera la trame de communication des marques de demain.

Les tribus

Pure hypothèse de travail, reliquat d'une vision du monde dépassée – d'un monde fini ? On ne sait trop dire. Quoi qu'il en soit, voici les typologies. Elles ont pour vocation d'aider les publicitaires dans leurs opérations de conquête, de permettre aux sociologues de donner des points de vue (dans les deux sens du terme, une opinion et une photographie). Mais les typologies sont peut-être des fictions qui aident à apprivoiser le réel…

▷ *Les créatifs culturels ont la cote dans les années 2020*

On cherche l'élément structurant fondamental de la société[1], la base même de ce qui fait la société, la condition de son existence : la

---

1. Jean-Pierre Worms, autour du livre d'Yves Michel, *Les Créatifs culturels en France*, Association Biodiversité culturelle, 2006 ; et le texte de Gilles Schlesser sur www.e-dito.com/socio.asp?id_fichier=78

culture fait l'affaire. La *création culturelle*, voilà le matériau, le nouveau Graal. Il ne s'agit pas vraiment d'affirmer que chacun est un artiste, même si certains le font. N'allons pas trop vite : si l'art et la culture voyagent de conserve, ils ne se confondent pas. Pas encore, en tout cas. Pour l'instant, la question est de savoir si le repli sur soi est compatible avec le vivre ensemble. De nouvelles orientations se manifestent. N'y aurait-il pas au plus profond de la démarche individualiste un moteur commun ? À force d'aller chercher en soi les ressorts, les motivations, les bonheurs divers de l'ego, on finit par trouver un universel, une source commune : Spinoza ! Nous verrons tout à l'heure que ce principe s'applique à beaucoup de choses : comme le fait de manger bien, qui permet de combler le trou de la Sécu.

L'enjeu est-il de se donner bonne conscience ou de toucher du doigt enfin ce que l'on cherche depuis si longtemps ? Faire de soi une marque respectée passe par le développement personnel, le recentrage sur l'être plutôt que le paraître ou l'avoir, l'indépendance d'esprit, l'autonomie et le rejet des Églises et des partis. L'autre, sous toutes ses formes et sous toutes les latitudes, est respecté, invité, câliné. L'engagement écologique, la solidarité, la compassion sont des idées maîtresses. Si les créatifs culturels se méfient des institutions, la spiritualité est peut-être l'essence de leur démarche.

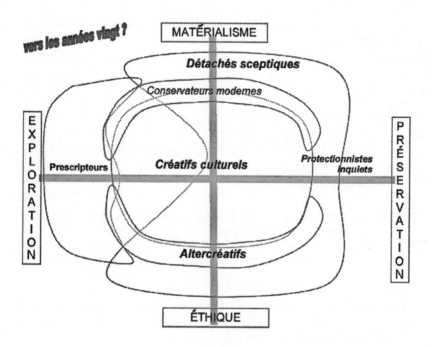

Le courant des créatifs culturels est le grand fleuve qui irrigue la société pour une décennie. Les altercréatifs en sont très proches, hormis le ressort spirituel qu'ils ne partagent pas avec eux. C'est d'ailleurs la seule chose qui les sépare. Cette différence, qui paraît dans un premier temps assez superficielle, va s'accentuer. Dans une société qui annonce le retour du sacré à tous les étages, son refus et sa dénonciation engendrent une fracture. Une de plus. Les alter sont d'ailleurs de moins en moins nombreux, mais deviennent plus virulents, plus visibles, plus théâtraux. Ils en font plus pour se trouver sous les feux de la rampe. Leurs frasques font vendre...

Et l'argent est du côté de ceux qui le cherchent et le trouvent. Du côté des conservateurs modernes. Ceux-là utilisent tous les rouages, toutes les valeurs des créatifs culturels et les transforment en richesses. Le développement durable est une manne, puisque l'idée flotte dans l'air du temps et qu'ils savent la monnayer. Si l'environnement est le nouveau défi, c'est qu'il y a là source de profits. Inutile de leur lancer un regard réprobateur : ils font tourner le monde. Ils créent de la richesse – au besoin, le partage. Ils constituent une nouvelle sorte de riches, suffisamment malins ou mutants pour vénérer le développement personnel (en prenant au pied de la lettre la notion de développement – le moi vertueux est aussi du bon business). La technologie, une carrière, du flair, voilà le levier de leur *conservatisme*. La mise en culture d'un savoir-faire industrieux. Culture, dans le sens d'opération destinée à tirer de la richesse de tout. La solidarité devient une activité prospère. Les créatifs culturels authentiques – et un peu naïfs – les considèrent comme des traîtres. Pourtant, les conservateurs modernes ont adopté les mêmes valeurs qu'eux. Simplement, ils en ont fait un moyen vertueux.

Les prescripteurs défrichent et proposent.

Restent les détachés sceptiques, qui résistent à tout et se réfugient dans des zones latérales et obliques – derniers des Mohicans modernes, qui ressemblent terriblement aux peuplades primitives qu'ils imitent comme ils peuvent.

Les observateurs les plus lucides savent bien que toutes ces tentatives pour classer les gens sont de plus en plus vaines.

Upstream, downstream, mainstream – peut-être – croisent ces typologies.

⇨ **Retour au réel ?**

⇨ **Quel art de vivre envisager ?**

2 L'art de vivre

Manger

2010 : émeutes de la faim. 100 millions d'individus s'enfoncent dans la misère dans les pays les plus pauvres de la planète. Le spectacle de la famine ne coupe pas l'appétit aux pays nantis. Mais l'horizon alimentaire s'inscrit dans une tension permanente entre enthousiasme et paranoïa.

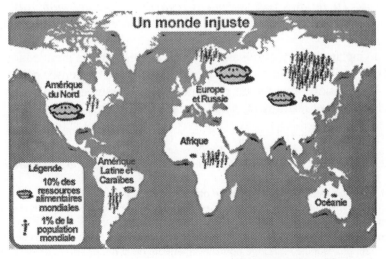

www.copaindumonde.org

Est-il encore temps d'alerter les bébés ?

“ *La concomitance de « prix records de la nourriture » et de « productions agricoles records » est « une indication forte » que les prix resteront durablement élevés. D'autant plus que les facteurs de long terme, tels que l'augmentation de la population mondiale, la richesse croissante de pays tels que l'Inde, la Chine ou le Brésil (où l'on consomme plus de viande, et donc de grain pour le bétail), ainsi que la pénurie des ressources naturelles suggèrent « la possibilité d'un changement structurel, plutôt que simplement cyclique[1] ».*"

▶ L'IRRÉSISTIBLE PROGRESSION DE L'UTOPIE ALIMENTAIRE

Les uns mangent pour sauver leur âme, les autres pour préserver ce qui leur reste de corps. L'Occident, plutôt globalement du côté du manche, croit à ses chances :

“ *Il faut se réjouir de voir au moins nos nations occidentales en finir avec ces difficultés, auxquelles sont encore en proie les pays sous-développés, pour assurer le nombre de calories nécessaire au bon état des populations[2].*"

“ *Mangeons, puisque nous le pouvons, et faisons-le avec sapience, puisque nous sommes ce que nous mangeons. C'est une équation aussi ancienne que la vie[3] !*"

“ *Tu ne dois pas seulement regarder l'homme, mais aussi la nature et ce que cache le ciel [...] car l'homme en est composé[4].*"

La vingtaine d'années qui arrive va être bercée par une grande utopie : bien se nourrir pour sauver le monde. Le modèle de pensée célébrant « la cohésion ontologique de toutes choses, assurée par d'invisibles signatures, et réaffirmant, par là même, l'unité ultime de l'univers[5] » fait

---

1. Note interne de l'ONU, 2008, citée dans *Le Monde*.
2. Maguelonne Toussaint-Samat, *Histoire naturelle et morale de la nourriture,* coll. « In extenso », Larousse, 1997.
3. www.nouvellescles.com/rubrique.php3 ?id_rubrique=149
4. Paracelse, alchimiste, astrologue et médecin suisse du XVIᵉ siècle, revient à la mode dans les années 2015.
5. Camille Tauveron dans une invitation à des Journées d'étude « Ésotérisme, littérature, philosophie » à l'École normale supérieure de la rue d'Ulm, 12-13 décembre 2008.

l'objet de séminaires à La Sorbonne. Si, grâce à la nourriture, je suis mieux avec moi-même, je serai mieux dans ma relation avec le reste du monde, et le monde ira mieux puisque j'irai mieux, étant moi-même un peu le monde. Les médias l'annoncent, la vie quotidienne le confirme : tout étant centré sur la réalisation de soi, la prospérité du corps c'est la fortune de la planète. Une nouvelle gnose s'établit et d'antiques savoirs sont convoqués avec délectation : encore une fois un effet de la Renaissance et de la fascination qu'elle exerce ? De la santé de chacun dépend la santé globale du pays. Et donc, l'équilibre de la Sécurité sociale. Et peut-être, la survie du gouvernement. Mal manger pour le faire sauter et provoquer des élections générales ? Déjà, en 2008, les vétérinaires sont persuadés que la nourriture diététique qu'ils prescrivent augmente la longévité des animaux. Des mutuelles baissent le montant de la cotisation de leurs clients quand ils mangent des fruits et des légumes.

Ces promesses font sourire mais captivent. Les mythes qu'elles convoquent sont tout à fait dans l'air du temps : l'ombre de Paracelse et des alchimistes plane à nouveau sur les représentations du monde. La réconciliation entre le moi et le nous n'est après tout qu'une manière de recycler des théories plus ou moins ésotériques sur le macrocosme et le microcosme.

Tout le monde n'est pas convaincu. Retrouver une vraie sécurité et une confiance perdues est l'objectif prioritaire de ceux qui continuent de se méfier de la nourriture industrielle. Ils sont nombreux.

▶ LA COMMUNAUTÉ SCIENTIFIQUE PROMET DES AVANCÉES SPECTACULAIRES...

On applaudit l'alliance avec la nature :

« Moins de 10 % des bactéries et moins de 5 % des champignons inférieurs ont été étudiés... Les ressources marines... le domaine des insectes... le milieu naturel est une source inépuisable d'outils biologiques qui conduira à la découverte de médicaments[1]. »

Les racines, les substances naturelles – sources de produits actifs tapis au cœur des forêts primaires qu'on s'est décidé à protéger –, les produits de synthèse qui imitent la nature promettent donc encore et toujours des avancées. Toujours cette soif de réconciliation et d'harmonie.

---

1. Françoise Gueritte, chimiste, directrice de recherche au CNRS.

▷ *Le « bio » fait-il l'affaire ?*

On y vient, obéissant à une logique un peu confuse. Les militants s'en sont emparés – besoin de symboles. Le succès médiatique de la zone des 100 *miles* (au-delà de laquelle on s'interdit de se fournir en quelque produit que ce soit) ne rend pas la tâche facile. Il faut à la fois être « bio » et ne pas dépasser son quota de carbone. Mais personne ne prétend qu'une religion soit faite pour faciliter la vie. Les plus farouches se sont engouffrés dans la voie étroite d'un « bio messianique », de plus en plus réactionnaire, viscéralement hostile à toute forme d'allégeance aux technologies. Le dialogue avec les scientifiques tourne court.

Des arguments de santé, de diététique, convainquent les néophytes. On recherche le sérieux, le sain, et même une certaine austérité, une discipline de vie. Le discours sur l'alimentation bio est à la fois utilitariste (on y va par nécessité, on s'interdit de penser uniquement au plaisir) et alarmiste (face aux dangers alimentaires mal identifiés, réfugions-nous dans la « bulle bio »). On constate tout de même qu'un poulet bio est autrement succulent…

Mais le « bio » lui-même n'est pas toujours irréprochable. On conteste sa légitimité. Si le champ voisin n'est pas bio, protestent quelques-uns… qu'est-ce qui me prouve que mon produit est réellement de qualité « bio » ?

On écoute les promesses de la science… Que croire ? Qui croire ?

▶ … PENDANT QUE DE NOUVEAUX ACCIDENTS INDUSTRIELS SONT EN EMBUSCADE

La paranoïa alimentaire guette les foules. La psychose de la vache folle, le *chickengate*, la fièvre aphteuse, la peste porcine et la grippe aviaire ont durablement imprégné les esprits. Aucune menace n'est considérée comme écartée. La presse s'empare de ces peurs. Les produits sont traqués comme des célébrités, des ennemis du peuple, de nouveaux messies.

On s'attend au pire…

Les délires morbides des médias ont beau être tournés en dérision, les médisances laissent des traces. L'inquiétude plane. Et puis, l'alerte est levée : on se réconcilie avec la carotte et la pomme de terre.

On comprend que les catastrophes ne résultent pas d'un fléau divin ou d'un fatum inévitable. Pourtant, l'heure est aux explications occultes s'abreuvant au regain général de spiritualité. Mais il faut se rendre à l'évidence : l'origine des catastrophes est humaine et très bien identifiée. La Chine inonde le monde de produits frelatés au grand dam de ses propres autorités. Celles-ci investissent des milliards de dollars en publicité pour se réconcilier avec l'Occident – orientation prioritaire du XVIIIe congrès du Parti de 2012. Ces histoires de *nouveau « péril jaune »* ne l'arrangent pas du tout, quand, après chaque film publicitaire à l'angélisme confondant, le journaliste égrène les maladies et les morts provoquées par les caramels mous de l'Empire du Milieu. Face à la montée du grotesque, un courant émerge vers 2015...

▶ MANGER « CORRECTEMENT » DEVIENT UN ACTE CIVIQUE[1]

C'est peut-être une réponse identitaire face à l'absurdité de la consommation à outrance. On est passé d'une cuisine de la rareté, où il fallait grossir pour être fort et efficace, à une cuisine de santé, où le but est de rester mince tout en se faisant plaisir.

Les matières grasses sont depuis longtemps la cible de toutes les attaques. Les médias, les marques, la publicité deviennent les nouveaux chevaliers de la santé par l'alimentation. Des études scientifiques sont menées sur tous les fronts, médiatisées, commentées : une alimentation variée et équilibrée et un minimum d'activité physique sont des facteurs de protection contre le cancer, les maladies cardiovasculaires, l'ostéoporose, le diabète, l'obésité et l'hypercholestérolémie[2]. Études et contre-études sont souvent contradictoires, mais leur médiatisation est un phénomène culturel.

Tout un arsenal alimentaire est mis à la disposition des consommateurs.

On attribue un rôle prophylactique aux *super foods*, directement inspirées du succès des antioxydants, des omégas 3, et des produits de « santé active ». L'idée est désormais de développer une gamme

1. *Cf.* Patrick Denoux, « L'Orthorexie, une névrose culturelle ? », www.agrobio sciences.org/article.php3?id_article=1260 (orthorexie : addiction à la nourriture saine).
2. Institut national de prévention et d'éducation pour la santé (INPES).

de produits, censés agir comme des médicaments, qui visent préventivement certaines parties du corps : les os, les yeux, les articulations[1], et bientôt la vertu et l'intelligence, au motif, qui ne s'entrevoit encore qu'assez vaguement dans les années 2020, que c'est l'esthétique, la beauté du monde, qui est le moteur de toutes choses. Un beau corps, une belle planète, une belle vie. Il y a là quelque chose de vaguement inquiétant : qui décrète la beauté ? sur quels critères ? Y a-t-il des exclus ? Rassurez-vous : on parle de beauté intérieure, d'harmonie entre les choses. Tout a un potentiel de beauté. Ouf, on a failli recroiser de vieux démons. Mais sont-ils vraiment neutralisés ?

▶ LA MALADIE EST ASOCIALE

La guérison du corps humain va accompagner celle du corps social. On n'est pas loin de penser que les malades sont des déviants culturels et économiques, ou en tout cas des asociaux. Pendant un temps, la *cosmetofood* est de la partie. Pas vraiment de la gastronomie, la *cosmetofood* : la frontière entre le soin et l'alimentaire se rétrécit et devient floue. L'alimentation se fait de plus en plus spectaculaire… au croisement du gastronomique, du psychologique, du médical, du sociologique… On mange des soins de beauté depuis un moment, certes. Ce qui change, c'est la provenance. Des boulangers chic proposent des choux à la crème hydratante pour le corps. Des marques automobiles vendent des pilules qui maintiennent l'état de vigilance. Des compagnies aériennes mettent au point des gels anti-jetlag. Une cosmétique alternative prétend activer de l'intérieur les ressources biologiques de la peau, pour un « résultat beauté plus profond, vivant et durable ». Les recherches communes en nutrition et en dermatologie ouvrent des voies nouvelles : des nanoparticules de pousses de vigne des plus prestigieux grands crus sont émulsées dans des crèmes anti-âge de marques de grands couturiers. Pour être moche, il faut y mettre de la volonté. En filigrane : être beau, c'est participer à la nouvelle utopie – être en bonne santé pour sauver le monde, être beau pour sauver la planète. Alors ne pas être beau et en bonne santé, c'est quoi ?

▶ SÉRIEUX, TOUT ÇA ?

Assez effrayant, oui. Heureusement, personne ne va vraiment jusqu'au bout de cette logique, mais elle trotte dans les esprits. D'étranges débats télévisés, des forums sur le Net reprennent ces

---

1. Marie-Claire Arrighi, *Libération*, 20 janvier 2008.

thèmes jusqu'à plus soif entre 2010 et 2015. Les régimes alimentaires des célébrités – dans le sport, la musique, le cinéma, Internet – sont suivis à la lettre. Ces gens-là ne sont-ils pas beaux et en bonne santé ? À quoi servent les stars sinon à incarner une rédemption ? Les superstars vendent des gouttes de leur sang aux enchères, des flacons de l'eau de leur bain. Confusion des genres.

Dans le Caddie des riches, qui se prennent parfois pour des stars et dont la santé s'améliore chaque jour : du riz enrichi en vitamines, une banane qui protège contre l'hépatite, des carottes avec plus d'antioxydants pour réduire le risque de cancer, des pommes de terre qui contiennent un vaccin contre le choléra, de la viande de porc allégée en graisse animale, adaptée aux régimes faibles en cholestérol...

Au Japon, on suce des bonbons pour le teint depuis belle lurette.

Danone est l'incontestable leader de la nutrition médicale. Le yaourt Essensis nourrissait « votre peau de l'intérieur ». Essensis a été un échec. Trop cher.

Cette nouvelle génération d'alicaments connaît un succès certain, mais le prix est un obstacle... peut-être plus qu'un obstacle : le symbole local de la fracture planétaire – la santé est de plus en plus une affaire de riches, et donc un nouveau lieu de tensions. Les magasins spécialisés dans cette nourriture précieuse sont surveillés comme des bijouteries. Ils se transforment en club privé. Les nouveaux yaourts ne sont pas remboursés par la Sécurité sociale malgré leurs bienfaits santé ! Si le pouvoir doit permettre à tous de bien se nourrir pour se maintenir, il commet peut-être là une erreur de stratégie.

Et quand le gouvernement veut imposer une hausse des prix de la viande pour en limiter la consommation afin de réduire l'impact sur le climat de l'augmentation de la population mondiale – nouvelle contrainte qui vient s'ajouter au Carnet EcoConso de la « consommation carbone » autorisée par habitant –, c'est le tollé.

Les moins bien nantis observent, économisent... achètent la même chose dans des marques à bas prix. La même chose ? La rumeur publique veut que tous ces produits proviennent des mêmes usines.

Mais sérieusement, que mange-t-on quand on n'a pas un rond ?

Sans aller jusqu'aux gâteaux de boue dont les médias font état dans les pays les plus pauvres, les pauvres chez les riches ne mangent plus ni fruits ni légumes et se rabattent sur les desserts. Gourmandise régressive et obésité galopante, si l'on n'est pas du côté du manche.

▶ Que se passe-t-il ?

Jesús Contreras[1], de l'Observatoire de l'alimentation à l'université de Barcelone, est perplexe. On assiste, pense-t-il, à la mort globale de la gastronomie domestique. De nouveaux produits, jusqu'alors méconnus et élaborés à partir de champignons et d'une infinité d'autres substances, apparaissent chaque jour sur le marché. On choisit ses repas en fonction de leur vertu à activer le cerveau et retarder la sénilité. Des apéritifs sont en vente partout, capables d'améliorer l'état anémique des personnes au lieu d'en rassasier l'appétit. On traite les aliments de manière à garantir leur contenu en substances nutritives, même si, chaque année, ils sont sujets aux variations des modes et à l'attention que l'on portera à certains ingrédients. Des aliments synthétiques à faible contenu en graisse remplacent la viande qui, jusqu'à présent, avait nourri le monde occidental. La nouvelle gastronomie mélange des aliments de nombre de cultures différentes et offre des saveurs jusque-là inconnues.

Toujours pour Jesús Contreras, la transmission, de génération en génération, des connaissances alimentaires, comme elle avait été de mise jusqu'à présent, n'est plus possible. La connaissance est tellement propre à chaque individu que sa transmission est exclusivement entre les mains de la classe médicale.

Ainsi, on contemple dans son assiette des produits sans mémoire. Les signes et les symboles qui fondaient une histoire personnelle affective sont dispersés. Inquiétude des ménagères, insoumission des gourmands, perplexité des sociologues.

▶ Confusion, contestation, réactions, allégations

Des sites Internet de coaching alimentaire accompagnent les consommateurs noyés sous les étiquetages abscons et les allégations commerciales prometteuses.

La surenchère des messages – souvent perçus comme ésotériques et charlatanesques par des groupes de consommateurs plus organisés – est contestée. La réponse opportuniste des publicitaires ne se fait pas attendre. Les allégations redeviennent extrêmement simples : voir, sentir, rire, entendre, comprendre, séduire – autant de promesses déclinées jusqu'à plus soif sur des emballages de boissons ou d'alcools : on vend des promesses de plus en plus mentales.

---

1. www.jle.com/fr/revues/agro_biotech/ocl

" *On pourra se faire vacciner, devenir beau et intelligent et gagner toutes les semaines au PMU juste en croquant une pomme[1]."*

" *On assistera aux dernières heures du yaourt... Manière de remettre des produits en fin de vie au goût du jour[2]."*

Comment être crédible, avancer des allégations « santé » prouvées ? Un courant civique puissant revendique systématiquement de savoir et de comprendre. Le plus souvent, c'est un vœu pieux. La fracture de ces vingt années est – ici – entre le producteur et le consommateur. Ce qui semble contradictoire parce que, par ailleurs, les marques revendiquent, nous l'avons déjà vu, un partenariat avec le consommateur, une proximité émotionnelle, une implication. La contradiction n'est qu'apparente. C'est la même confusion qui est toujours présente : une frontière floue entre la fiction du discours des marques et le réel secret technologique de la fabrication des produits. De là à ce que certains soupçonnent un remake de *Soylent Green – Soleil vert*, un film qui imaginait que l'humanité, pour survivre, se nourrissait de cadavres recyclés. Vieille terreur sans doute, mais les mythes fondateurs des vingt années qui viennent s'enracinent dans – au moins – les trente précédentes. Néanmoins, il est vite prouvé que cette rumeur n'est qu'un fantasme.

Les technologies utilisées pour nourrir la planète sont complexes, guère compréhensibles pour le grand public. Il a fallu des décennies pour faire accepter le principe des OGM. Un obscurantisme militant et idéologique avait retardé la mise en application à grande échelle de ce qui s'avéra être une découverte fondamentale. Il a fallu changer le nom du principe lui-même. Les organismes « génétiquement

---

1. « Glast » sur forums.futura-sciences.com
2. « Lord » M sur forums.futura-sciences.com

modifiés » sont devenus des organismes « nano-naturels », et le *downstream* s'est calmé. Y avait-il une alternative ?

    Il existe une sorte de boîte noire entre la fourche et la fourchette[1]."

Ce n'est pas rassurant : le *storytelling* alimentaire triomphe. Les belles histoires empruntent aux sciences molles : psychanalyse, psychologie des profondeurs, anthropologie de la consommation contemporaine sont convoquées pour mettre en scène les « belles histoires » entre la nature et les recherches high-tech. Rien de nouveau ? Si ! Car ces histoires sont maintenant strictement personnelles… On ne sait toujours pas ce qu'il y a dans la boîte noire, mais on sait qu'on y a une place unique.

▶ L'HYPERINDIVIDUALISATION DU REPAS DEVIENDRA-T-ELLE LA NORME ?

« Loin des plats lyophilisés ou en pilules, l'avenir de nos assiettes s'oriente vers une cuisine individualisée en fonction de nos gènes, une façon de prévenir les risques médicaux et donc de réduire les dépenses de santé », ont estimé des experts lors d'un congrès mondial en France. Pour les scientifiques, cette évolution fait suite à la recherche d'une alimentation protéinée et énergétique, lancée dans les années 1950 en Europe, suivie depuis par celles du plaisir puis de la sécurité alimentaire. « La prochaine étape sera liée à l'explosion des dépenses de santé. C'est l'individualisation de l'alimentation en fonction du patrimoine génétique », selon Paul Colonna[2].

Encore un nouveau métier : le droguiste-épicier-laborantin qui personnalise les menus familiaux.

Un nouvel évangile alimentaire ? On ne parle plus que de ça en 2018 : des repas spécifiquement adaptés au besoin génétique de chaque famille. Il faut en passer par l'analyse phénotypique de la population. Quelles sont les familles présentant des variantes de gènes à risque ? C'est par elles que l'on commence. Pas si facile. S'agit-il d'une nouvelle forme de surveillance ? La tâche est immense. Les pionniers de cette nouvelle aventure du genre humain deviennent aussi célèbres que le furent, en leur temps, ceux des opérations à cœur ouvert. L'université de Shanghai tient la corde, mais on ne

---

1. www.linternaute.com/sante/nutrition-digestion/dossier/alimentation-demain/1.shtml
2. XIIIe congrès de l'International Union of Food Science & Technology (IUFOST) sur le thème « L'Alimentation pour la vie » (*Food is life*).

passe pas facilement du « péril jaune » à la « garantie jaune ». Nous avons déjà vu que les Chinois n'avaient pas bonne presse. Cherchent-ils à se faire pardonner ? Ou à mettre les choses au point : après tout, l'alimentation tient une place prépondérante dans leur savoir immémorial, à côté de l'acupuncture et de la maîtrise du souffle.

Les tensions politiques, les frottements entre civilisations se heurtent frontalement à la croyance ancestrale que la gastronomie est une identité, un atavisme, un trésor culturel. Cette personnalisation « pourra être mise en œuvre par chacun, explique le scientifique de l'Inra. Ainsi, en fonction de son appartenance à un groupe, on pourra manger plus de viandes ou plus de fibres. » Le prêt-à-manger de demain sera aussi le plus varié possible pour éviter l'uniformisation des goûts, protestent les scientifiques. Des repas spécifiquement adaptés au besoin génétique de chaque famille sont donc proposés sur le marché. À dire vrai, la nutrigénomique fonctionne du point de vue technique mais, au niveau émotionnel, c'est un flop.

Cette façon de manger « comme il faut » a des implications sociétales de plus en conséquentes. C'est que…

    ❝ *… le prix que nous payons quand nous demandons à personnaliser, jusque dans les moindres détails, les pages et services que nous utilisons, c'est la surveillance totale que nous rendons possible grâce aux informations que nous donnons sur nous-mêmes. Y avez-vous pensé[1] ?"*

Et si mal manger devient répréhensible et ne pas manger correctement un crime sociétal, certains se demandent si, peut-être, si, décidément, quelque chose ne fonctionne pas.
D'autant plus que – dans une sorte de baroud d'honneur – le manger correct en rajoute dans l'éthique…

▷ *Manger devient un acte de désinfection personnelle, de régénération physique et mentale*

La micronutrition séquentielle[2] gagne du terrain après des années de recherches erratiques. En rendant à l'organisme son autonomie naturelle et sa capacité de régulation, ces approches nouvelles rééduquent l'organisme et lui redonnent une sorte de virginité, en réparant le désordre dû au temps ou à d'éventuels excès. On assiste à un

---

1. Francis Pisani, pisani.blog.lemonde.fr
2. Entretien avec Gilles Didier, PDG de Bioresearch.

retour de la confiance dans son propre corps. La vraie solution consiste à redynamiser les fonctions innées du corps, plutôt que de lui imposer des substances étrangères. On cherche des produits qui fonctionnent comme des tuteurs intimes de l'organisme. En filigrane, se dessine l'amorce d'une vision globale de la santé, selon laquelle la confiance en soi et en ses propres possibilités de régénération serait la clé de voûte de toute guérison.

Cette fois, des contre-courants protestent contre le risque de basculement vers une politique alimentaire de purification sociale, sinon ethnique.

Quand manger devient se révéler, se mettre à nu – exposition indécente et obscène dont se repaissent les médias –, manger devient alors un acte d'indépendance politique. Des députés bien intentionnés permettent le retour des ripailles sous la forme de fêtes rituelles, locales et gaillardes, qu'ils autorisent.

▶ Vers l'agoradisiaque ?

Derrière le politiquement ou le technologiquement correct, les bonnes pratiques alimentaires imposées génèrent frustration et révolte.

La soumission à la contrainte n'a qu'un temps. Si les façons traditionnelles de cuisiner ont du plomb dans l'aile, l'hédonisme va reprendre des couleurs. Quand Jesús Contreras annonce que « avec les aliments fonctionnels, nous ne parlons plus d'aliments proprement dits, mais de leurs composantes concrètes », il met le doigt sur les limites affectives acceptables.

Certes, on consacre plus de temps, d'énergie et d'imagination à l'alimentaire. Certes, les consommateurs réapprennent le rapport entre l'alimentaire et la qualité de vie en gérant davantage eux-mêmes leur alimentation, mais une puissante nostalgie refait bientôt son apparition. Retour du refoulé, donc. On acceptera, à la rigueur, les steaks de labo conçus selon une technique identique à celle utilisée en médecine pour cultiver les fragments de peau greffés sur les grands brûlés, on mangera des légumes cultivés dans des potagers-navettes spatiales, on mangera des yaourts adaptés à son génome propre[1], mais il faudra y mettre la manière…

Et sans doute, plus que la manière…

Autour de 2020, on part à la recherche de la mémoire et de l'histoire des produits. Les *Croisades du patrimoine G* (pour « gourmand » et « gourmet ») sont à la mode, et redessinent la carte des besoins

---

1. « Les inventions qui vont changer nos vies », *Capital*, août 2008.

réels – qui sont de l'ordre du désir puissant de se retrouver dans une histoire ancestrale qui s'apparenterait à un souverainisme dégagé de ses connotations droitières et réactionnaires. Encore une fois, pour y parvenir, il faut en avoir les moyens : les classes prospères, éduquées et raisonnables des nations développées ont ces moyens. Et pour se donner bonne conscience, le mouvement Slow Food qui continue de donner le ton à ces revendications s'associe avec Action contre la faim. L'histoire dira ce qu'il en sortira…

Pour l'instant et d'une façon toute pragmatique, on rêve d'aller à nouveau chercher les bons aliments à la ferme.

En fait, c'est plutôt…

▷ *... la ferme qui vient à la ville*

C'est le retour aux mythes fondateurs[1] – revisités, plus spectaculaires, mais à nouveau opératoires.

La ferme verticale

❝ *Il s'agit d'immeubles d'au moins trente étages, consacrés à des cultures variées et à de petits élevages, avec des systèmes d'irrigation sophistiqués et l'emploi de techniques de production biologiques, afin d'éviter la pollution par les engrais et les pesticides. Outre l'énergie solaire, le recyclage des déchets alimente la ferme en énergie. De la même façon, les eaux sont presque entièrement recyclées, d'autant plus que l'évaporation est contrôlée. La production échappe au rythme des saisons et aux assauts des parasites et ravageurs divers. Tous les types de variétés sont cultivés, puisque le climat est artificiel. Les aliments produits sont consommés localement, sans les coûts de transports sur de longues distances imposés par les « villes horizontales » et leurs banlieues arborescentes[2].*❞

La ferme verticale et technologique n'est que l'emblème visible de ce que les gens réclament. Au-delà de cette invention, on cherche à faire vivre ce qui donnait chair à l'achat de nourriture : le marché.

❝ *Les marchés signaient la différence entre le temps du travail et des loisirs. Les marchés nocturnes de province avaient une*

---

1. www.agrobiosciences.org/article.php3 ?id_article=1613
2. www.automatesintelligents.com

saveur particulière – temps de fête, lieu de découverte ou de redécouverte des produits d'autrefois... un autrefois mythifié par la vie urbaine. Les marchés diurnes – qui font leurs nocturnes eux aussi – incarnent une réconciliation qui fut parfois chancelante entre l'agriculteur et l'urbain. Leur succès ne se dément plus[1]."

On assiste à un retour du folklore lié à la nourriture. « La ferme en ville » est l'occasion de revivre un moment de connexion entre agriculteurs, éleveurs et consommateurs[2]. La ferme géante de Danone, au cœur de Paris, est un énorme succès.

On assiste aussi à la fertilisation croisée de l'habitus américain, des modes alimentaires d'autrefois et d'un habitus culturel nouveau qui met la nourriture au centre.

Quand cela advient-il? Peu à peu, par étapes, au cours de ces vingt années. Les foires, les festivals... la reconnexion se fait autour de l'alimentation, que celle-ci soit le prétexte ou qu'elle se greffe sur des événements de tous ordres. Ce qui triomphe maintenant, c'est le réenchantement de la vie communautaire, la tendance au mutualisme jovial, l'émergence de nouveaux cercles de confiance qui se créent autour d'un temps rétréci qu'il est urgent d'exploiter. On se laisse envoûter par les nouvelles convergences. L'art, la ville, l'innovation, le développement durable, les transports de proximité, le besoin d'éthique profitent au développement local de la nouvelle convivialité. On essaie de manger festif.

▷ *Manger pour se rencontrer*

Ce fait banal avait fini par perdre de son actualité. Il prend un sens nouveau, puissant, essentiel, qui coïncide avec la remise en question radicale de l'ego. La saturation de l'ego avait dérivé vers un *L'Enfer c'est moi*, titre du best-seller des années 2020. L'ironie avait été vécue comme une assez bonne nouvelle. Le passage de l'« ego-bulle » au « nous-bulle » finit par être acquis.

Le banquet redevient un élément essentiel de la sociabilité. Il rythme la vie des communautés, surtout dans les néovillages... La reconnexion entre pairs fait fureur. Les banquets de découvertes transcommunautaires sont organisés par les municipalités, par les

---

1. Inspiré de www.agrobiosciences.org/article.php3?id_article=1613
2. www.eitb24.com/article/fr/B24_100173/societe/SALON-AGRICOLE-BAIONA-Ferme-ville-Baiona-seul-le-futur-ny/

associations de quartier pour donner de la vie aux quartiers forte-resses qui se bâtissent malgré tout. Le banquet est souvent le seul lien. Utopie refondatrice. La Fête des voisins a gagné la partie.

Manger pour se retrouver dans la même tribu, pour réorganiser et simplifier les lieux, les moments, les plats, manger devient un acte politique, un acte d'indépendance, un acte de rébellion par rapport aux diktats de la pensée nutritionnelle dominante. C'est la grande nouvelle à partir de 2020.

▷ *Le dionysiaque en ville : l'agoradisiaque est la nouvelle donne*

On recherche des ambiances, une qualité des décors et de mise en scène autour des repas. Les voyages et les migrations ont facilité l'arrivée de nourritures exotiques : le multiculturalisme a souvent comme point de départ la découverte des vertus alimentaires d'autres civilisations. L'alimentaire n'est plus uniquement considéré comme un besoin physiologique. S'il est un moyen de réguler la santé, la forme, le bien-être, il est aussi un terrain de jeu, un univers de découvertes et de plaisirs.

Tout en fréquentant les fast-foods – dont les fonctions pratiques, symboliques et ludiques continuent de répondre aux besoins de la société d'urgence –, on réapprend à cuisiner, à considérer la cuisine comme un plaisir dans des restaurants d'un nouveau genre : les tables mixtes. Elles métissent tables d'hôtes, écoles culinaires et salles de réunion pour toutes les cohortes industrieuses qui accomplissent leurs missions professionnelles où qu'elles soient. Contre-point de lenteur, de ralentissement nécessaire ou simples coupures dans le rythme des journées, ces lieux n'ont sans doute pas la pureté conceptuelle des *locus solus* qui n'autorisent pas les connexions électroniques. Mais elles sont aussi moins contraignantes, moins éthiques et plus ancrées dans la réalité du *business with pleasure* qui est le slogan à la mode. On peut y assister à des dîners-démonstrations, apprendre à réussir les recettes à la mode et chercher à en créer de nouvelles, tout en restant connecté. L'art de faire plusieurs choses à la fois est une habileté prisée, voire une expertise cotée sur le marché du travail.

Pour les populations les plus aisées, le prix élevé de ces tables mixtes ne pose plus problème : l'alimentaire se confirme comme un luxe, l'hédonisme de l'expérience gustative est un must, originalité et authenticité sont des parcours obligés, manger peut même devenir bachique. Et surtout, il semble important de cumuler dans un même lieu et dans une même période de temps plusieurs expériences de palpation du monde.

Le succès des tables mixtes est toutefois celui d'une alimentation qui, pour offrir cette qualité de vécu, est nécessairement performante. Cercle vertueux des croyances et des performances technologiques : manger pour continuer à être riche, beau et intelligent. Retour d'un débat occulté. L'objectif est de retrouver une vérité originelle, aussi bien dans la tradition, dans l'exotisme, dans l'innovation, dans l'action, pour enfin obliger l'utopie alimentaire à tenir ses promesses. Une harmonie de soi avec soi, le bien-être équilibré du zen et de l'individu comme totalité du monde édénique, une cohérence philosophique retrouvée – horizon 2025.

Privilège des nantis, fracture sociétale confirmée. Tant pis : qualité, plaisir, authenticité, être un bon vivant responsable deviennent les qualités de référence de l'alimentation de cette décennie. Certes, manger ne se réduit pas à ces scénarios. L'imaginaire alimentaire est traversé par des forces profondes qui s'abreuvent aux lignes de tensions culturelles de l'époque. Comment concilier la faim dans le monde avec le fait qu'on mange pour s'accomplir soi-même ? On se délivre des tourments par un regain d'exotisme... pour exorciser le clivage qui ronge tout espoir de réconcilier le monde des nantis avec l'inframonde affamé ? Sans doute. La nature humaine ne va pas changer dans les vingt ans qui viennent – recherche du plaisir, et un peu de culpabilité, qu'on négocie comme on peut...

▶ L'EXOTISME ALIMENTAIRE CONCERNE AUTANT L'HISTOIRE QUE LA GÉOGRAPHIE

Un vaste mouvement de réappropriation du monde et de son histoire se dessine. On ne peut pas être compatissant en permanence.

▷ *Géographie*

Les voyages demeurent un immense champ de rêves d'expansion de soi, de découverte, d'aventures possibles, d'occasions héroïques – les frontières touristiques semblaient ne devoir jamais reculer. Mais la crise de l'énergie et la prise de conscience écologique ont ralenti et mis en danger les possibilités de voyage réel. Aller loin devient plus problématique. On fait donc venir à soi le monde et toutes les nourritures du monde. Le tourisme n'est pas mort, mais il peut se satisfaire de compensations quand les déplacements deviennent trop coûteux – ou lorsque le temps disponible de chacun se réduit comme peau de chagrin. Plus le kérosène est cher, plus les assiettes débordent d'imagination – goûts de souvenirs, saveurs de la mémoire, plaisirs nostalgiques mais aussi exploration et aventure de palais. Sorte d'imaginaire centrifuge qui nous fait (re)découvrir le monde.

Les technologies de plus en plus fines de la gastronomie moléculaire permettent de reconstituer à la perfection le *bodog* mongol, plat traditionnel de viande de chèvre, le carpaccio de phoque inuit, le *tuak*, vin de riz fermenté des Dayaks de Bornéo.

▷ *Histoire*

Le passé gastronomique est aussi un exotisme qui possède ses propres règles nostalgiques. Il est particulièrement prégnant en France : le vieux cliché du Français gourmand et gourmet a la vie dure (et s'adosse à une réalité qui ne se dément pas au XXIᵉ siècle, d'où le succès des *Croisades G* pour Gentils Gourmands & Gourmets).

> ❝ *Cuisine régionale, cuisine de terroir, cuisine de village, cuisine de quartier. Chacun campe sur ses spécialités avec une belle philosophie.* [...] *Jamais on a vu autant de jeunes agriculteurs revenir à une agriculture raisonnée*[1].❞

Les fermes en ville y participent. Le mouvement qui se dessinait dès avant les années 2010 se confirme. Recouvrer son histoire gastronomique est une forme de consolidation de soi. La charpente culturelle avait besoin d'être revue pour que la maison ne s'effondre pas. *Pot'je vleesch* aux trois viandes, *waterzoï* de poulet dans le Nord, foie de lotte à la fleur de sel en Bretagne, cassoulet aux manchons de canard gras confits dans le Sud-Ouest redonnent aux consommateurs des racines et une histoire. Les recettes sont bien entendu disponibles sur Internet, et les services de livraisons ultrarapides autorisent la consommation de toutes ces gourmandises culturelles réparatrices de l'âme, sinon du corps.

Le climat général est à la recherche enragée et convulsive de sens – orchestrée par la publicité, les tendanceurs de plus en plus maîtres du jeu culturel, les célébrités sponsorisées par les marques –, alimentée par une aspiration générale à réinventer la vie en faisant feu de tout bois. La nostalgie se radicalise : nourritures de la Renaissance, du Moyen Âge, de l'Antiquité… Les modes passent vite, mais elles ont un effet cumulatif – on revisite l'histoire à laquelle on veut appartenir.

« Pour autant, avoue enfin Jesús Contreras, la science de la nutrition, alarmée par la dégradation des habitudes alimentaires chez les

---

1. Jean-Luc Petitrenaud, in *Futur 2.0.*, Futuroscope-FYP éditions, 2007.

populations les plus développées, réclame le retour à une alimentation traditionnelle. »

À ces satisfactions qui vont bien au-delà de l'hédonisme ambiant vient se greffer une dimension éthique : on mange pour sauver les cultures. Celles du monde et la sienne. Solidarité transculturelle. Version positive et enthousiaste de la mondialisation qui, de toute façon, est en voie de démondialisation. S'agirait-il d'une gastronomie compassionnelle ?

▶ Et puis on se lasse, et on passe à autre chose…

Le scénario alimentaire ne se laisse pas enfermer dans la nostalgie confuse des origines. Une fois rassasié par jadis et naguère, on revient à cette autre nature de l'humanité : on invente, on imagine, on reconstruit par accumulation d'expériences qui ne sont pas reniées mais augmentées. C'est l'air du temps : extension, étirement, prolongation, intensification.

Dans l'assiette, la découverte. Mais c'est peut-être a contrario le plus banal – l'innovation est attendue des producteurs comme une sorte de dû aux consommateurs, lesquels se lassent des inventions gratuites, mais apprécient le facétieux, le ludique, l'anecdotique.

• Une sucette à la caille avec glace à la morue et au piment rôti ;
• Pain de mie de couleur rouge, orange et vert (avec des tomates, du safran et des épinards) ;
• Moutarde aux pointes d'ortie ;
• Boudin *light* au kebab ;
• Œufs bouillis sans coquille ;
• Bonbons en spray et sans sucre ;
• Une pizza au pain *nan* ;
• Un nectar de bambou ;
• Des noix de cajou enrobées de sirop d'érable ;
• De l'huile d'olive solidifiée à tartiner ;
• Les légumes sous vide finement coupés façon carpaccio de nature frais ;
• Les pétales de tapenade à croquer ;
• Les *ice fruits* (des fruits déshydratés à grignoter dans des glaçons, dans les cocktails ou en pique-nique) ;
• La glace au soja 100 % végétale garantie sans lait ni OGM ;
• Le yaourt pauvre en matières grasses composé d'un fruit et d'un légume en parfums duos tels que mangue-citrouille ou myrtille-carotte.

▶ À vous de jouer !

Le grand jeu culinaire est d'inventer une gastronomie personnelle, de se lancer dans une improvisation totalement libre, à partir de poudres ou de gels qui permettent à chacun de créer ses propres recettes. « On pourra réaliser des émulsions, suspensions, gels, aérosols sous forme de mélanges d'ingrédients ou d'inclusions, créer des nouveaux plats à l'infini[1]. » Le succès n'étant pas toujours au rendez-vous, les livres de recettes créatives font fureur. Ils permettent de s'adonner à une cuisine inspirée par les émotions que l'on veut communiquer, par les événements de l'époque, par les souvenirs que l'on souhaite enfourner. L'art de décrypter finement les états d'âme compte autant que la patte du cuisinier.

▷ *2029 : l'horizon est bas de plafond*

On invente la nourriture de civilisations improbables (vous connaissez le rôti de murène façon Atlantide ?)… et le potager domestique[2] est désormais la nouvelle pièce indispensable de votre intérieur.

Tout semble aller pour le mieux dans le meilleur des mondes. On joue et on danse comme au bon vieux temps. La théâtralisation de l'alimentaire atteint des paroxysmes. On arrose les fêtes au *kentagne*, le nouveau champagne produit dans le Kent, au sud de Londres, grâce au réchauffement climatique. La nutrigénomique et les nano-robots qui circulent dans nos artères éliminent les risques liés aux excès de tous ordres. La croisière s'amuse dans les néovillages et les ghettos nantis. Personne ne veut entendre la révolte des gueux qui gronde. Dommage.

L'horizon du futur est celui de la confrontation entre une satiété à la dérive et la famine généralisée. Pendant vingt ans, on a pensé qu'il fallait surveiller cela de très près. Pendant vingt ans, on s'est contenté de regarder la fracture s'élargir.

---

1. Yan de Kerorguen, Estelle Leroy, *Vivre en 2028*, Éditions Lignes de repères, 2008.
2. Cité par www.painsdepices.org. Local River, de Mathieu Lehanneur et Anthony van den Bossche, est une unité de stockage de poissons d'eau douce, associée à un potager domestique.

On essaie de sourire...

« Et puis, le culte contemporain pour l'apparence de la nourriture ne facilite pas les choses. L'industrie agroalimentaire nous a appris à vénérer des produits lisses, nets, calibrés, brillants, top. Normal dès lors qu'on hoquette devant un cerfeuil tubéreux au look de vieille crotte de nez, devant des crosnes à la plastique de vermisseaux morts, devant une racine de tournesol évoquant un pif de sorcière. Voilà d'ailleurs le plus drôle des paradoxes de ces légumes-là : sous des dégaines infâmes, ils cachent un cœur subtil. Une chair d'ange sous une dégaine démoniaque[1]. »

... ou pas

« Les émeutes de la faim sont une réalité dans bien des pays (exemples de pays non pauvres : Mexique, Italie ; mais aussi Maroc, Ouzbékistan, Yémen, Guinée, Mauritanie et Sénégal). Les cours du maïs, du soja, du riz, etc. explosent comme ceux de la viande (fortement consommatrice de céréales). Des pays (Argentine, Ukraine, Russie, Chine, etc.) freinent leurs exportations. En quarante ans, la population mondiale devrait augmenter de 3 milliards de bouches (+ 50 %) qui vont consommer en moyenne plus que les bouches actuelles. Alors que la terre arable diminue à cause de l'extension urbaine, de la pollution naturelle (vent) ou liée à l'Homme[2]... »

Boire

Les années qui viennent, l'avons-nous assez dit, sont celles de l'exaspération des tensions. Une colère universelle, planétaire, monte en puissance. Tout est prétexte à aggravation. Comprendre : amplification – tout est vécu comme exagération. Par paliers. Une fois ledit palier atteint, on s'y fait. C'est la nouvelle norme. La dose atteinte, on assume cette nouvelle tension. Les observateurs pensent que le

---

1. http://www.fureurdesvivres.com/editorial.shtml
2. http://www.philippecahen.com, et entretiens avec l'auteur.

niveau de saturation est atteint? En réalité, il est vite assimilé. En attente du niveau suivant.

Introduction trompeuse, en un sens, car on cherche aussi un contrepoison. En même temps. En parallèle. Une alternative à la colère-apaisement.

Le boire a toujours été alimentaire, festif, anomique ou chaotique, médical, ou encore mystique, selon les contextes. C'est-à-dire tout, et son contraire.

Question de contexte, donc.

▶ HISTOIRES D'ALCOOLS

En France, l'alcool est devenu le fléau social emblématique. La consommation d'alcool diminue peut-être en valeur absolue, mais la tentation prohibitionniste monte en puissance devant la consommation frénétique d'alcool par la jeunesse.

▷ *Du boire sauvage et peut-être cathartique...*

L'alcool tend à devenir le symbole d'un nouveau clivage social. Le *binge drinking* – rituel de défonce – répond quasi systématiquement à une situation de détresse, dit le corps médical.

" *Chez les jeunes* binge drinkers *(15-20 ans), pas de vin ou d'apéritif comme pour leurs parents, mais des alcools forts, des prémix et une quête d'ivresse rapide et intense : c'est l'alcool-défonce chaque fin de semaine entre* friends, *pour « se mettre minable » à l'abri du regard des adultes et des enfants de 4-6 ans... et l'alcool reste de toute façon la substance psychoactive la plus consommée en France[1].*"

La musique et l'alcool ont partie liée :

" *Des volumes sonores élevés pourraient entraîner une stimulation incitant à boire plus rapidement et à commander davantage ; ou la musique forte pourrait avoir un effet négatif sur les échanges sociaux, et les clients boiraient davantage parce qu'ils parlent moins[2]...*"

---

1. www.taptoula.com/2008/03/07/binge-drinking-picole-gang-et-biture-express-les-jeunes-face-a-lalcool/
2. Nicolas Guéguen, professeur en sciences comportementales à l'université de Bretagne-Sud.

Dans les premières années de la décennie, l'industrie musicale est moribonde, mais la musique triomphe dans des lieux dédiés. On n'achète plus de disques, et les artistes ne vivent que par les concerts. On assiste à une convergence musique et consommation d'alcool, reliées entre elles par le culte du moment présent, dont la transe est un des épiphénomènes.

Les jeunes seraient-ils plus conscients de vivre dans un monde désorienté ? Un monde fragmenté, désagrégé, sans repères, avec des centres de gravité multiples, éphémères et mouvants, une violence économique sans précédent, une répartition de plus en plus inégalitaire des richesses économiques, le développement de la pauvreté, de la faim. Les oubliés de la croissance sont de plus en plus nombreux. Les jeunes seraient-ils de *nouveaux chamans*, accédant aux visions des calamités à venir ? C'est peu dire que la solidarité générationnelle est faible. Ils ne trouvent chez leurs aînés aucune béquille idéologique, sauf s'ils sont des mutants à projets, c'est-à-dire récupérables par l'énergie de la machine sociale. L'échiquier géopolitique est instable : terrorisme, difficultés ethniques, choc des religions.

Que peuvent-ils faire sinon se réfugier dans l'alcool et la musique ?

De leur désarroi, les médias font leurs choux gras. Ce qui n'arrange pas leurs affaires, aux jeunes qui boivent...

Pour autant, le *binge drinking* n'est qu'un des avatars du dionysiaque ambiant.

> " [Les raves] *peuvent être considérées comme des laboratoires où s'élaborent les valeurs alternatives à celles ayant constitué l'idéal moderne de la maîtrise de soi et du monde*[1]."

Mais tout cela n'a qu'un temps. Ou plutôt cela ne dure que le temps de la transe qui évacue peut-être la détresse mais n'épuise pas d'autres visions du monde... selon le monde auquel on appartient, ou selon l'expérience que l'on choisit.

Multiplicité des expériences, mille-feuille de vies que l'on se choisit : un même jeune peut être couvert d'infamies un soir et célébré le lendemain parce qu'il rejoint la culture honorable, rescapée des temps jadis. C'est là un autre paradigme de l'époque à venir : l'accès à tout et son contraire. Même s'il s'agit probablement d'un vœu pieux, une utopie dont on cherche à se persuader. En réalité, l'accès à toutes les opportunités restera un privilège.

Mais privilège ou pas, le vin sera à l'honneur, cherchant avec l'énergie du désespoir (d'une espèce en voie de disparition) ou la

---

1. Michel Maffesoli, *Iconologies*, Albin Michel, 2008 p. 195.

certitude d'une mission (de réenchantement) à signifier son désir d'éternité.

▷ ... au boire culturel, pacificateur, féminin

Pour les gardiens du temple, nostalgiques de l'âge d'or, le vin demeure une source de plaisir et un synonyme de la fête et du bien-vivre.

Le vin : un assemblage de discours sophistiqués, d'éruditions œnologiques, de gestuelles élégantes, de justifications médicales... Le vin est perçu comme un retour aux sources, un ressourcement civilisateur.

C'est la décennie de la femme, c'est donc la femme qui prend les choses en main.

Du XIᵉ au XIIIᵉ siècle, les vignes étaient courantes dans le sud de l'Angleterre, avant de disparaître sous le « petit âge glaciaire » (1550-1850). Le phénomène inverse semble en passe de se produire. « Qu'il y ait des vignes en Normandie, en Grande-Bretagne ou aux Pays-Bas, à la fin du siècle, c'est tout à fait envisageable, [...] en Europe, d'ici 2100, la limite septentrionale devrait remonter jusqu'en Scandinavie », estime Bernard Séguin, chercheur à l'Institut national agronomique (Inra) d'Avignon.

Malignes, les femmes font toujours comme si le prisme de la différence hommes-femmes en matière de vin devait encore et toujours les situer par rapport aux hommes. Le vin est désormais le lieu d'un enjeu identitaire et social. C'était presque prévu. Il est devenu le symptôme des progrès ou des stagnations d'une certaine conquête féministe. Le vin est un instrument de (re)conquête : un accessoire de la séduction féminine et de l'érotisation de la relation.

Comment cela se passe-t-il ? Vient toujours un moment où les femmes réussissent à se réapproprier le vin – la boisson comme le discours ! C'est-à-dire à s'affranchir de la préséance masculine et à aimer le vin sans complexe d'érudition. Les femmes aspiraient à se libérer de la supériorité masculine pour rétablir un rapport authentiquement amoureux. Elles ont réussi. Plus le vin leur est devenu accessible, plus les femmes y ont pris plaisir et ont eu envie de le partager avec les hommes, dans un échange complice et valorisant – sans pour autant que soient reniées ses valeurs et la spécificité de son univers.

Certes, il ne s'agit pas de nier le rôle moteur des hommes dans l'initiation des femmes au vin. L'histoire immémoriale, l'éducation et/ou la génétique laissent penser que l'attrait de l'homme pour le vin est souvent plus naturel et spontané. Certes, il y a toujours des exceptions pour confirmer la règle, comme au Japon où les *offices ladies* (les salariées des entreprises) sont devenues les véritables ambassadrices du vin au foyer. Cette différence en soi ne tient plus d'une vision machiste, elle ouvre au contraire des perspectives pour que les femmes accèdent à une certaine culture du vin et à ses plaisirs, à leur rythme et selon leurs propres critères.

Il demeure vrai que c'est souvent pour ou auprès d'un homme qu'une femme s'intéresse au vin ou achète une bouteille...

Mais les femmes n'ont pas besoin de féminiser un univers qu'elles apprécient et respectent y compris pour sa relative austérité, ses ambiances dites *masculines*. Elles aimeraient l'aborder simplement, quitte à ce qu'on leur tienne la main dans un premier temps. L'attrait du vin, c'est peut-être aussi celui d'une forme de virilité, de rapport à la terre et à la vie ; les femmes ont envie d'y goûter et de s'en nourrir sans le transformer, elles ont envie d'apprendre sans contraintes sociales ou psychologiques, d'adoucir les angles parfois, mais pas de dénaturer les valeurs essentielles du vin.

Elles aspirent donc à en finir avec une vision inhibitrice du vin. Elles souhaitent et vont mettre à bas le diktat du connaisseur, pour faire passer le plaisir et la spontanéité avant tout. Elles sortent des idées reçues et du snobisme, pour profiter des bonnes choses plus simplement. Les femmes vont se libérer de l'aspect quasi professoral et compassé de la dégustation du vin, et en faire une source de joie de vivre et de santé reconnue. Elles vont réapprendre aux hommes que le vin est civilisateur.

Le vin engage les femmes dans un processus complexe.

▷ *Le vin comme révélateur et comme médiateur*

Se découvrir ou se redécouvrir, se remettre au centre, se questionner, se faire plaisir, faire le point, penser, ne plus penser... Le vin permet l'exploration de soi. Le vin est un médiateur incontournable, pour s'amuser, rêver, fantasmer, séduire et renouveler le rapport à l'autre.

Les femmes ont découvert que le vin autorise une expérience inattendue : participer à (voire provoquer) un ralentissement du temps dans un monde moderne, stressé, conflictuel, terrifiant. La modernité imprévue du vin c'est qu'il permet de réduire la frénésie urbaine et le rythme de vie, et par là même qu'il propose une sorte d'assouplissement des tensions.

Le vin signe une ambiance amoureuse où le temps est suspendu et les sens mis en éveil. Une délicatesse dans les gestes qui est comme un prélude symbolique : le vin évoque à la fois la beauté et la féminité, et la faconde masculine, l'inspiration, le verbe.

Le vin est un filtre d'alliance, une alchimie entre les qualités féminines et masculines, un domaine idéal pour se rejoindre l'un l'autre.

Rêvons donc. Il s'agit là d'un hymne édénique, une sorte de parenthèse inattendue, chère – très chère. Ces moments-là existent, mais ils sont un luxe ultime accessible dans des lieux protégés, sanctuarisés. Des temples précisément, jalousement gardés.

Les bars à vins. En 2020, ce sont des lieux secrets, dont l'adresse et le code d'accès sont chuchotés – objets d'une intense chasse au trésor. On les nomme *speos*, en souvenir des temples d'Égypte taillés dans le roc.

Quittons discrètement ces lieux loin du bruit et de la fureur...

▷ *Le boire tribal : résurgence des religions archaïques*

Le sensationnalisme est à la mode. L'enjeu est de vivre plus, plus intensément : boire est la clé des scénarios de défonces rituelles. L'acte est à la fois plus spectaculaire, plus théâtralisé, plus toxique. De plus en plus souvent, accompagné de stupéfiants.

Le point de convergence de ces pratiques est essentiellement le vivre ensemble. Pas d'usage solitaire ici, une pratique des autres, une prédilection à se fondre dans une ivresse partagée – d'une certaine façon, une évolution du *binge drinking*. Boire permettait le lien social. Le salut par l'ivresse peut être interprété comme l'expression d'un malaise social, d'un besoin de décompression pour affronter le stress de la performance obligatoire. Il faut y voir aussi la résurgence du religieux archaïque.

Les interdits se multiplient. Les autorités s'émeuvent. Les défis intergénérationnels se tendent. On passe les frontières à la recherche de lieux de refuge pour buveurs de fond. Les frontières s'imbibent.

L'abstinence continue toutefois d'avoir ses adeptes. Les interdits islamiques relèvent la tête, accompagnant le renouveau d'un islamisme modéré.

La grande question du boire est donc celle de la permissivité dont les limites explosent avec la radicalisation générale des styles de vie et de comportement.

Ce qui est indestructible...

À Pourim, fais ce qu'il te plaît...

« *On est tenu de boire à Pourim jusqu'à ce qu'on ne sache plus différencier entre « Béni soit Mardochée » et « Maudit soit Haman » (Talmud Méguila, 7b). Avouons que c'est un peu fort ! Tout le long de l'année, l'éthique juive prêche modération et sobriété et soudainement, à Pourim, on dérape ! À vrai dire, on nous fait déraper, et ce sont les rabbins eux-mêmes qui nous incitent à nous enivrer. Buvez, caressez la bouteille ! Buvez autant que vous désirez et même plus que cela... Pour être exact : ad de lo ya'da, « jusqu'à ce qu'on ne sache plus » ! C'est-à-dire qu'on ne s'y retrouve plus entre le maudit de Haman et le béni de Mardochée.*

Peut-être pouvons-nous trouver une allusion à la réponse dans le vocabulaire même que nos sages ont utilisé. Regardons : ils n'ont pas dit tout simplement : « Enivrez-vous. » Le terme qu'ils ont employé est libesoumé. *On est tenu* libesoumé. *La traduction exacte de ce terme est « adoucir », ou encore « parfumer » (comme* besamim *dans la bénédiction de* havda'la*). Comme si, tout en buvant, nous nous parfumions... On cherche, à travers l'histoire de Pourim, à nous faire savoir que les vertus et les vérités de la Torah doivent être si profondément ancrées dans l'âme de l'homme que, même saoul, ce ne sont rien que ces vertus et ces vérités qui sortent de sa bouche. Ainsi, l'intention de nos sages n'était à aucun moment d'enseigner à dire les choses de travers à Pourim. Ils ont en revanche dit de boire jusqu'à ce que la raison et la conscience ne sachent plus faire la part des choses. Si, dans cet état d'ébriété, c'est quand même le « béni Mardochée » qui sort de la bouche, alors nous savons que cette personne est vraiment parfumée et que les valeurs de la Torah emplissent toutes les chambres de son cœur.*

Pourim est aussi une métaphore ; ce monde, notre monde matérialiste, il saoule. Les mass-médias, les articles de luxe et la vie de douceur nous enivrent littéralement. Leur puissance est telle qu'ils nous privent en grande partie de notre lucidité et de notre faculté de jugement. Pareillement, du temps d'Assuérus, les Juifs furent enivrés par l'étincellement des splendeurs royales, et ils furent saoulés par les banquets et les festins somptueux que le monarque offrit. Dans cette ivresse générale, il ne restait que Mardochée pour reconnaître la vérité.

« Morde'hai Hayehoudi. » Ainsi est-il appelé, dans la Méguila. Mardochée le Juif. Celui qui était le Juif à part entière. Nous parlons souvent de l'obligation d'être consciemment juif, or Mardochée était celui qui a laissé les paroles de la Torah pénétrer au plus profond de son être, celui qui était juif même inconsciemment.

Le Talmud ('Houlin, 139 b) relève qu'il se trouve une allusion au nom de Mardochée dans la Torah. À savoir que dans l'huile d'onction, destinée à l'inauguration des ustensiles du Tabernacle, Maré da'hia (comme Morde'hai), le myrte était un des besamim, *une des épices odoriférantes indispensables pour cette huile d'onction.*

Avec tout ceci, l'histoire juive, Morde'hai et Pourim, nous avons une étincelle ; ce parfum qui émane de notre étude quotidienne de la Torah et qui continue à nous guider même quand le matérialisme (et l'alcool) semble prendre possession de notre monde contemporain[1]*."*

Dormir

▶ À L'HÔTEL

L'hôtel urbain ou suburbain complète ou concurrence la maison. Il est de bon ton de passer le week-end au cœur du néovillage. Les nouveaux concepts d'hôtel de proximité font fureur. C'est peut-être là qu'on va enfin trouver le calme.

C'est un second salon, une maison de campagne, un Relais & Châteaux propice au repli et au ressourcement. La notion d'hôtellerie est réinventée : entre spa, divan du psy, club privé, l'hôtel connaît une nouvelle jeunesse[2].

&& L'hôtel est high-tech, intelligent, écologique, économique, propre, sain, ergonomique, bio… Les gens changent, ils sont

1. Rabbin Yitshak Jessurun, sur Lamed.fr
2. Inspiré de Mark Watkins (président de Coach Omnium et du Comité pour la modernisation de l'hôtellerie française), « L'hôtel de demain est déjà sur les planches à dessin », et courriel avec l'auteur.

plus grands, plus larges, plus gros. Pour compléter la maison et proposer un lieu alternatif en rupture et « augmentation », il faut de l'efficacité et de la simplicité. C'est ce que va accomplir une domotique de plus en plus sophistiquée, de plus en plus attentive à la singularité de chacun. La température de l'eau de la douche – prendre un bain est considéré comme une pratique obsolète, paresseuse et gaspilleuse –, aussi bien que l'intensité de l'éclairage de chaque pièce sont maîtrisées à distance, par effleurement du doigt et avec effet mémoire. La biométrie prend le contrôle de la sécurité, des allées et venues, des lubies de chacun. Le concierge sait tout de vous et peut répondre au moindre de vos désirs. Il est plus compliqué de recevoir dans sa chambre des invité(e)s impromptu(e)s. On paie avec son téléphone portable. La chambre est modulable en fonction des envies, les murs changent de teinte, de plan, l'isolation phonique est maximale[1]."

▷ *Si on veut aller plus loin...*

Les palaces sont désormais des lieux hors du temps, hors du monde. Plus ou moins littéralement. L'hôtel Apeiron, à Dubaï, est accessible par la mer, en bateau ou yacht, et par hélicoptère. Il propose sa jungle, son lagon privé et son restaurant sous-marin, ses salles de cinéma, ses galeries d'art.

Ces lieux sont déconnectés du monde réel – dit-on – mais c'est histoire de dire, histoire de protester une dernière fois contre la disparition des repères antiques. Ces hôtels hors du monde, hors de prix, hors d'atteinte ne le sont pas tant que cela. Une loterie planétaire est mise en place pour que chacun, où qu'il soit, quel qu'il soit, ait un jour une chance d'en être. Le résultat est parfois cocasse, parfois époustouflant.

L'hôtel Foldable Pods est constitué de cellules que vous pouvez déplacer et poser où vous le désirez.

L'hôtel Waterworld propose des jardins publics sous-marins.

L'hôtel Hydropolis Undersea Resort, toujours à Dubaï, est sous-marin et propose 200 suites à thème mais aussi des magasins, restaurants, piscines et un cinéma, sur une surface totale de 100 000 m².

L'Aéroscraft : grand comme deux stades de football, il peut emmener 250 passagers à une distance de 10 000 kilomètres. Une hyperglisse au-dessus du monde.

---

1. *Ibid.*

Accessible dès 2020, la station spatiale commerciale Skywalker est stationnée à 515 kilomètres au-dessus de la Terre pour offrir à ses hôtes une vraie expérience cosmique.

Tous ces bijoux sont réservés à une minorité, ce qui ne fait qu'accentuer la fracture. Et donner des idées aux promoteurs des hôtels à bas prix, *cheap chic and no frills*, qui réinventent partout dans le monde des modules préfabriqués, prêts à l'emploi, pratiques et confortables. Les palaces valorisent un temps long et distendu, les low-cost font la part belle au temps resserré des nomades.

▷ *Pas les moyens ?*

Dans les hôtels Qbic, les jeux de lumière modulent l'ambiance en fonction des états d'âme. Toujours ça de pris, vu le prix.

Les voyageurs – qu'ils soient fortunés (aux deux sens du terme, argentés et chanceux) ou pauvres (qui ont un esprit de survie) – ont besoin d'émotion, de dépaysement (même dans le cadre d'un simple voyage à motif professionnel) et d'être rassurés. La tentation minérale (acier, verre, aluminium…) a été écartée au détriment de matières plus chaleureuses. Les femmes de chambre sont remplacées par des robots nettoyeurs mobiles programmés. Mais un hôtel est un endroit où l'on s'ouvre à l'autre, où l'empathie règne, où l'on échange. L'hôtel est communicant et convivial[1]. Des réseaux sociaux de proximité – d'étage ? – permettent de savoir qui est là, qui fait quoi, qui est qui, qui veut quoi.

Dans l'*upstream*, le temps est le bien le plus précieux. Encore faut-il avoir la santé pour en profiter, pour être totalement disponible. La guerre à l'asthme, aux acariens et à la saleté a été gagnée. Les matériaux de décoration (revêtements, tissus…), la literie, le mobilier sont traités pour être antibactériens, antiallergiques et antiacariens, voire antipoussière. Les équipements sont autonettoyants, nécessitant peu ou presque pas d'entretien.

L'hôtel utilise au mieux les énergies renouvelables. Son fonctionnement est de plus en plus autonome : il fabrique lui-même l'énergie nécessaire pour couvrir l'essentiel de ses besoins, et recycle au maximum les eaux usées et les déchets solides. Le linge traditionnel disparaît au profit de linge recyclable ou produisant de l'énergie.

Enfin, comme c'est le cas pour les aliments avec les DLC[2], un marquage des matériaux indique à quel moment ils devront être changés

---

1. Inspiré, ici aussi, de Mark Watkins pour ces paragraphes.
2. Date limite de consommation.

ou renouvelés. L'écologie et l'économie – « l'écolonomie » – caracté-risent l'hôtellerie des années 2015. Faire attention aux ressources de la planète, tout en faisant baisser le montant des charges. Le rêve. Le « bio » s'impose et l'ergonomie facilite l'utilisation des objets et des équipements en les adaptant aux capacités et caractéristiques cor-porelles. Si ces nouveautés sont mises en œuvre, ce n'est pas uni-quement pour séduire le client. Cela va aussi dans le sens du respect de l'autre et de l'aide à la personne, y compris au personnel dans son travail quotidien.

▶ *DREAM-CLINIC*

Avec le concept de *dream-clinic* – dont le nom est à prendre litté-ralement, et pas seulement comme une formule publicitaire –, la des-tinée et la destination des lieux de repos sont bouleversées. Les mutations de la médecine font subir une évolution radicale à ces concepts d'hébergement. La médecine occidentale traverse une crise profonde. La croissance exponentielle des dépenses de santé, les traitements palliatifs prolongés, la pandémie de cancers et autres maladies montrent que les grandes victoires annoncées par les scien-tifiques au cours du XXe siècle ne sont pas au rendez-vous.

Pour sortir de cette impasse, la médecine ne doit plus considérer l'homme comme une simple machine. Les rythmes biologiques, les relations entre le corps malade, la psyché, l'inconscient et le rêve ont une immense importance[1]. Ainsi, des cliniques spécialisées propo-sent-elles d'accueillir les patients pour des cures de rêves. Il ne s'agit pas de rêves éveillés, dont la fonction cathartique fait toujours partie de l'arsenal thérapeutique des psychologues, mais bien de rêves endormis que l'on provoque, et dont les bénéfices sont multiples. Lorsque vous rêvez, les autres ne sont pas témoins de votre mal-adresse ou de vos lapsus. Vous pouvez exprimer vos désirs incons-cients dans le rêve sans que les autres n'en sachent rien, et ils ne peuvent donc rien vous reprocher[2]. C'est un premier pas vers le calme et la tranquillité. Toutefois, la psychanalyse est peu concernée par cette affaire. La théorie qui sous-tend la *dream-clinic* des années 2020 a plus à voir avec une interprétation du travail du futurologue danois Rolf Jensen, qui annonçait l'ère du rêve dès le début de ce siècle. Le rêve auquel il faisait allusion ressortissait du désir, de l'imagination bien éveillée. Il envisageait le passage de la société

---

1. Inspiré du docteur Jean-Michel Crabbé, http://membres.lycos.fr/jmcmed/reves/
2. Michelle Tilman, www.psychanalyse-psychanalyste.be

de l'information à celle de l'imagination... et donc à celle de la fiction comme nouveau moteur de l'histoire. Les belles histoires, les belles émotions allaient être les nouveaux ressorts de la vie en société. Les entreprises, les marques, les politiques allaient en faire leur cheval de bataille. C'était assez bien vu. Des médecins et des promoteurs définirent le concept de *dream-clinic* comme son application littérale. Au motif que le fait de rêver est important pour le moral de l'humanité, s'ouvrent des cliniques à rêves, remboursées par les assurances privées. On ne s'embarrasse pas des interprétations, on se propose de déclencher des processus oniriques chez des clients venus palper le spectacle fabuleux de leurs rêveries endormies. Quelques pilules appropriées accélèrent le processus.

Entre les uchronies milliardaires (se mettre hors du temps, s'inventer, s'acheter un temps que l'on partage avec ses pairs), la clinique-hôtel mutante (s'abreuver aux sources augmentées de ses fictions intérieures) et les bungalows éphémères des nomades utilitaristes (dormir vite et bien, avec la dose adéquate de décalage et d'insolite), on finit par dormir, bien dormir, et rêver donc, à autre chose.

⇨ **Et les rêves seront lus et restitués par des ordinateurs, ce qui simplifiera le travail des psys**

 ## Le Modafinil, c'est autre chose

      " Voici la pilule du futur : une petite pilule extrêmement contrôlée, appelée Modafinil. Ce médicament est, à la base, utilisé par les gens atteints de narcolepsie – une affection caractérisée par des accès brusques de sommeil –, mais il permet aussi à une personne normale de pouvoir dormir moins, tout en n'ayant aucun réel effet secondaire ; il suffit de garder une alimentation saine et de faire de l'exercice normalement. Ce médicament permet au sommeil d'être plus réparateur. Ainsi, une personne normale qui doit dormir 8 heures par nuit pour être fonctionnelle, peut, grâce à ce médicament, ne dormir que 4 ou 5 heures chaque nuit et avoir le même état mental et physique. De plus, il augmente les facultés de la mémoire[1]."

---

1. http://alexmedias.wordpress.com/2007/12/05/modafinil-la-pilule-du-futur/

Faire du sport

Le sport des années 2010-2020 n'a qu'une référence en tête : la glisse. Pas très nouveau, mais désormais incontournable. Le terme paraît un peu désuet parce qu'il a été ausculté sous tous les angles et que son succès commercial mondial ne date pas d'hier, mais c'est vraiment maintenant qu'il a toute sa légitimité : il représente un rapport au monde multiple, permettant de nombreuses déclinaisons. Encore une fois, au motif de la fertilisation de tout par tout. Sport et philosophie. Sport et métaphysique. Sport et survie mentale. Sport et jouissance. Évidemment, les écoles et les pratiques divergent.

La glisse des origines « engageait le sportif dans une recherche permanente de liberté et d'émotions, de vitesse et de tolérance, d'anticonformisme et de solidarité, de libération des corps, de prises de risque et de dépassement de soi[1] ». Si les observateurs y voyaient, à bon droit, une forme de contestation, ils y percevaient surtout, et convoquaient Roger Caillois pour l'exprimer, une quête de l'ilinx, cette configuration singulière des jeux… « qui reposent sur le vertige et qui consistent en une tentative de détruire, pour un instant, la stabilité de la perception et d'appliquer à la conscience lucide une panique voluptueuse [*où*] dans tous les cas, il s'agit d'accéder à une forme de spasme, de transe ou d'étourdissement qui anéantit la réalité avec une soudaine brusquerie[2] ».

Cette première version de la glisse avait un petit air anarchiste et, de surcroît, une dimension hallucinogène. Il fallait passer à autre chose.

---

1. Christophe Gibout, Julien Laurent, icotem.labo.univ-poitiers.fr/spip.php?article40
2. Roger Caillois. Pour mémoire, ce dernier classait les jeux en quatre catégories : l'*agon*, jeux de compétition, de lutte, de combat ; l'*aléa*, jeux de chance, de loterie, de hasard ; le *mimicry*, jeux d'imitation, de simulation, de théâtre et de déguisement ; l'*ilinx*, balançoire, escalade, plongée, sauts, glissades, rondes, danses.

À partir de 2009, Orange investit massivement dans les sports de glisse. La glisse inspire tous les sports : l'automobile y retrouve des lettres de noblesse. Glisser est une activité de pilotage. Il s'agit de contrôler la trajectoire et la vitesse du mobile constitué par l'ensemble sujet-véhicule. L'énergie du déplacement est alimentée par l'énergie potentielle générée par la pesanteur à transformer en énergie cinétique. Le glisseur, en modifiant sa posture, l'orientation des segments du corps, cherche à préserver la continuité de l'action et à produire les effets directionnels souhaitables pour conserver l'initiative dans le déplacement.

⇨ Bientôt, l'enjeu n'est plus l'effort ou la résistance, mais l'insertion sur une onde préexistante[1]

Le surf, la planche à voile, le deltaplane avaient exploré intuitivement ces nouveaux rapports à l'énergie. On cherche un rapport d'échange avec la nature : l'eau, la montagne, la neige, le vent. Le nouveau credo est celui de l'équilibre entre la sensation et l'application d'une technique. On cherche à sentir le geste, avant d'appliquer la technique du geste. C'est un changement de paradigme. L'individu s'efface derrière l'élément pour s'y intégrer et glisser avec lui[2]. C'est un geste presque « divinement accompli » avec l'élément naturel. L'événement fondateur de cette attitude est l'exploit accompli par Jean-Marc Boivin au sommet de l'Everest en 1988. Le sommet atteint, il s'est transformé en homme volant.

Il n'avait pas fait de l'ascension du plus haut sommet du monde le but ultime, mais le point de départ d'une nouvelle aventure, qui ne reposait plus sur la grimpe mais sur la glisse. Boivin inaugurait ainsi une mythologie conjuguant deux métaphores, celle de l'escalade (qui met en relief la ténacité de l'homme, son entêtement à réussir, sa volonté, sa puissance, son obstination à vaincre l'adversité) et celle de la glisse (qui témoigne de la détermination d'hommes, de femmes, d'adolescents à affronter les risques, les déséquilibres et les situations instables pour repousser encore plus loin les limites de la condition humaine). Il décloisonnait les genres et les savoirs. Il faisait entrer le sport dans une nouvelle logique où le sportif accepte une forme d'humilité par rapport à la nature, qu'il ne s'agit alors plus de dominer mais d'accueillir.

---

1. Gilles Deleuze. Cité par Marc'O sur http://tmtm.free.fr/ www.lesperipheriques.org /ancien-site/journal/10/fr1004.html#L41
2. Marc'O, pour ce qui suit, *idem.*

Au niveau collectif, deux tendances se précisent. Toutes deux très différentes de la précédente.

▶ LE SACRIFICE DU HÉROS

Le sport de haute compétition est, de plus en plus, un sport de prédateurs et de mise en spectacle. Là aussi, la fracture est définitive entre les corps et les performances. Triomphe des élites, bien entendu. Et les élites sont ensemble les sportifs, les marques qui les adoubent, les masses ahurissantes d'argent qui sont en jeu. La logique du toujours plus fort, toujours plus loin, toujours plus haut s'adosse à celle du toujours plus spectaculaire, toujours plus sensationnel. Un fantasme, une vision furtive se dessine parfois dans les compétitions : celui de l'événement unique et létal. Le sacrifice du héros ; c'est décidément un remake des jeux antiques. L'imaginaire du podium se confond parfois avec celui du poteau sacrificiel. Le dopage servant de drogue mystique et stupéfiante, donnant accès à l'au-delà de l'individu. Spectacle pur, et analyse sans doute spécieuse. Mais le siècle ne s'embarrasse guère de ces considérations : la résurgence des mythes est rentable, sinon historiquement avérée[1].

Une autre pratique émerge : le sport citoyen. Moins fun.

Marcheurs, joggeurs, grimpeurs participent à leur façon à l'évolution de leur pratique sportive et en facilitent l'usage pour les autres. L'émotion de la pratique se déplace sur celle du partage. On vit une aventure personnelle, et on la prépare pour les autres. On a ainsi le sentiment d'appartenir à une même communauté. Le sport citoyen permet à chacun de déployer une créativité sociale.

Le sport immobile, enfin : du sport sans en faire, avec des machines qui agissent sur soi et pour soi. Cela fait aussi partie des options, chez soi.

 **Un tip de Kurzweil...**

❝ *Le dopage sportif, c'est fini[2]. La nouvelle frontière, c'est le dopage du cerveau. Les stimulants cognitifs vont améliorer la concentration et le contrôle des émotions.* ❞

---

1. www.cairn.info/revue-ethnologie-francaise
2. Inspiré de www.kurzweilai.net/email/news

... *et une news*

" *Le FC Barcelone-Unicef s'offre la star de demain.*
Décidément, les recruteurs des clubs de football ne reculent devant rien. Toujours en quête des futures stars du ballon rond, ils rivalisent d'ingéniosité pour dénicher la perle rare. Le FC Barcelone-Unicef vient de prouver que son centre de détection est l'un des plus performants au monde. Après avoir préalablement sélectionné une trentaine de bébés présentant des prédispositions favorables à la pratique du sport de haut niveau, le laboratoire du célèbre club espagnol procède, avec l'accord des parents, à une batterie de tests physiques et physiologiques afin de déterminer la probabilité d'accomplissement d'une carrière professionnelle de haut niveau du jeune bambin.
Sitôt les résultats connus, il ne reste plus qu'à rédiger un contrat en bonne et due forme, qui stipule que le futur footballeur portera les couleurs du club catalan lorsqu'il sera en âge de pratiquer son art. En contrepartie, une indemnité sera versée aux parents en fonction des résultats des tests. Les sommes allouées peuvent très rapidement s'envoler si des cellules de recrutement d'autres clubs font également part de leur intérêt. C'est alors la course à celui qui offrira les meilleures conditions financières, éducatives ou matérielles aux tuteurs des jeunes prodiges[1]. "

Ordre et désordre amoureux

Les Aventures de Leucippé et Clitophon[2] est un roman d'Achille Tatius, qui finit peut-être évêque mais n'ignorait pas grand-chose de l'amour et de la rédemption après la débauche. Une hypothèse érudite et crédible en situe la rédaction au IIe siècle de notre ère. On ne va pas jusqu'à dire que tout était écrit, mais c'est tentant. On relit donc Tatius avec délectation. On se dit que ces gens-là ont vécu des choses finalement très proches de celles que l'on vit aujourd'hui. On se dit que

---

1. www.ladepechedufutur.com/article
2. *Romans grecs et latins*, Bibliothèque de la Pléiade, Gallimard.

tout a été dit et fait, qu'on ne va rien inventer. Tout est joué, certes, mais surtout tout est à rejouer. Ce n'est pas parce que les siècles passés ont connu l'amour qu'on ne va pas en faire autant. On lit, çà et là, que les interfaces haptiques et les univers virtuels s'apprêtent à modifier nos comportements les plus intimes. On sait bien que l'industrie du porno a été l'une des premières à prendre pied sur Internet, où elle est toujours l'une des plus développées. On se dit qu'il y a peut-être là des pistes. La technologie va-t-elle chahuter la sexualité ? Une sexualité appelée à être demain non seulement haptique, c'est-à-dire stimulée par le toucher distant, mais peut-être et surtout différente de celle que nous connaissons : le contrôle direct du cerveau signifie-t-il que la masturbation de demain sera plus directe qu'avec les méthodes manuelles d'aujourd'hui ? 2 % des Américains se sont mariés dans un monde virtuel en 2015[1]. Épouser un avatar, parfois un robot, devient pratique courante et en divorcer aussi

Mais on se rend compte aussi que tout ça, c'est de la littérature… Il est beaucoup plus intéressant de lire les blogs ou d'interroger les filles pour se faire une idée de ce qui se passe vraiment.

Témoignage 1

En gros, j'ai l'impression que beaucoup d'hommes considèrent la féminité comme une image en négatif de la masculinité (ou de leur propre masculinité, pour être plus précise). Ce qui est à la fois complètement aberrant et très prétentieux, vu que vous en arrivez à juger les autres suivant votre propre échelle. Donc, une fois que vous avez adopté ce système de valeurs, ça donne des choses très drôles et très tristes comme ce foutu bouquin[2] que tu cites dans ton article.
Par exemple (et pour reprendre les exemples cités) :
1) La mode ne m'intéresse pas du tout (voire, ça me fait carrément chier). Je suis très prétentieuse (ou très désespérée) et j'estime donc ne pas avoir besoin de maquillage. Je fais comment pour jouer à être une femme ?
2) « Les femmes passent beaucoup de temps à s'entraider, à se soutenir et s'entourer d'affection. » Et à se crêper le chignon ! Tu as des sœurs ? des cousines ? As-tu déjà entendu des filles parler d'autres filles ? Si ça c'est du soutien…
3) « Pour une femme, tous les cadeaux sont d'égale valeur, c'est l'intention qui compte. » C'est comme pour la taille du sexe des hommes : ça fait des générations que l'on essaye de vous faire croire que ce n'est pas important. Pour la valeur des cadeaux, c'est pareil, mais j'ai le regret de t'annoncer que c'est faux.

---

1. Internet-Actu.
2. Il s'agissait du livre *Les hommes viennent de Mars et les femmes de Vénus*, best-seller pathétique dont le compte rendu, qui ne l'était pas moins, avait horripilé la blogueuse.

4) « L'attitude globale des femmes obéit à un rythme cyclique. Elles ont des changements d'humeur, et leur moral monte et descend. Non, ce n'est pas de la caricature machiste ! »

Si, c'est de la caricature machiste. Et en plus, c'est n'importe quoi. Car si tu te places uniquement sur le plan hormonal et que tu considères qu'un grand nombre de filles prend la pilule (ce qui aplanit les pics hormonaux, et donc devrait en théorie les rendre d'humeur égale), tu devrais être capable de distinguer une fille sous pilule d'une fille qui ne l'est pas. Tu sais le faire[1] ?

Témoignage 2

Alors l'amour, c'est compliqué. Les relations amoureuses se font et se défont. On a tous le goût d'aimer, d'être aimé et de vivre une relation qui répond à nos envies et nos attentes. Chaque personne est différente, et la vision de l'amour diffère également d'une personne à une autre.

Une relation amoureuse commence souvent par l'attirance. Mais ça veut dire quoi ? On peut être attiré par quelqu'un sans forcément en être amoureux, tout dépend de ce que l'on désire. Construire une relation de couple, ou bien prendre du bon temps ?

Je crois qu'on peut juste aimer être avec une personne et avoir des relations sexuelles avec sans vouloir être en couple et entrer dans une relation amoureuse, parce que, quelque part, c'est plus excitant, ça pimente.

Les *fuck friends* c'est courant et banal, la plupart des gens que je connais sont en couple, et sont infidèles. C'est peut-être juste l'envie de se sentir désiré, belle/beau, sortir de la routine du couple, de l'état léthargique dans lequel on est plongé.

Quand on aime, on veut que tout se passe bien. Au début, c'est la passion, c'est nouveau, tout beau, mais avec le temps la relation amoureuse change et évolue. L'intensité du début laisse place au confort, on reste avec la personne parce qu'on est bien avec, qu'on l'aime, mais les hommes et les femmes sont infidèles, peut-être pas tous mais beaucoup d'entre eux. On a juste envie de vibrer, je ne crois plus à l'utopie de la vie de couple. Se marier, avoir des enfants, une maison, un chien et un grand jardin. Faut arrêter de rêver, les hommes sont d'éternels insatisfaits, toujours en quête de quelqu'un ou de quelque chose. En tout cas, l'homme n'aime pas être seul, et il va trouver le réconfort dans les bras de quelqu'un d'autre. Investir tous ses espoirs dans l'autre, cela amène souvent à des déceptions, des émotions difficiles à vivre et des insatisfactions. Pour certains, la sexualité rime avec amour alors que pour d'autres ce n'est pas une condition, cela dépend de chacun. On peut choisir d'avoir des aventures sexuelles, à l'occasion ou régulièrement, avec une personne sans que l'on partage de sentiments amoureux et sans qu'il y ait d'engagement. Personnellement, je suis en couple avec un garçon super, ça fait trois ans qu'on est ensemble et on commence à stagner. Pourtant, on est fou l'un de l'autre, mais on a envie de nouveau. On a une vision très libérée de la vie à deux. On s'autorise des aventures, simplement pour ne pas regretter, ne pas avoir de frustration, pas de reproches à faire à l'autre. On est dans une démarche de dialogue : qu'est-ce qu'attend l'autre ? Mais, honnêtement, les gens préfèrent se mentir plutôt que de dialoguer parce que je crois qu'ils ont peur, ils n'assument pas leurs penchants.

---

1. Cécile Dark, blogueuse.

Concernant les tensions religieuses, je ne sais pas trop quoi te dire, ça ne me concerne pas vraiment, je suis profondément athée. Mais il est vrai que mon mode de vie serait très mal vu et contesté par beaucoup de ces gens-là, alors que c'est banal, tout dépend des milieux que l'on fréquente. Mais je crois qu'on désire tous la même chose, donc, finalement, leurs discours sur l'amour et la fidélité, c'est un tissu de mensonges... Il y a tellement de belles choses, de gens à découvrir[1].

Franches, crues (au sens de lestes et libres, mais aussi de convaincantes), des cohortes de femmes souriantes et impertinentes ont entrepris de défricher l'avenir. Leur énergie, leur insolence, leur candeur (souvent fictive) incarnent sans doute les valeurs les plus sûres : c'est dans l'agitation créatrice et le défrichage permanent de soi-même que se nichent l'inusable et l'indestructible de la nature. Cette nature est d'essence féminine, l'a-t-on assez proclamé ?

Reste à savoir qui va faire le ménage. Les femmes sont plus nombreuses à distinguer la sexualité de l'amour, à dessiner de nouvelles cartes du Tendre dont l'esthétique est parfois un peu rugueuse – on accueille avec enthousiasme un mélange résolu des genres : le grivois et le candide voisinent sans querelle.

Ce qui ne répond pas à la question : qui va faire le ménage ? Eh bien, les femmes. Très largement. C'est dû à l'héritage d'une longue histoire des relations entre sexes et à la reproduction des rôles, selon le principe de l'inertie culturelle. Les femmes semblent s'en satisfaire. C'est ce que l'on dit. C'est ce que les hommes aimeraient croire. Le mini-scandale déclenché par les photographies érotico-ménagères de Jean-Yves Corre dans le blog d'Agnès Giard, journaliste spécialisée contre-cultures et Japon, 400culs.fr, adossé à *Libération*, avait pointé du doigt le fait qu'il s'agit là d'un sujet sensible.

 La ménagère rêve-t-elle de serpillières érotiques ?

    ❝ *Une ménagère en blouse qui fait les carreaux, ça vous excite ? Et un homme en tablier de cuisine qui récure l'évier ? Avant de répondre, allez voir les photos[2] de Jean-Yves Corre. 24 hommes et 33 femmes, nus sous leur tablier et portant l'auréole, jouent les fées du logis, armés d'aspirateurs, Harpic WC et plumeaux magiques...*

---

1. Blabla. Courriel reçu par l'auteur à la suite d'une conversation avec une jeune fille qui aura trente ans en 2020.
2. www.e-dito.com/57menages.asp

Revisitant l'univers si banal du nettoyage domestique, Jean-Yves Corre a convaincu 57 personnes de poser chez elles dans le plus simple appareil... Vendeuse, ébéniste, comptable, marin pêcheur, psychologue, retraité, journaliste, sage-femme, garçon de café, bibliothécaire ou moniteur de voile, les voici tous à quatre pattes sur le lino, serpillière à la main, ou à genoux devant la machine à laver, triant culottes et torchons devant un arsenal de produits d'entretien ménager. Hilarants, attendrissants, excitants même, ils fixent l'appareil tout en astiquant...

Jean-Yves Corre

Interrogé par le journaliste Pascal Bodéré, Jean-Yves Corre se demande : « L'action ménagère repose-t-elle sur une quête originelle de la pureté ? »

S'il faut en croire Gaston Bachelard, ce serait plutôt le contraire : il y a dans le plaisir de faire reluire une racine obscure, qui rapproche l'homme de ses instincts les plus primitifs. C'est le même plaisir que celui des hommes qui fabriquent le feu en frottant longuement un bâton dans une encoche. Le même plaisir qu'il y a à polir la pierre à l'aide d'une autre pierre. Pilonner. Battre en rythme. Frictionner. Encaustiquer. Briquer. Fourbir. Limer. »

Ce qu'exprime Bachelard, dans Psychanalyse du feu, *avec tellement plus d'élégance : « Il est assez facile de constater que l'eurythmie d'un frottement actif, à condition qu'il soit suffisamment doux et prolongé, détermine une euphorie. [...] Ainsi s'explique la joie de frotter, de fourbir, de polir, d'astiquer qui ne trouverait pas son explication suffisante dans le soin méticuleux de certaines ménagères. Balzac a noté dans* Gobseck *que les "froids intérieurs" des vieilles filles étaient parmi les plus luisants. Psychanalytiquement, la propreté est une malpropreté. »*

C'est ce que Jean-Yves Corre souligne, en dénudant ses modèles sous un tablier de plastique : créant un décalage loufoque entre leur activité, a priori anti-sexy, et ce qu'elle symbolise, le désir d'une caresse prolongée, qui nettoie le cerveau, lave l'âme et donne au corps une nouvelle jeunesse, il montre les « fées du logis » comme d'érotiques icônes. Ses modèles métamorphosent la crasse du quotidien en plaisir. Il y a du « miracle » dans ces photos, qui montrent que tout dans la vie, même les actes les

113

plus triviaux, peut être sublimé si l'on y met de la libido. C'est la magie opératoire du sexe : il rend tout beau, drôle et merveilleux, même le liquide vaisselle aux actifs antibactériens[1]."

L'érotisme n'est donc plus clandestin, depuis longtemps et pour longtemps. Évidemment, on voit dans cette désinhibition plus nette de la sexualité[2] un moyen d'expression de soi... et toutes sortes de banalités de ce genre. Mais les clichés sont, après tout, faits pour être vécus – ce qui est une façon de les faire perdurer, de les léguer aux générations suivantes pour qu'elles en fassent bon usage et assurent la continuité de l'espèce.

▶ LA FAUTE À QUI ?

Pour autant certains prétendent que la libération du discours entraîne une banalisation du désir... et débouche sur une « pornographisation » des imaginaires sociaux. Parallèlement à une médiatisation croissante et à l'omniprésence directe ou indirecte de la sexualité dans l'imagerie collective (publicité, télévision, cinéma, magazines, sites Internet...), on assiste à une explosion de l'industrie pornographique, qui entraîne un bouleversement radical dans le tissu social et les mentalités.

▷ *Le sexe comme crime*

1. La mondialisation

*   Le commerce du sexe est aujourd'hui mondialisé et industrialisé. Cela concerne aussi bien la prostitution, la pornographie, le tourisme sexuel et les agences internationales de rencontre que la traite des femmes et des enfants. Les revenus de ces industries sont colossaux. Les êtres humains prostitués, principalement les femmes et les enfants, se comptent par dizaines de millions. La clientèle croît à un rythme soutenu. Jamais, le sexe vénal n'a été aussi répandu. Les bouleversements qu'il entraîne sont profonds : on assiste à la « prostitutionnalisation » de régions entières du globe et à une « pornographisation » des imaginaires sociaux. Richard Poulin dresse ainsi un portrait*

---

1. Lorsque cet article a été publié sur sexes.blogs.liberation.fr, les chiffres de visites du site www.e-dito.com ont été multipliés par 100 en une soirée. Reproduit avec l'autorisation d'Agnès Giard.
2. L'expression un « bon plan cul » relève d'un discours féminin parfaitement assumé.

effarant des liens entre la mondialisation, le crime organisé, la violence, le libéralisme et les industries du sexe[1]."

2. L'ordre mâle...

" La pornographie et la prostitution, loin de disparaître, ont connu un essor considérable, sans qu'il soit pour autant aisé d'y voir le signe d'une libération. En effet, la pornographie ne paraît guère, dans l'ensemble, s'affranchir des rôles sexuels les plus conventionnels, tandis que, pour l'essentiel, la prostitution semble moins subvertir que reconduire une domination masculine assez classique[2]."

3. D'un mâle mal dans sa peau

" En contrepartie, on assiste à une montée de la violence sexuelle (notamment, viols et « tournantes »…), conséquence d'une frustration, amplifiée chez les garçons par une crise de la masculinité qui les incite à vouloir reprendre le pouvoir aux filles[3]."

⇨ **La mauvaise nouvelle dans ces trois exemples, c'est le rôle de l'homme**

La tentation est grande, pendant cette période, de donner les rênes du pouvoir à la femme – ne serait-ce que pour voir comment elle se débrouille. Des femmes sont donc élues à la tête des États et des grandes entreprises. Souvent, les résultats ne sont pas concluants. Ce qui est une très bonne nouvelle. Cela veut dire que la conduite du monde n'est pas une affaire de genre. Malgré ce constat, les caractéristiques traditionnellement masculines (esprit de compétition, volonté de domination, agressivité…) sont jugées de plus en plus sévèrement. C'est vrai au niveau domestique. C'est vrai partout. On assiste à une condamnation croissante de pratiques perçues comme contraires à la dignité des êtres humains, comme l'excision, et d'une façon générale de pratiques liées à la soumission au désir et à l'autorité de l'homme, avec, au premier rang, trois tabous : l'inceste, la pédophilie et le viol.

---

1. Richard Poulin, professeur de sociologie à l'université d'Ottawa, interview commentée sur Radio Canada.
2. Éric Fassin, sociologue, EHESS.
3. Gérard Mermet, « Francoscopie », 2007.

▷ *Pourtant, le sexe c'est d'abord le plaisir, non ?*

Le plaisir sexuel échappe de plus en plus aux contraintes morales et religieuses pour entrer dans le champ de la consommation, en tant que simple besoin physique à satisfaire. Va-t-on assister au procès du sexe comme on tente de faire celui de la consommation ? Peu probable.

Ces nouvelles représentations de la sphère sexuelle sont loin de tout bouleverser : le modèle du couple constitué reste ancré dans les esprits. On en fait même une consommation effrénée avec une succession de vies conjugales au cours d'une même existence. La plupart estiment nécessaire et/ou utile d'être fidèles pour réussir pleinement une relation amoureuse. Fidélité dans l'éphémère, ou dans la durée d'une relation. Fidélité dans l'infidélité. Fidélité à soi-même, sans doute. C'est ce qu'écrit Blabla.

Ce modèle à géométrie variable séduit des minorités encore marginalisées. Elles font parler d'elles selon le principe que ce qui est socialement spectaculaire est un très bon investissement en matière de lisibilité, et donc de survie, dans la cohorte à laquelle on appartient. Pendant que la virginité se met aux enchères sur Internet, l'homosexualité acquiert ses lettres de noblesse. À partir du moment où leurs pratiques sont le fait d'adultes consentants, homos, bisexuels, transsexuels, travestis ou échangistes sont perçus comme moins subversifs… voire comme faisant partie du spectaculaire social eux aussi… voire encore comme des modèles d'émancipation. Bien que différents de la norme, ils sont regardés comme des personnes ordinaires à la recherche de sensations nouvelles. C'est le résultat d'un travail de longue haleine, entamé depuis des décennies.

▶ LE SEXE ET LE JEU

Certains sont « sages ». Ils préfigurent le fait que l'époque commence à valoriser le calme, dont on a déjà dit qu'il sera le Graal des années 2020. On expérimente des lieux différents, avec une certaine facétie et pas mal de bonhomie : faire l'amour dans un endroit incongru est un fantasme très répandu. Certains endroits sont perçus comme limite, endroits dont on admet qu'y faire l'amour pourrait avoir quelque chose de décalé, voire de scandaleux… Tout ça se conteste, se teste, s'éprouve.

Les femmes se décrivent comme plus enclines à la transgression que leurs compagnons ; on l'a vu avec Cécile Dark et Blabla. Plus elles avancent en âge, plus les femmes se libèrent dans leurs comportements et leurs discours. Elles apparaissent comme le moteur de l'évolution de la relation entre sexes, et sont à l'origine de l'introduction de pratiques plus ludiques au sein des couples. À la recherche d'une nouvelle identité, les hommes semblent hésiter entre deux attitudes : écoute, voire timidité face aux partenaires de prédilection (en rupture avec le rôle traditionnellement attribué à leurs aînés), fuite vers des relations extraconjugales plus directement et immédiatement sexuelles (en cohérence avec le rôle traditionnellement masculin). Succès des sites de rencontres, qui font maintenant partie du paysage – on s'y rend comme on passe une soirée entre amis.

On invente des jeux bon enfant autour de la nourriture, agrémentés de quelques jeux de rôle. Le préservatif est souvent un enjeu symbolique : une histoire commune à deux partenaires... qui s'inscrit dans le sens du rapprochement homme-femme, une re-définition des notions de responsabilité, de confiance et de fidélité. L'achat, bien que déclaré comme de moins en moins gênant, reste transgressif, pour une majorité qui ne fréquente pas Speed-Piz'[1].

Cette idée de transgression – on finit par l'admettre à contre-cœur – continue d'appartenir à la sphère sexuelle. Rien à faire. On n'en démord pas. C'est comme si les crocs du sexe s'étaient à jamais emparés de l'imaginaire humain. Pas près de lâcher prise ! La sodomie a l'avantage d'avoir une longue histoire de tabous et d'interdits. La pratiquer, c'est transgresser un interdit mythique, avec toute l'excitation que cela peut impliquer. Elle connaît ses heures de gloire.

La sodomie comme art

    Pour moi, demander à mon partenaire de me sodomiser, c'est me livrer à lui dans ce que je peux avoir de plus intime, de plus personnel. M'offrir analement, c'est m'offrir entièrement, pleinement, sans aucune retenue. L'idée d'utiliser un orifice qui initialement n'est pas dédié au sexe afin de prendre du plaisir est un concept particulièrement excitant. J'aime l'idée de détourner cette partie de mon corps de sa vocation initiale. J'aime repousser mes limites, explorer mon corps. Inventaire de mes positions préférées : la posture de la balance, le cow-boy ou position du chevauchement, l'union de l'antilope, la position d'Andromaque, l'union de l'abeille, l'union de l'aigle, la position de l'Amazone, la position de l'Indra, la posture de l'arbre à fruit, la posture de la balançoire, la posture de la charrue, l'union du crabe, la posture des cuillères, l'union de la déesse,

---

1. Voir le chapitre « Surveiller et protéger », p. 44.

l'union de l'éléphant, l'union de l'émeu, la posture de l'enclume, l'union du loup, l'union du singe, l'union de la vache ou levrette[1]."

On continue de chercher le vaccin contre le VIH, des progrès sont annoncés régulièrement – cet espoir est sans doute pour quelque chose dans la baisse constante des comportements préventifs. Les préservatifs sont de moins en moins utilisés. Cette absence croissante de protection est généralement attribuée à une banalisation de la maladie, à la baisse d'intérêt pour les campagnes de sensibilisation chez les jeunes adultes qui ont commencé leur vie sexuelle après l'apparition du virus, aux progrès des trithérapies, à la croyance en l'imminence de la mise à disposition du vaccin, et – peut-être surtout – à la recherche d'un plaisir accru par la prise de risque.

Du pompeux robosuck au futuriste cyber sex suit

" *Obsolètes les* chats, *fini les webcams exhibitionnistes, désormais le virtuel se pare de quelques artifices bien réels pour stimuler par le toucher votre libido. Dans ce domaine, deux sites font office de précurseurs : digitalsexsations.com et safesexplus.com vendent des objets de plaisir à connecter on-line. Grâce à un système assez rudimentaire, un internaute peut influer sur le rythme du vibromasseur de sa partenaire située à l'autre bout de la planète. En retour, celle-ci peut influer sur la pompe aspirante au doux nom de « robosuck ». Mais ces sites proposent également des objets plus singuliers : « un vagin vibrant en plastique », « la moustache vibrante de M. Jack » ou « l'excitateur de tétons »...*
Plus évolué avec ses trente-six stimulateurs dans une combinaison en néoprène, le « cyber sex suit » développé par Vivid Entertainment. David James, président et cofondateur de cette société numéro 1 mondial de l'industrie pornographique, prévoit que ce costume devrait révolutionner le sexe sur Internet, transformant l'internaute passif en acteur de ses fantasmes[2]."

---

1. La page d'Amélie est sur le Net.
2. David Bême sur Doctissimo.fr

Le thème du sexe est un laboratoire fertile pour la prospective. Depuis toujours, la pornographie a été à l'avant-garde dans l'utilisation des technologies car, à l'instar des mouvements terroristes, ce secteur a dû s'organiser pour vivre dans une forme de clandestinité. Mais vent de liberté et nouveaux interdits coexistent. Le caractère de plus en plus hard des jeux du sexe cohabite avec un retour du romantisme : les deux font bon ménage. Les maisons closes sont à nouveau reconnues d'utilité publique et font l'objet de concours d'architectes.

Avec le troisième et le quatrième âges qualifiés de génération « sex always », le monde virtuel qui autorise les expériences augmentées, les réseaux sociaux qui permettent le « speed sex », le téléphone mobile, les *sex toys* qui deviennent un *must have*, l'univers publicitaire qui repousse les limites de l'excitation des sens avec des annonces visuelles sans limites, la globalisation de la vidéo *on demand*, la dissociation du physique et de l'émotion, la fragmentation des vies qui sont un nuage de points (expériences dissociées)… décidément, le sexe est un superbe terrain de jeu pour analyser le jeu.

⇨ **Comment avancer ?**

Le psychodrome à écran tactile

C'est un écran souple, que l'on pose comme une nappe sur la table. Un signe du doigt déclenche son fonctionnement. Il peut, d'un autre signe, se rigidifier. Le doigt effleure une zone précise : la vérification de votre code génétique est instantanée, le psychodrome se met en marche. Votre historique de visites est disponible. Le psychodrome est l'outil le plus efficace en 2049 pour traverser une période affective troublée, pour faire un choix judicieux dans vos scénarios émotionnels compliqués. L'utiliser à la verticale serait plus masculin. Vous le posez devant vous, vous lui faites face. Attitude guerrière. Plus féminin à l'horizontale ? Effusion dans le tissu souple ? L'extrapolation est un peu hâtive, peut-être assez vieux jeu. La machine intègre néanmoins cette donnée et en fait sûrement quelque chose.
Le psychodrome est un système informationnel à double entrée, bi-connecté, donc.
D'un côté, il a accès à la quasi-totalité de l'histoire affective de l'humanité : les données théoriques, historiques et sociologiques de l'économie amoureuse, les romans d'amour des temps anciens à nos jours, les chroniques savantes, les sites porno, les contes pour enfants et les séries télé, les littératures édifiantes et les e-books sado-maso… la liste est inépuisable. L'information s'inscrit sur l'écran dans le mode de lecture qui vous convient : des mots ou des images, et bien sûr : les deux – c'est le menu de base… vous choisissez. Vous pouvez aussi opter pour la version à la carte : images 3D, immersion totale, son et lumière, traduction simultanée des textes les plus rares, rencontres holographiques avec les témoins de

votre choix – Platon en son Académie, Sade en son boudoir, reconstitutions saisissantes de réalité : vous pouvez les interroger, leur soumettre votre cas. C'est ce qu'on appelle la bienveillance digitale. Ça ne coûte pas cher. C'est programmé comme ça.

Le système s'adapte et organise l'information en fonction de votre état d'esprit, de votre réceptivité, de votre humeur… Le plus souvent, vous ne savez pas bien ce que vous cherchez, sinon à aller mieux, à vous sortir de la panade, à vous faire du bien. Vous n'avez qu'une très vague idée de la masse d'informations, de dépositions et d'aveux, de continents engloutis d'affects que l'espèce humaine a consignée. Des moteurs de recherche intelligents vont chercher tout ça pour vous, furetant dans la masse incommensurable des essais et des erreurs de l'humanité à la recherche du bonheur.

De l'autre côté, le psychodrome se connecte, dès sa mise en route, à votre propre cerveau. Il fait un bilan de votre situation, analyse votre état d'âme, retrace les historiques, va jeter un œil du côté de votre génome. Il repère les scénarios de l'histoire universelle qui sont les plus proches du vôtre et s'apprête à vous proposer des solutions.

C'est là que vous intervenez. Sur l'écran commencent à se dessiner des histoires possibles, des débuts et des fins, un climat… en séquences furtives. Votre mission : arrimer votre propre histoire à celle du reste de l'humanité, les faire naviguer de conserve afin d'exploiter, pour votre compte, les multitudes d'expériences disponibles. Puis, en tirer des leçons, tenter des pistes, confronter votre génome personnel à celui de l'espèce humaine. Vos doigts travaillent. Ils commandent ces images, font surgir des liens possibles, des connexions qui vous mettent en appétit, des hypothèses hasardeuses mais tentantes. Ne soyez pas timide avec votre destin, vous n'êtes pas sans filet : les moteurs intuitifs du psychodrome vous connaissent mieux que vous-même. Vos faits et gestes, vos motivations, vos petits mensonges à vous-même et aux autres, ils les connaissent par cœur. Des scénarios vous sont proposés. Si quelque chose qui se présente vous tente, votre psychodrome se met en relation avec celui de la personne concernée. La quête commence. Une sorte de parade amoureuse convoque sur l'écran, entre fiction et réalité, le grand théâtre de la vie que vous auriez voulu, que vous pouvez encore, vivre. Il en existe plusieurs versions : le service standard fait une recherche conventionnelle. N'en attendez pas trop mais, tout de même, ça peut marcher. Après tout, le système est fondé sur l'idée qu'il y a une nature humaine universelle. Les stéréotypes, les mythes et les contes sont fournis. La plupart des utilisateurs s'en contentent.

Le service premium, c'est autre chose, et c'est plus cher à la connexion – là, il y a intervention humaine : un psy se met de la partie. Vous pouvez le choisir. Freud et Jung pour les intellos aisés, qui peuvent se permettre leur reconstitution holographique et historique. On convoque le savoir-penser un peu désuet de ces anciens maîtres. C'est plutôt chic. Les pythonisses, les cartomanciennes, les spécialistes du tarot, les mages des nouvelles religions proposent des tarifs beaucoup plus raisonnables. Aucun chef d'État, aucun grand patron ne prend de décision sans son druide. Leurs psychodromes sont d'ailleurs plus performants, plus sélectifs. Ils ne puisent qu'aux meilleures sources : la mémoire fossile des hommes illustres.

Depuis les années 2030, la technologie qui a permis l'émergence du psychodrome a profondément modifié les frontières entre le mental, le sacré et le psychologique. L'écran qu'il utilise était autrefois celui de la fiction pure de l'*entertainment*. Étape après étape, furtivement, discrètement, le réel s'est dissous dans la fiction… ou est-ce l'inverse ? La frontière entre les histoires, les *stories*, comme disaient les uns, et le réel, le *brick and mortar*, comme disaient les autres, c'est la grande affaire de ces dernières années justement. Avec les psychodromes, cette frontière a encore une fois reculé.

Le psychodrome des années 2020 est une scène cathartique. Des observateurs facétieux lui donnent le nom de psychoTIC. Ce n'est pas très charitable.

⇨ **Quelles sont les règles du jeu ?**

Règles du jeu[1]

Insidieux et sournois pour les uns, libérateur et émancipateur pour les autres, le jeu envahit peu à peu la nouvelle ère.

On imagine les premiers inquiets. Pour eux, le jeu dérègle et déréalise. Ils détestent le hasard qu'ils considèrent comme un aveu de perte de contrôle de soi et du monde. Le passage à l'état adulte est, pour eux, un anoblissement du devenir de l'homme : le jeu n'y a plus sa place. Ils ont sans doute quelques arguments à faire valoir (la tyrannie de l'enfant-roi a parfois quelque chose d'exaspérant).

Les seconds sont impatients. Ils estiment que le jeu met simplement à nu la vérité du monde. Avec un cynisme jubilatoire, ils constatent que le dérèglement généralisé de la planète est un fait incontournable, qui s'inscrit dans la logique de l'histoire. Ils y voient la mise en place d'un monde porté par un nouveau paradigme : le dialogue avec l'invisible. Règles à découvrir.

▶ CEUX QUI CROIENT AU JEU ET CEUX QUI N'Y CROIENT PAS

D'un côté, ceux qui se méfient du jeu. Ils croient ou espèrent encore qu'on peut parquer le jeu dans des ghettos : l'enfance, le Loto, les casinos, les nouvelles consoles de jeux immersives, les mots croisés, peut-être le sport – même si le sport est un business d'adultes –, l'art. Pour eux, tout cela relève de l'enfantillage... La liste de ces ghettos est longue et hétéroclite. Ils sont tous répertoriés, classés et donc à peu près apprivoisés. Chacun dans sa case. Un besoin de rationalité, sans doute, dicte cette conduite. Un fantasme aussi, étrange : diviser

---

1. « Game designers [...] have more to say about the economy than anybody else » (Kevin Kelley).

pour régner. En isolant chacun de ces ghettos de plaisir et d'inconduite, on les émascule, on les empêche de fertiliser ailleurs.

De l'autre côté, ceux qui accueillent le jeu comme un souffle libérateur.

C'est le cas de Vittoz, un artiste dont on apprendra qu'il mène une double vie, qu'il puise son énergie aussi bien dans l'entreprise que dans l'art. Troublant. Troublant parce que ce genre d'individus se fait de moins en moins rare. Vittoz considère :

> « [...] *qu'en jouant, l'homme rejoue sa crainte d'être manipulé ou joué. Qui joue donc : l'enfant, le spéculateur, le passionné ou le jeu autoprogrammé qui se joue de nous ? Notre destin serait-il une expérience de laboratoire ! Le jeu consiste précisément à découvrir quel en est le but. Le jeu a, dans l'économie de la vie humaine, une signification semblable à celle du rêve. Le jeu est un intervalle laissé libre entre deux pièces par défaut de serrage. Cet intervalle est essentiel à la réflexion. Il en est le cadre. Dans le jeu, nous prenons un plaisir énigmatique à l'apparence, elle nous garantit parfois une vérité supérieure au-delà d'un quotidien trop réel. Donner à jouer est une démarche artistique qui révèle le divin*[1]. »

La démarche de Vittoz fait écho à celle des transculturels qui veulent reconnecter les gens, les choses, les sciences. Pour eux, la vie est une immense partie de cache-cache : il faut aller chercher partout des solutions, dans les coins les plus improbables aussi bien que dans les évidences. Il faut se servir de tous les indices pour trouver le trésor. Qu'est-ce que le trésor ? Ça, c'est moins clair. C'est peut-être le sens de la vie, c'est peut-être le fait de jouer, tout simplement, qui est la clé ultime.

▶ ANGE OU DÉMON ?

Diabolisation du jeu d'un côté – qu'on assimilerait aux Anciens ? –, angélisation du jeu de l'autre – qu'on assimilerait aux Modernes ? On a le sentiment que ce type de querelle entre Anciens et Modernes est un peu désuet. Les Anciens ne sont-ils pas *a priori* plutôt modernes, si la modernité recouvre encore le rationnel, le logique, le dialectique ? Mais est-ce le cas ? Il est de bon ton, dans les années 2010, d'avancer que cette vision est surannée et que le monde est trop

---

1. Entretien avec Vittoz sur www.e-dito.com

complexe, trop mystérieux pour qu'on en fasse jamais le tour, qu'on en épuise jamais le sens. La croyance en un monde rationnel, dit-on, est dépassée. Ce faisant, on évite de considérer que les innovations technologiques sont de plus en plus ébouriffantes, les conquêtes de la science de plus en plus convaincantes. C'est pourtant bien ce qu'on doit encore appeler la réalité. Les règles du jeu sont donc compliquées : d'un côté, on profite joyeusement des avancées de la science, de l'autre on cherche à dissoudre celles-ci dans une nouvelle spiritualité. C'est un grand jeu de cache-cache avec le réel ou ce qu'on croyait tel il n'y a pas si longtemps.

▶ Un passé très branché

Les Modernes font appel chaque jour davantage à des clés de connaissance qui abordent le champ du sacré, difficiles à saisir mais au moins aussi fascinantes que les prouesses high-tech, et qui puisent dans le passé.

Voici donc une autre fracture, qui va s'amplifier dans les décennies à venir : d'un côté, une production d'objets qui relève de la science, qui constitue la grande machinerie du monde réel et qui profite à l'immense majorité des gens, même si beaucoup la laissent volontiers dans une boîte noire ; de l'autre, un imaginaire ludique, qui relève du divin tel que Vittoz le fantasme. Une transtechnologie d'un côté, une transspiritualité de l'autre. Ces termes sont devenus des références. D'abord, parce que les mots commençant par hyper, hypra et autres emphases de langage finissaient par ne plus signifier autre chose qu'une théâtralisation du vocabulaire lui-même. Ensuite, parce que le nouveau préfixe – *trans* – rendait mieux compte des interconnexions au sein de ces univers.

Au croisement de la transtechnologie et de la transspiritualité, l'organisation de la vie sociale ressemble à s'y méprendre aux jeux auxquels on s'adonne. Certains observateurs ont beau protester : « Le jeu est bien le lieu d'un refuge : il mime les conflits de la vie, il se nourrit de la vie, il fait comme si, mais il ne fait pas vraiment[1] », ce n'est plus l'avis des Modernes qui pensent que le jeu est vraiment la vie.

Il est facile, pour les témoins de la vie publique, de clamer que les grandes crises financières qui balisent cette époque sont le fait de joueurs cyniques, financiers de leur état, et que les accidents et les catastrophes sont le résultat de prises de risques inconsidérées de la part d'ingénieurs grisés par les performances de leurs machines.

---

1. François Chirpaz, sur www.contrepointphilosophique.ch

⇨ Il n'est pas certain que l'on s'amuse tout le temps, mais il est clair que l'on joue de plus en plus

Les jeux d'argent envahissent le paysage social, au point de devenir une institution parallèle, omniprésente, obsessionnelle. Une sorte de second monde (le monde du jeu) accompagne ainsi le premier monde (le monde réel... ou ce qu'il en reste de visible), et s'y dissimule. La vie quotidienne est envahie par le jeu.

> *Les formes des praxis ludiques sont actuellement si diverses et répandues, qu'elles font partie intégrante de la vie quotidienne de tout un chacun. Si les casinos ou les cercles peuvent conserver une part d'élitisme ou de mystère, le Tiercé, le Loto, ou leurs nombreux dérivés sont devenus des activités tellement populaires, qu'elles semblent dépasser le simple caractère occasionnel, récréatif, d'une distraction, mais ressortir au cadre à la fois routinier et inévitable d'une véritable institution sociale, quasi incontournable[1].*"

Certains jeux s'avouent comme tels : parier, miser sur des scénarios – une victoire sportive, une élection politique, une catastrophe, un événement trivial, la mort d'une célébrité –, donner son interprétation – rubrique très en vogue dans tous les médias – des faits de société quels qu'ils soient. C'est en quelque sorte une mise en abyme de toutes les démarches prospectives.

Le jeu d'argent est à la croisée des chemins. Il permet à la multitude d'envisager de sortir d'une vraie vie de plus en plus menacée, le fantasme de rentier apparaissant très en vogue dans un champ social en mal de sécurité[2]. Au « rien ne va plus » qui fait frémir le joueur à la table de jeu, a fait écho pendant des années le « tout va bien » de l'institutionnel au tour de table du capital. L'optimisme de ce dernier n'est plus de mise. Rien ne va plus, nulle part. Le banquier a joué des tours de cochon au rentier. Reste donc le jeu d'argent. Longtemps considéré comme une transgression et nimbé d'une aura sulfureuse, il n'est désormais plus répréhensible dans une société où l'action, le plaisir immédiat, voire la prise de risques sont valorisés[3] comme pratiques de survie économique.

---

1. François Chirpaz, *ibid.*
2. *Ibid.*
3. Christian Bucher, « Addiction au jeu : éléments psychopathologiques », *Psychotropes*, vol. 13, 2007.

Y a-t-il matière à une nouvelle typologie qui permet de mieux comprendre ce qui fait courir les gens ? Sans doute. Est-elle utile ? En tout cas, elle rend compte des choses. On définit des profils, on catégorise. Il ne s'agit pas de définir des hommes nouveaux mais de comprendre différemment les compétences.

⇨ Quels sont ces nouveaux profils ?

▷ *Joueur tactique*

Le but avoué du joueur tactique est avant tout de gagner pour le plaisir de gagner, de vaincre son adversaire tout en se prouvant à lui-même qu'il est bien « le plus fort », la partie étant d'abord le prétexte à valoriser l'intelligence et l'adresse du gagnant. De quelle partie parle-t-on ? Aussi bien de la vie que d'une activité ludique. Le joueur tactique ne ménage pas ses efforts. Il fait preuve d'une attention exigeante et effectue un travail à part entière (avec ses codes, ses contraintes et une rigueur nécessaire pour un vrai résultat). Il est sensible à l'excitation du jeu et du risque, mais ce qu'il apprécie avant tout, c'est la compétition, l'affrontement et la partie gagnée. Il accorde une place subalterne au hasard, qu'il considère comme un ennemi à vaincre. Pour lui, le jeu représente un défi, ce qui implique d'être à la hauteur et d'user de finesse psychologique pour gagner. La ruse est sa muse. Pour accomplir ses exploits, il fait preuve d'un détachement matériel, indispensable pour une meilleure et plus saine qualité de jeu. Le jeu stimule son intelligence et il éprouve du plaisir à surmonter la complexité des règles... le joueur tactique est prêt à affronter la vraie vie, c'est un samouraï. Les entreprises vont le recruter.

De quoi parle-t-on ici ? Du jeu qui se joue dans des lieux dédiés ? De la vraie vie qui s'en inspire ? C'est très exactement ce qui se passe.

▷ *Jouer devient l'essence de la vie sociale*[1]

Le joueur tactique est bien armé pour passer d'une pratique ludique à une pratique sociétale, car les jeux sérieux envahissent les entreprises et les institutions. Les États-Unis ont donné le ton. La Nouvelle-Zélande, la Grande-Bretagne ou le Japon les ont rattrapés. Le jeu permet de s'entraîner à la gestion des conflits internationaux, à maîtriser les incendies ou à simuler un entretien d'embauche... C'est dire

---

1. Vittoz, *loc. cit.*

si le joueur tactique est bien armé. Surtout s'il veut devenir militaire ou médecin, car ces métiers sont précisément ceux où la technologie est la plus en pointe et la plus performante, le nec plus ultra étant la chirurgie militaire, métier d'avenir. Les banquiers s'y sont mis après la grande crise de 2008. On ne sait pas si les offensives guerrières, les attentats terroristes, les génocides qui rythment toujours l'actualité sont le fruit d'une tactique élaborée avec ces systèmes. On imagine que le jeu peut effectivement être quelque chose de très sérieux, et on comprend que le joueur tactique ait rallié le camp des Anciens qui estimaient être Modernes.

▷ *Joueur ludique*

À l'opposé du joueur tactique, le joueur ludique recherche surtout le plaisir d'un moment à part, souvent partagé, qui apporte de la fantaisie à la vie de tous les jours. Le jeu lui permet de laisser émerger ses désirs. C'est l'instant d'une rêverie, toujours renouvelée, et ces projections font intimement partie du plaisir de jouer. Pour lui, le jeu relève d'une esthétique et d'un ressenti qui remonte à l'enfance. Il vit sa pratique comme celle d'un univers à part, un art de vivre et une mise en scène quasi mondaine en rupture avec la vie quotidienne. C'est un moment suspendu qu'il vit avec intensité, car il éprouve la nécessité de se sentir différent de ce qu'il est dans la réalité, comme si jouer c'était devenir, pour un instant, un autre que lui-même. Il associe au jeu une dimension ésotérique qui met en branle tout un système de croyances personnelles, toute une magie blanche subjective. Pour lui, le jeu est un peu plus qu'un jeu : il semble relié au mystère. Le joueur ludique est conscient de l'ambivalence accolée au double statut du jeu, à la fois « distraction légère », mais aussi vecteur de rêverie et de projections imaginaires dans l'avenir. Il met son destin en jeu à chaque fois. Pour lui, jouer, c'est aussi changer virtuellement de vie. Le joueur ludique est décidément du côté des Modernes qui croient aux choses anciennes.

Le jeu et ses imaginaires sont, dans les années 2010, une nouvelle grille d'interprétation des comportements. Elle permet, à qui veut absolument classifier, de distinguer deux pratiques de l'existence. Pour autant, le jeu est loin de rester une simple métaphore.

▷ *Jouer tous ensemble en ligne*

La grande affaire est la création collective, et les jeux en ligne l'incarnent avec une puissance inattendue. C'est que se dessine ici une tension extrême qui indique à quel point le jeu est bien au centre des débats. L'individualisme, nous l'avons dit, est dans l'air du temps. L'ego joue solo. Il est bientôt en proie à des considérations existentielles : il entrevoit qu'une solidarité minimale va être nécessaire à sa survie. Nous avons dit ici et là que le « nous » allait faire parler de lui. C'est maintenant le cas. Il laisse différents effluves dans son sillage. Ces effluves ne sont pas tous innocents pour les observateurs. Ceux-ci applaudissent quand le « nous » se transforme en solidarités, en connivences bienveillantes, en ouverture aux autres... On parle alors de « transcaritatisme ». Il faut bien que le vocabulaire évolue. Ce « transcaritatisme » est un peu suspect quand il induit des communautarismes intégristes. Là, le vocabulaire n'évolue guère. Ce qui se joue, précisément, ici, c'est – dans une immense métaphore mondialement actualisée devant les écrans plats, tactiles, souples... – la controverse « inexpiable car la raison n'est pas l'arbitre de ces querelles[1] » entre l'efficace de l'individualisme forcené et la puissance qui se fait jour d'une nouvelle fraternité. C'est dans les jeux transtechnologiques que s'incarne l'espoir des nouvelles gnoses, des prophètes d'une refondation du monde.

Les MMORPG (*massively multiplayer on-line role-playing games*) ont fini par changer la donne. Ils ont vite cessé d'être réservés à des cohortes adolescentes, dont on avait expliqué les motivations, de façon plus ou moins convaincante, par des troubles d'adaptation. Les « espaces mentaux partagés[2] » des mondes imaginaires dont ces jeux s'inspirent sont des lieux et des moments d'intense coopération et collaboration : des « territoires d'intelligence collective[3] ».

> ❝ *Les hiérarchies s'y effacent partiellement au profit d'interactions transversales, le collectif l'emporte au détriment de l'ego, des comportements basés sur le réseau et le partage s'imposent face aux égoïsmes et aux réflexes de compétition. Ces jeux n'ont d'ailleurs pas pour finalité la victoire de l'un ou de l'autre, mais bien le temps passé ensemble à s'amuser. L'unique but est le plaisir, le maintien du processus de création collectif et d'une intersubjectivité forte.*❞

Fort de ce constat, on regarde les jeux avec un œil nouveau. Les adultes, les entreprises, les gouvernements s'y sont mis : « L'œuvre de l'autre existe avant tout comme un point de départ pour ma

---

1. Roger Caillois, *Les Jeux et les Hommes*, Paris, Gallimard, 1958.
2. Régis Jaulin, qui nous a inspiré ce paragraphe et les suivants.
3. Pierre Levy, cité par Régis Jaulin. La formule fait fortune.

propre création. » La formule a plu. Le jeu du joueur, son expertise, apparaissait dès lors comme une création qui pouvait servir de matériau. Générosité partagée, avec en ligne de mire, le bénéfice personnel qu'on va pouvoir en tirer. Donnant-donnant. Plus de perdant. Un jeu sans perdant ? Un temps, certains ont imaginé que de l'acte gratuit et libre du jeu émergerait une nouvelle culture, qui allait développer des comportements et des usages nouveaux. Le jeu de rôle en ligne se construit sur des émotions nouvelles et des paradigmes radicalement différents. Il propose des espaces de fiction et d'échanges, tout en appelant à lui des artistes de tous horizons, architectes, scénographes, musiciens, programmeurs, faiseurs ou sculpteurs d'images. Il est tout à fait symptomatique du besoin de tissage et de maillage entre les disciplines.

▶ On ne rit plus

Mais bientôt, vers 2020, il ne s'agit plus de s'emparer d'une cape de tissu et de s'armer d'une épée en plastique, même virtuelle. Les gens sérieux ne rient plus. Ou beaucoup moins. Les donjons et dragons de l'enfance n'ont plus la même saveur. Certes, ils n'ont pas disparu tout à fait, et la fascination du Moyen Âge et d'autres époques de l'histoire continue d'agréger autour d'elle des adeptes. On joue à jouer aussi. Mais ces pratiques sont désormais confidentielles. Les jeux deviennent des armes redoutables.

L'addiction aux jeux vidéo a pris l'ampleur attendue. Cette addiction incarne les tensions en cours : on pointe du doigt les dérives des foules de tous âges droguées au disque dur et, en même temps, on reconnaît que le jeu renvoie l'individu « sommé de devenir acteur de sa propre vie », selon Alain Ehrenberg, au principe du contrôle de soi en même temps qu'à de nouveaux modes d'être ensemble. Car si le jeu tue, à certaines heures avancées de la nuit, par excès, par saturation, il incite aussi à une discipline de soi. Les jeux vidéo sont des laboratoires sociaux dans lesquels les joueurs les plus aptes, les plus résilients, les plus ambitieux testent leur capacité de contrôler leur monde virtuel, puis leur vie, puis leur destin[1]. Nouvelle forme d'épreuve initiatique, de rituel, mais aussi de scénario de conquête du monde. C'est par la maîtrise des jeux et de leurs arcanes que de puissants chevaliers d'industrie prennent les rênes du pouvoir. Alors que, quelques décennies auparavant, des Steve Jobs et autres Bill Gates avaient bâti leurs empires sur une maîtrise technologique et

---

1. Magazine *Quaderni* et blog d'Olivier Mauco.

une belle intuition de ce qu'allait devenir la société au tournant du siècle, les nouveaux entrepreneurs, issus du monde des jeux vidéo, enrichissent ces techniques et les rendent disponibles pour toutes les activités de la vie. Le grand jeu est un au-delà du jeu. Les jeux inspirent toutes les pratiques. Un au-delà du « je », aussi. Hermann Hesse l'avait prévu dans *Le Jeu des perles de verre*. Cette formidable réconciliation entre vie intellectuelle et vie spirituelle est à relire d'urgence en 2020.

 **Cyberdépendance**

    *   Un rapport de deux députés UMP sur la cyberdépendance évalue entre 600 000 et 800 000 le nombre de personnes en France victimes d'une « conduite addictive », générée par l'usage massif des jeux vidéo en ligne. […] Ils avancent des mesures destinées aux industriels (horloge indiquant le temps de jeu, message d'avertissement type « une pause s'impose » ou que le personnage joué se sente fatigué au bout de quelques heures) et de prévention (campagne nationale d'information, éducation dans les écoles). Il est également proposé de mettre en place « une autorité de régulation des jeux d'argent et des jeux vidéo », ainsi qu'un code de « bonne conduite entre industriels et État » et un numéro de téléphone « destiné à aider les parents et les adolescents », ainsi que de recenser « les professionnels et centres de soins[1] ».*

Communiquer et être ensemble

Les outils de communication mobiles sont les outils du vivre ensemble. Plus leurs performances technologiques augmentent, plus les gens cherchent à recréer du lien dans le monde réel. La localisation géographique par GPS a très vite évolué pour devenir un élément essentiel du lien social. Les sites communautaires accessibles sur écran plat se sont transformés en sites holographiques où les interlocuteurs se rencontrent en trois dimensions. On a, en face de

---

1. Newsletter de CB News, 2008.

soi, amis d'enfance retrouvés, amoureux délaissés, enfants en larmes, agent des impôts, en appuyant sur un bouton, depuis son domicile, son lieu de travail, ou même dans un square (sur son « objet communicant mobile » préféré). Les consultations médicales se déroulent à distance et associent plusieurs médecins situés dans des lieux différents... Les prouesses techniques redonnent accès au face-à-face. Le moteur principal de la rencontre réside dans la recherche des affinités sociologiques. « Internet permettra demain de trouver des partenaires toujours plus proches de ce que nous sommes, ou de ce que nous croyons être[1]. »

L'unité, la réagrégation est le Graal auquel on accède grâce à l'entrelacement qui refonde le lien. C'est la revanche d'Arachné.

66 *Le mythe d'Arachné (tissage, création), Arachné ou Arachne (en grec ancien Αράχνη, Arákhnê), est celui d'une jeune fille originaire de Lydie qui excellait dans l'art du tissage. Intriguée, Athéna se déguisa en vieille femme pour rendre visite à la jeune tisseuse et observer son travail. Arachné prétendit devant la déesse qu'elle était la meilleure tisseuse du monde, meilleure qu'Athéna elle-même. La déesse entra alors dans une grande colère en constatant qu'une simple mortelle pouvait prétendre être aussi adroite qu'elle. Elle révéla à Arachné sa véritable identité et organisa un concours avec la jeune femme. Athéna illustra sur sa toile les divers dieux de l'Olympe tandis qu'Arachné préféra tisser Zeus avec ses nombreuses amantes. Ce fut finalement la fille de Lydie qui gagna. Furieuse, Athéna déchira son ouvrage. Humiliée, Arachné alla se pendre. La déesse, prise de remords, décida d'offrir une seconde vie à Arachné : elle la changea en araignée, pour qu'elle puisse à nouveau tisser sa toile[2].*"

Voilà un mythe un peu oublié qu'on peut appeler une bonne prise. On constatera que : c'est une histoire entre femmes aux caractères bien trempés, rusées l'une et l'autre ; c'est une histoire de défis et de déguisements ; c'est assez violent ; c'est aussi une histoire de cul ; la plus jeune a obtenu gain de cause au bout du compte. Enjeu de contenant et de contenu. De tuyaux et de ce que l'on met dedans.

---

1. Pascal Lardellier, cité par Éric Nunès sur LeMonde.fr, 18 avril 2006.
2. Wikipédia.

▶ LES LIEUX DE HAUTE PAROLE

Communiquer, c'est créer du contenu. Pour beaucoup, c'était au départ comme envoyer une bouteille à la mer, mais très vite les blogs, les sites d'échanges, les réseaux sociaux où la parole se prend sont devenus des lieux de haute parole. C'est bien le retour de la conversation sous toutes ses formes. Les nouveaux médias permettent un jeu constant, avec les mots qui prennent la forme d'images, les images qui se dressent en interpellation. Chacun puise dans l'immense vivier d'images, de sons, de cris et de fureurs, de clips et de fragments volés, ce qui lui convient pour se bricoler un vocabulaire et dire, proférer, amuser, séduire…

Tous les moyens sont sollicités. Le phénomène s'est amplifié dès les années 2010.

▷ *Un blog, ça sert à quoi ?*

    ❝ *BLOG. subst. masc. De l'anglais* web*, « toile », et* log*, « journal de bord » (dans la marine et l'aviation américaines). Journal intime projeté sur la place publique par le truchement d'entrelacs de fibres optiques ; objet consentant du voyeurisme du tout-venant ; vitrine nombriliste de contributeurs soucieux de l'état de santé et des sautes d'humeur du petit chat qui n'en finit plus de n'être pas mort ; support d'élection du soliloque spéculatif ésotérique ; colporteur d'idées politiques émancipées de toute verticalité, i.e. parallèles au comptoir du café du commerce et frisant l'horizon du ras des pâquerettes ; miracle de la bribe insipide édulcorée par une poignée de pixels[1].❞*

    ❝ *Ça me permet de m'exprimer plus librement, de discuter avec des gens intéressés par les mêmes sujets avec lesquels il m'arrive de nouer des relations amicales. J'aime être un tout petit point dans la blogalaxie (je préfère ce terme à blogosphère parce qu'il permet de mieux concevoir la diversité) à côté des dizaines de millions de personnes qui s'expriment pour des audiences de toutes tailles et de tout type et donnent ainsi naissance à un très riche tissu de communications horizontales (entre pairs) que ni les médias traditionnels ni les institutions ne peuvent plus ignorer. Les échanges y sont déséquilibrés, mais ils ont lieu. C'est aussi une addiction, un élément d'une stratégie professionnelle,*

---

1. pisani.blog.lemonde.fr (Nous retrouverons Francis Pisani plus longuement dans les pages suivantes et en fin de volume.)

un modèle économique imparfait, et ça demande beaucoup de boulot[1]."

Ainsi réapprend-on à lire et écrire ? Plus encore. On assiste à l'émergence d'une « soif extraordinaire d'aller au-delà de la consommation[2] ».

      C'est cette même logique qui sous-tend le développement explosif des blogs dont la valeur marchande repose sur des critères réputationnels (on y échange de la prestation intellectuelle et médiatique en « nose to nose », rendant alors un service encore inconnu de la sphère d'échange : permettre au lecteur de devenir auteur). Selon une étude du centre de recherche Pews, près de 60 % des adolescents américains ont non seulement partagé des contenus sur le Net, mais ils en ont également créés. Comment ? En remixant plusieurs fichiers images, textes, ils ont pu créer de petits films originaux d'animation. [...] Cet esprit co-créatif qui laisse libre cours à l'utilisateur touche encore d'autres domaines. Exemple : le réalisateur Vincent Carelli au Brésil, qui décide de transformer les objets de son film (les Indiens) en sujet de l'histoire, en les équipant et les initiant à la technique vidéo. Le résultat est surprenant. [...] Les Indiens peuvent ainsi dialoguer entre tribus, débattre de questions d'ordre symbolique (rituel chamanique) ou plus pratique (déboisement, ressources). Dans le même ordre d'idée, Steven Spielberg a distribué des caméras vidéo aux enfants palestiniens et israéliens afin que ceux-ci puissent filmer leur vie quotidienne et la présenter (par média interposé) aux enfants « d'en face ».
À contre-pied des prévisions les plus sombres, l'outil média n'a pas pour effet d'effacer les singularités culturelles mais d'en révéler la richesse[3]."

▷ *Un téléphone, ça sert à quoi ?*

Le téléphone mobile est le nouvel écran de la vie. Incluant caméra, stockage, haut-parleurs et écran large, il est un véritable outil multifonctionnel, un hybride, à la fois ordinateur, magnétoscope, caméra

---

1. *Ibid.*
2. Lawrence Lessig, président de l'association Creative Commons et auteur de *Free Culture, How big media uses technology and the law to lock down culture and control creativity*, The Penguin Press, 2004.
3. Antoine Couder, journaliste, prospectiviste et tendanceur ; article paru sur e-dito.com

vidéo et télévision de poche[1]. Le « village global » s'est tissé ainsi. La vision heureuse du portable, c'est qu'il nous est entièrement dévoué : il nous rassure, abolit la solitude, nous libère des contraintes de lieu et de temps, nous aide à agir, et nous distrait à l'occasion[2].

L'ubiquité (on peut être partout à la fois) et l'individualité (il n'y a qu'une personne qui répond) sont des faits acquis qui n'étonnent ni n'inquiètent plus personne.

Suzanna Kondor avait défini le portable comme l'accomplissement d'un besoin interne à l'être humain. K. Nyiri définissait le mobile comme un « concentré de savoirs collectifs ». Richard Coyne et Martin Parker expliquaient qu'une voix en principe ne peut « venir de nulle part » : ce qu'il y avait de fascinant dans le mobile, c'était bien cela : entendre des voix venues de nulle part. Pour le sens commun, la notion d'espace et des corps qui s'y trouvent devenait trouble. Le symptôme était qualifié de bipolaire : d'une part, le mobile autorisait la présence immatérielle de l'absent, d'autre part, il autorisait la personne présente à être ailleurs. Présence permanente et absence du présent étaient les deux faces d'un même trouble.

Aucune catastrophe ontologique pour l'*Homo portabilis* n'a eu lieu. Les portables intègrent de nouveaux services automatiques locaux (météo, guides de tourisme, informations, etc.).

   « *La crainte d'un* « Big Brother will watch you » *fait aujourd'hui sourire. Le mobile a ouvert la voie à l'obtention d'informations géographiquement indexées de grande valeur. Il est le premier contact avec Internet. La voiture obtient des informations du Web, et lui en fournit. Sa vitesse, par exemple : cette donnée pourra rester anonyme tout en étant accessible aux opérateurs de réseaux routiers, qui l'exploiteront pour détecter des encombrements, et informer en retour les autres conducteurs[3].* »

   « *Des milliards d'objets sont dotés de capacités de communication entre eux. Ce qui permettra de masquer la complexité des technologies à l'œuvre. Tout se passe dans les coulisses[4].* »

---

1. Olivier Dumons, webmaster du *Monde* interactif.
2. Nicolas Journet, « La culture du mobile : mon portable, c'est moi ! », sciences humaines.com, n° 185, 2006.
3. Vincent Cerf, le « père d'Internet ».
4. Michel Alberganti, journaliste scientifique au *Monde*, producteur à France Culture, auteur de *Sous l'œil des puces : la RFID et la démocratie*, Actes Sud, 2007.

La technologie est tous les jours en ballottage favorable, mais elle ne connaît pas de victoire définitive, elle se course elle-même. Les ingénieurs se défient avec truculence. Il y a quelque chose de joyeux dans leur surenchère permanente. Quelque chose de très théâtral. Le récit de leurs innovations appartient au grand récit du monde. On se dit que ce qui sort des laboratoires est une sorte d'œuvre d'art : des systèmes d'objets-services spectaculaires. On suit avec fièvre les avancées les plus étonnantes. Mais du mode opératoire, on ne sait rien, et on ne veut rien savoir.

En revanche, on utilise leur puissance. Les actions collectives, politiques, économiques et sociales que peuvent mener plusieurs milliards d'individus connectés représentent un véritable contre-pouvoir[1]. Mais le pouvoir des États et des multinationales s'est accru dans le même temps, et les nouvelles technologies leur permettent de connaître plus finement les comportements et les croyances. Quinze partout. Les citoyens découvrent de nouvelles façons de se réunir et de résister. Les pouvoirs aussi. Trente partout. Tout le monde aura le pouvoir d'espionner, de surveiller son voisin. Les téléphones mobiles sont dotés de petites caméras et les séquences vidéo peuvent être publiées sur Internet... La notion de vie privée a changé de paradigme. Des appareils mobiles nous connectent en permanence avec des gens que nous ne connaissons pas, mais avec qui nous avons un intérêt commun. Que ce soit parce que nous nous trouvons dans le même aéroport, que nous voulons aller dans la même direction, que l'un de nous cherche à vendre un vélo que l'autre veut acheter... Les conséquences sont également économiques : si vingt personnes se retrouvent devant un magasin à vouloir acquérir le même bien, elles peuvent plus facilement en négocier l'achat... Le prix d'un billet d'avion ou d'une nuit d'hôtel n'est plus fixé uniquement par le vendeur. L'acheteur peut fixer ses conditions : « Je veux aller de tel endroit à tel autre, mais pour tel prix maximum ; et je suis prêt à dépenser telle somme pour une nuit d'hôtel. » Les enchères inversées se sont généralisées grâce à la rapidité et à la gratuité des flux d'informations.

---

1. *Cf.* Laure Belot et Stéphane Foucart, « Dans dix ans, la vie privée telle qu'on la définit n'existera plus », interview du prospectiviste américain Howard Rheingold, *Le Monde*, 27 novembre 2005.

▶ Et les robots ?

C'est pour bientôt. Ils seront évidents, omniprésents, polyvalents et compatissants ! Après les premiers tâtonnements anthropomorphiques et zoomorphiques[1], les robots réussissent non seulement le test de Turing en ce qui concerne leur interactivité avec les humains, mais ils vont se confondre physiquement, esthétiquement et sexuellement avec eux.

Robots ludiques, robots esclaves, robots aides-soignants... ils font partie intégrante de la vie domestique. Et sortent prendre l'air.

 14 juillet 2058 : encombrements robotiques

Par Olivier Parent[2], qui traite sur son blog, cinquante ans à l'avance, de notre vie quotidienne. Il aurait donc trente ans d'avance sur notre propos. Est-ce bien sûr ?

« *La compagnie des TOE (Trains omnibus européens) rompt la première le silence autour de la présence des robots dans les transports en commun. Désormais, le propriétaire d'un robot devra s'acquitter d'un titre de transport pour le robot qui l'accompagne, au titre de « bagage encombrant ». La TOE, entreprise qui s'est spécialisée dans le transport en commun de proximité transrégional à l'échelle européenne, a dû répondre aux nombreuses plaintes qui émanaient de ses clients. « La plupart se plaignent de ne pas pouvoir trouver de place, aux* »

1. Blog.conceptweb.ch
2. Olivier Parent, réalisateur et graphiste, s'intéresse à l'histoire humaine sous tous ses aspects. De l'histoire, au sens strict, en passant par le journalisme (histoire contemporaine) jusqu'à la prospective et l'anticipation, lorgnettes pointées, en définitive, sur notre présent. À l'instar de nombreux journaux qui, régulièrement, proposent dans leurs colonnes des manchettes rappelant un événement du passé (cinquante ans est souvent l'échelle utilisée pour ce retour en arrière), Olivier Parent a conçu FuturHebdo.com, journal d'un hypothétique avenir. « Depuis septembre 2056 », ce journal prospectif de notre futur immédiat tente de raconter notre quotidien en devenir ; ce que pourrait être le monde dans cinquante ans est décrit en une série de brefs articles abordant tous les aspects de la vie, au rythme d'un article par semaine.

heures de pointe, du fait de la présence des robots accompagnant leurs propriétaires », explique le responsable de la communication de la TOE. Les dimensions encombrantes des robots avaient déjà été évoquées par les restaurateurs, qui avaient fait savoir que la présence d'un nombre sans cesse grandissant de robots, dans les salles de restauration, causait une gêne réelle pour l'exercice de leur métier. Ce grognement avait été interprété comme une des nombreuses manifestations d'hostilité à l'égard des robots humanoïdes dans la rue. Il ne faut pas s'y tromper : cela met surtout en évidence la banalisation de l'utilisation du robot domestique. La création d'un ticket spécial à l'usage des propriétaires pour la présence et le transport de leur compagnon mécanique est une nouvelle preuve de cette généralisation. Les promoteurs du robot humanoïde pourraient s'en réjouir, et pourtant, il n'en est rien : le vocabulaire utilisé pour définir la présence du robot ouvrant à l'acquittement d'une taxe est toujours révélateur du refus dans lequel se drape la société civile : « bagage encombrant ». Mais, qu'on le veuille ou non, le robot fait et fera partie de notre quotidien. Le robot a, d'ores et déjà, trouvé sa place dans le monde professionnel. Il lui reste à la trouver dans la vie de tous les jours[1]."

Sans remplacer les humains, évidemment. Pourquoi évidemment ? Au prétexte que l'ergonomie humaine est le modèle absolu de toute activité industrieuse ? À voir. Certes, on attend qu'ils s'en rapprochent beaucoup. Ils vont proliférer, se perfectionner, se rapprocher de l'homme. Il est hautement probable qu'ils le dépassent. Qu'ils soient plus performants dans les tâches qui leur seront allouées, c'est déjà le cas dans un nombre incalculable de domaines.

    ❝ *Les futurs robots hypra-anthropomorphes auront des mains très habiles, un cerveau redoutable, toutes les tailles imaginables pour remplir toutes les fonctions imaginables... Leur règne est en marche[2]."*

    ❝ *Déjà dotés, en sus de leur intelligence artificielle, de capacités émotionnelles rudimentaires, androïdes ou « animaloïdes » [ils] pourraient être bientôt enveloppés d'une peau douce et sensible,*

---

1. Olivier Parent, conversation avec l'auteur.
2. Blog.concept-web.ch

à la fois agréable au toucher et apte à réagir à des stimuli comme la chaleur ou la pression[1]."

Aujourd'hui en habit de machine, demain en tenue d'homme et de femme, peut-être auront-ils, un jour, la forme et l'esprit que nous aurons à notre tour dans un million d'années – si l'humanité est encore là pour évoluer.

Cette hypothèse occupe les médias dans les vingt ans qui viennent. Mais en réalité, les robots s'incarnent...

   " *[...] dans des housses de volant de voiture analysant l'état de fatigue d'un conducteur d'après les mouvements ou la transpiration de ses mains; des vêtements de sport ou à usage professionnel enregistrant certains paramètres physiologiques; des matelas mesurant la pression artérielle des malades, ou des appareils électroniques au contact suave[2]..."*

Rien à voir avec la cohorte d'esclaves anthropomorphes annoncée dans les fictions. Beaucoup plus nombreux que les charmants ou inquiétants humanoïdes annoncés, les robots sont surtout des automates furtifs qui facilitent la vie quotidienne. Retour de la gouvernante d'autrefois.

▶ SOMMES-NOUS DIFFÉRENTS D'AVANT ?

Il est possible que la perception que nous avions de notre réalité biologique connaisse quelques distorsions[3]. Il faut nous habituer à l'accroissement général de l'intelligence, de la connaissance, des sensations. Nous devons nous adapter à l'évolution et aux nouvelles règles du jeu. Nous avons de nouveaux compagnons de route, ils n'ont sans doute pas une âme – en tout cas pas encore. Il nous faut de la bonne volonté pour faire connaissance et les comprendre, du temps aussi, et sans doute de l'argent. Si bien que, là encore et à nouveau, une fracture s'établit. La technologie ubiquiste ne passe pas toujours : elle laisse pas mal de monde dans un état de frustration plutôt redoutable. Le désespoir est aliénant et s'inscrit mal dans le paysage. Certains sont dépassés par la nouvelle culture générée par

---

1. http://abonnes.lemonde.fr/aujourd-hui/article/2008/08/20/au-japon-les-robots-vont-faire-peau-douce
2. *Idem.*
3. Olivier Dyens nous a inspiré les lignes qui suivent.

les machines. Ils se perdent dans le mode d'emploi. Ils se noient dans l'océan des connaissances, naviguant à l'ancienne, incapables d'appliquer l'art de la glisse au pilotage de leur vie.

La bonne nouvelle, néanmoins, c'est que les laissés pour compte ne le sont pas toujours, et pas pour toujours. Les technologies enchevêtrent les gens, les tribus, les pays. Les blogs, le téléphone ont remplacé les tissages sociaux primitifs de la géographie ou de la couleur de la peau. Ces moyens de conversation mêlent fond et forme, technique et éthique. « Dans notre histoire, jamais nous n'avons passé autant de temps non seulement à communiquer, mais aussi à nous enrichir et à débattre par l'entremise des réseaux », ajoute Olivier Dyens. Un blog acquiert, dit-il, sa légitimité s'il est recensé dans d'autres blogs, et le premier site qui apparaît dans Google est celui qui est « hyperlié » par le plus grand nombre de sites... Cette légitimation par la collectivité comporte des dangers : la collectivité se défend contre l'individuel et fait peu de cas de ce qui est hors norme ou marginal. Mais elle représente aussi un potentiel formidable, qui change profondément notre relation au monde. L'humain de la condition inhumaine est bien plus proche de la fourmi – qui vit, existe et comprend l'univers par l'entremise de sa collectivité – qu'il ne l'est d'un individu autonome, conscient et singulier[1].

Lentilles de contact : le virtuel se mêle au réel

❝ *Au cours des prochaines décennies, les mondes réel et virtuel vont devenir progressivement indissociables. En conséquence, les écrans et les lunettes de réalité virtuelle que nous utilisons aujourd'hui deviendront de plus en plus inadaptés à la coexistence des deux univers. À chaque instant de la vie quotidienne, il faudra en effet pouvoir consulter courriels et pages Web sans quitter des yeux l'environnement réel.*

Babak Parviz y travaille. À 34 ans, ce professeur assistant en ingénierie électrique de l'université de Washington prépare une solution radicale pour assurer un meilleur modus vivendi *entre ces deux mondes : une lentille de contact permettant d'intégrer l'écran à l'œil lui-même. Sur cette prothèse minimaliste pourraient s'afficher les informations provenant de multiples sources : indications du tableau de bord d'une voiture ou*

---

1. Catherine Vincent, *Le Monde*, 28 janvier 2008.

d'un avion, données cartographiques, décor de jeu vidéo, pages Web, courrier électronique[1]. ”

Travailler

Ça ne cadre plus pour les cadres, cohorte emblématique… Jusqu'à très récemment, la logique organisationnelle de la relation entre le cadre et l'entreprise reposait sur la loyauté[2]. L'entreprise offrait et assurait la sécurité, un revenu en croissance, un statut, une reconnaissance sociale incarnée dans une image de la réussite, à travers l'argent et le pouvoir. En contrepartie de quoi, le cadre croyait à cette promesse, aimait l'entreprise, s'impliquait, ne comptait pas ses heures. Un équilibre « donnant-donnant » existait entre le cadre et l'entreprise. Le rôle recherché et revendiqué du cadre, son Graal, était d'être – au cœur de l'entreprise – médiateur et accélérateur. Il était le médiateur entre l'énergie propulsée par la hiérarchie (les décisions venues d'en haut) et les mises en œuvre exigées à la base, mais aussi le médiateur entre la vitalité de cette base et sa pratique du réel et les enjeux théoriques de la hiérarchie. Le cadre était l'accélérateur de la progression de l'entreprise vers ses objectifs, mais aussi des objectifs individuels de son équipe. Il était chargé de mission par la hiérarchie autant que par la base… Dans un monde idéal – celui qu'on lui avait promis, celui qu'on lui avait « vendu » –, il était celui dont l'art et la manière, le savoir-faire et les compétences, le charisme et la parole devaient donner à l'entreprise les moyens de réussir. Le cadre devait apporter une plus-value immatérielle essentielle à l'entreprise : l'adhésion collective à un même projet.

La décision – le pouvoir – dans l'entreprise s'est retrouvée peu à peu aux mains du seul financier. Les décisions des financiers ont ouvert une brèche de désenchantements inouïs.

Le cadre a dû s'adapter aux nouvelles décisions, les exécuter et les faire exécuter dans un environnement de tensions et d'incompréhensions de plus en plus fortes. Il est devenu un exécutant enfermé dans une tactique à visibilité nulle, soumis à des politiques de plus en plus contradictoires. Sa position oscille dorénavant entre acceptation passive, bricolage et rejet.

---

1. Michel Alberganti, *Le Monde*, 29 mars 2008.
2. D'après une étude réalisée par l'auteur pour Olivier Spire, P-DG de Procadres.

Reformuler, temporiser, faire réaliser, imposer. Son unique mission est désormais la mise en conformité des équipes à des objectifs qui ne font plus pour lui le moindre sens.

Il se vit comme une courroie de transmission, un goulot où s'étrangle l'information. Il n'est plus qu'un « produit » au sein de l'entreprise. Au travers des formations qui lui sont données, il se voit imposer des manières d'agir formatées avec une dimension comportementale de plus en plus forte. Dans la tourmente, on lui inflige des codes vestimentaires et des codes de langage censés établir une dimension idéologique.

Il est transformé en délégué et interprète du pouvoir patronal, médiateur de la confiance à restaurer-replâtrer auprès des employés et subalternes, en charge de l'obtention du consensus. Il est désormais, plus ou moins consciemment, un rouage du mécanisme du pouvoir.

Soumis à un contexte général de rareté du travail, de chasse aux coûts, de répartition différente des tâches (machine ou non-cadres), il se sent de plus en plus dévoré par l'ogre au service duquel il s'était mis. À la fois producteur et objet des dispositifs organisationnels et de gestion, le cadre accepte que certaines forces en dominent d'autres. Il se résigne, se tait (gestion par le bâton, par la peur ?) ! Cette attitude passive à laquelle il est contraint est en totale contradiction avec les promesses du mythe de départ… Tout au long de la chaîne hiérarchique, chaque échelon voit le niveau supérieur comme source de contrainte. Il lui est difficile de former un collectif (contre-pouvoir), mais aussi de déléguer entre les différents niveaux. Si le devoir d'alerte est inscrit dans la nature même du travail des cadres, il ne fait plus partie de la culture de travail. Le cadre est peu ou pas syndiqué. Tout au plus, il recherche des réseaux… Il les trouve à titre personnel, et s'y épanche. Après tout, il est aussi un homme de son temps. Mais pour les exploiter vraiment, il faudrait qu'il franchisse son Rubicon.

▶ SCÉNARIO-CATASTROPHE

Pendant cette première décennie, c'est un scénario catastrophe qui s'installe. Le cadre encaisse les coups et fait office de bureau des pleurs…

Il se vit comme un être à la charnière de deux mondes qui s'ignorent, se désolidarisent, se confrontent : une hiérarchie hypnotisée par la dictature de la valeur en Bourse et une base désenchantée et démotivée.

La notion d'accélération recouvrait celle de succès global de l'entreprise. Elle était synonyme de l'euphorie dans la réussite et dans la mise en œuvre des valeurs entrepreneuriales. L'accélération érigeait le long terme comme principe noble. Or, le plus grand nombre se sent désormais écrasé par la tyrannie du court terme. Dans le mythe fondateur du cadre, le temps avait une valeur morale (qui donnait de l'épaisseur et de la profondeur à sa mission et, par extension, à sa personne). Aujourd'hui, le raccourcissement du temps incarne une stricte hégémonie de la valeur financière – le diktat de la rentabilité interdit l'émergence de la « valeur de soi ».

▷ *La fin d'un monde*

Les cadres qui ont la quarantaine en 2015 se vivent comme la dernière génération de ceux qui auraient pu avoir la chance de vivre le mythe ancien de la médiation-accélération. C'est la fin d'un espoir. L'horreur économique ambiante leur interdit d'espérer autre chose qu'un sursis avant le naufrage général annoncé par la mondialisation. La retraite est une illusion. Les délocalisations les ont touchés de plein fouet. Les machines les remplacent inexorablement.

▷ *Vers une infidélité-fidélité mobile ?*

Pourtant, vers les années 2020, un mouvement profond émerge, qui s'inscrit en faux contre les stéréotypes alarmistes, et qui met en évidence, derrière les clichés capitulards, une résistance… Alors que l'entreprise tâche de neutraliser le cadre par la généralisation des formations en management (tentative de création de clones indifférenciés et désensibilisés), le cadre remet en question le contrat de confiance qui le lie à l'entreprise. Il revendique de plus en plus une « infidélité mobile » et/ou il réclame le droit de s'opposer à sa hiérarchie, notamment quand les consignes sont contraires à son éthique, jugées illégales, répréhensibles ou préjudiciables à l'entreprise.

De nouvelles règles du jeu semblent se dessiner, qui sont certes issues des tendances anciennes que l'on repérait çà et là : la montée de l'individualisme, les initiatives d'opposition, une sorte de devoir d'ingérence au sein de l'entreprise, un droit d'alerte, inscrit dans la nature même du travail des cadres, un *whistleblowing* à l'anglo-saxonne… réapparaissent comme autant de moyens de réinventer son rôle et son statut. On assiste à une aspiration puissante à réenchanter le métier, la mission, l'équipe en passant de l'autorité à l'écoute, de la hiérarchie à l'échange, du directif au participatif, de l'adhésion contrainte à la proposition créative. Une nouvelle forme de solidarité avec l'entreprise semble émerger. Elle est conçue sur un nouveau contrat dans lequel l'individu cadre serait reconnu comme une entité entrepreneuriale au sein de la structure. Un réchauffement humaniste de l'expérience humaine en entreprise est en vue.

▶ Vers un réenchantement ?

L'entreprise peut être, devenir ou redevenir un lieu d'épanouissement personnel où action et passion peuvent se stimuler l'une l'autre, où le travail peut être un accomplissement, où l'accomplissement de soi peut avoir une dimension de plaisir, où l'identité retrouvée peut être vécue comme un nouvel héroïsme, où le complexe d'écrasement peut se transformer en défi à relever. Le réenchantement attendu, désiré, de l'entreprise est bien entendu au cœur d'un paradoxe, car la « tentation catastrophiste » est toujours en embuscade. La gestion de ce paradoxe, vécue avec plus ou moins de cynisme par les uns ou les autres, est un challenge. Les cadres ne sont pas dupes de ce paradoxe, ils n'attendent pas que l'entreprise change dans sa nature, ils souhaitent se la réapproprier ! Dédiaboliser l'entreprise n'est pas faire le jeu de l'actionnaire distant et déconnecté des réalités, l'enjeu c'est de jouer sa carte personnelle. Tout le monde ne sait pas nécessairement comment s'y prendre.

▷ *Retour d'une typologie connue*

Le cadre « lent », le cadre de « proximité », homme de métier, toujours à son poste, qui connaît ses équipes, ses *process*, ses machines et ses clients, qui représente le modèle traditionnel de la loyauté et du sens de l'honneur, perd pied et s'effondre.

Le cadre « rapide », manager, homme de carrière en devenir, mobile, qui connaît les techniques de gestion des hommes et des finances, ignore les phénomènes locaux. Il revendique une forte valorisation. Les gestionnaires ont mis le feu. Le cadre « rapide » va les remplacer. Ce n'est pas l'art qui compte, c'est la manière. Le rapport au travail est alors conçu comme le centre de gravité : élément primordial de la réalisation de soi. On assiste à une nouvelle vision de soi comme acteur dans l'entreprise.

Le travail tend à devenir un creuset d'estime de soi dans lequel le statut est perçu comme moins important que les motifs d'épanouissement qui y sont recherchés. La réconciliation passe par la revalorisation du capital symbolique de l'individu. Dans les années 2020, la mission se décrit en termes d'efficacité : capacité à résoudre des problèmes, à absorber et à gérer l'incertitude. Sa compétence doit être universelle, il est payé pour trouver des solutions... pour couvrir les erreurs de la direction.

▶ L'IPDC

Le nouveau contrat avec l'entreprise est l'IPDC (Investissement personnel à durée choisie), proposé par le cadre à la structure entrepreneuriale. Les cadres cherchent à recréer eux-mêmes un système de valeur à partir de schémas mobilisateurs. Ils convoquent l'imaginaire sportif – la gagne, le plaisir de la compétition –, l'imaginaire guerrier – le condottiere, la conduite des troupes, l'exposition aux coups comme réalisation de soi, l'initiation, l'achèvement –, l'imaginaire technologique – redonner une âme à l'androïde que l'entreprise cherche à faire de lui avec les « gadgets indispensables et dérisoires » de la Data Mobile et des séminaires pour cadres.

Les vieux clichés refont florès et ils sont de l'ordre du plaisir du jeu personnel et social, tout en considérant que l'entreprise a besoin d'eux et qu'ils ont besoin de l'entreprise. Dans les tempêtes économiques, il s'agit d'être tous sur le pont pour défendre son gagne-pain. L'entreprise est le bras armé du politique dans la guerre économique mondiale, il y a donc un devoir citoyen à défendre ses positions. L'entreprise est vécue comme un microcosme symbolique de la société au sens large, la défendre relève d'une dimension citoyenne, s'y investir relève d'un retour sur investissement bien compris. N'est-ce pas le grand jeu sociétal annoncé ?

Et donc, ici comme ailleurs, émerge une nouvelle fracture…

▷ *Le samouraï et le jardinier*

Le samouraï travaille en continu, se déplace sans cesse, mobilise les techniques de communication et les réseaux pour préserver en même temps sa vie personnelle et familiale, réagit à tout, tout de suite, donne à son existence la « savante saveur de savoirs synchrones[1] » immédiatement mobilisables. Il est prêt à lancer sa propre entreprise, mais ce n'est pas vraiment nécessaire. Il est lui-même son propre concept entrepreneurial. Il vaut de l'or. Il est coté en Bourse à la manière des artistes dans *Idea Futures* de Nick Bostrom[2].

Le samouraï. Dans le feu de l'action, passionné par les défis qu'il s'est lui-même donnés, il accepte les dommages collatéraux de l'horreur économique. Il adhère à l'entreprise vécue comme champ d'aventures humaines. Caporal de tranchées, il a la noblesse d'en sortir le premier et de mener l'assaut en se sentant co-responsable des choix de l'entreprise. Il est convaincu d'appartenir à la

---

1. Blaise Gingembre, sur e-dito.com
2. Voir le chapitre « L'horizon des nos utopies », p. 227.

classe « productive » la plus fragile, celle où le don de soi est très fort (le plus fort ?). Il a l'envie de se trouver des challenges, d'adhérer à des projets nouveaux, de maintenir sa motivation, de se prouver qu'il peut réussir.

Le jardinier n'est pas moins nécessaire à l'entreprise. Il la consolide. Il se méfie de l'intrusion de l'entreprise et estime que le rythme effréné du samouraï peut, d'une certaine façon, le déresponsabiliser, car il risque de négliger l'essentiel.

Le jardinier. Satisfait de sa rémunération, il ne croit pas pouvoir gagner beaucoup plus. Il manifeste un attachement important au temps libre (soirées, week-ends, vacances) et fait de la résistance contre l'intrusion du travail dans la sphère privée. Il est peu mobile, et prudent, voire méfiant, vis-à-vis des nouvelles technologies de la communication. Il refuse le Varuna. Les valeurs d'harmonie, d'équilibre, de complémentarité dans l'activité sont pour lui le raisonnable face à la démesure des exigences professionnelles. Il aime s'amuser, rire. Modestie et satisfaction lui permettent, au final, aussi de se situer en dehors du désenchantement, du malaise, de la grogne.

Le samouraï est centrifuge et divergent, le jardinier centripète et convergent. Les actionnaires estiment avoir besoin des deux pour assurer le *bottom line*.

 Que sont les métiers devenus[1] ?

Formations aux technologies & assistance informatique personnelle
Métiers de l'intermédiation : facilitateurs du quotidien
Métiers du tourisme personnalisé
Métiers traditionnels réinventés : les savoir-faire des métiers manuels et de l'artisanat offrent un service global et réactif
Métiers médicaux et paramédicaux
Métiers tournés vers la prise en charge de la petite enfance, et du temps

Les métiers sont désormais un assemblage de compétences hybrides.

Transverse
Mobile géographiquement
Réseau très fort
Curiosité
Culture générale
Cybercompétences
Capable de comprendre son environnement

---

1. René Duringer, courriel à l'auteur.

Autotélique (capacité à déterminer soi-même la fin de ses actions)
Capacité d'adaptation
Au moins bilingue (à défaut maîtrise du globish)
Travail en équipe
Self-training permanent
Humour
Écoute (des clients et des collaborateurs)

⇨ En 2015, il faut être mutant plus que mouton...

Et pour les chefs d'entreprise, l'enjeu consiste à réussir la mise en place d'une culture de la progression interne (« à chacun sa chance ») et à favoriser un pont intergénérationnel dans les prochaines années. « La raison d'être d'une organisation est de permettre à des gens ordinaires de faire des choses extraordinaires[1]. »

 Obligés de travailler jusqu'à 74 ans...

... pour bénéficier d'une retraite décente. En 2010, on sortait des Vingt Piteuses pour entrer dans les Vingt Teigneuses. On se souvient avec une nostalgie agacée du mythe des Trente Glorieuses. Toujours cette histoire d'âge d'or ? Les meilleurs historiens n'en doutent pas. Il y a eu des générations privilégiées. On trouvait du travail. On était porté par une vague positive. « Jobs à gogo, salaires et pouvoir d'achat ascensionnels, libération sexuelle : ils ont tout eu[2]. » Récession, précarité, rémunérations en berne, sida : rien n'a été épargné à la génération suivante. Alors, les Vingt Teigneuses jusqu'en 2030 ?

Il va falloir s'accrocher ! De toute façon, on perd la mémoire. Mais comme on vit dans un présent éternel, est-ce si important ?

❝ Les supports sur lesquels est inscrite l'information numérique sont constamment rongés de l'intérieur par le temps ; même si on conservait tout ce qu'il faut pour les lire, l'information disparaîtrait tout aussi inexorablement ! Les bandes magnétiques vieillissent en une dizaine d'années, et la seule façon de conserver les informations est de les recopier sur une bande plus neuve, etc., ad infinitum. *C'est ce que font les grandes*

---

1. Peter Drucker.
2. Anne Vidalie, *L'Express*, 10 mars 2004.

bibliothèques pour conserver leurs données [...] si la recopie est oubliée pendant un certain temps, tout est perdu[1]."

La conservation à long terme est au cœur des discussions. Seuls quelques esprits chagrins émettent encore l'idée qu'on ferait bien de s'en préoccuper. D'autres, peut-être facétieux, suggèrent que la *mare imaginalis*, l'océan intériorisé de toutes les connaissances de l'humain, appartient à une mémoire non écrite qui vaut toutes les bibliothèques. Les époques anciennes nous ont légué des documents qui ont traversé le temps, mais l'humanité s'en porte-t-elle mieux ?

Habiter

⇨ **SDF et marchands de sommeil...**

⇨ **Banlieues dortoirs...**

⇨ **Explosion des mégabidonvilles, ces étendues tentaculaires de taudis, dans les zones les plus dangereuses, instables et polluées...**

Et pourtant, notre cerveau animal rêve d'une tanière. La maison reste-t-elle « la grande image des intimités perdues »... ou devient-elle l'image de l'intimité retrouvée ? En tout cas, elle se transforme. Elle devient, plus que toute autre chose, le symbole des mutations en cours.

"L'archétype de la maison, de « la petite maison dans la prairie », continue à s'imposer auprès de toutes les générations, y compris chez les adolescents qui, tout en disant s'éclater dans le grand terrain d'aventure de la ville, affirment que demain, lorsqu'il leur faudra poser leur sac et s'installer, c'est vers le pavillon hors la ville qu'ils essaieront d'aller. [...] On continuera à « surinvestir » un habitat stable, sécurisant, à taille humaine, un lieu chargé de mémoire." (Bernard Preel, *Les Cahiers Millénaire*)

▶ LA TRANSFORMATION DE LA MAISON

La maison « cocooning » du tournant du siècle précédent était une tanière, elle protégeait le citoyen et le consommateur. Cette tendance

---

1. Franck Laloë (directeur de recherche émérite au CNRS, département de physique de l'École normale supérieure), *Le Monde*, 26 janvier 2008.

persiste, car chacun a besoin d'un « lieu sûr ». On y investit beaucoup. C'est la citadelle du « moi-je » fier et propriétaire, c'est un territoire soumis et fermé dans lequel le culte de l'intime vit ses derniers moments, c'est le « chez soi » qui proclame l'appartenance à un point fixe dans un monde qui tourne de plus en plus vite. Pour chacun, ce centre du monde est une casemate mentale. Ce n'est pas forcément désagréable. Sécurité physique, bien-être moral et harmonie esthétique sont les clés du bonheur.

La maison était un temple, un univers clos dont les quatre murs signifient l'être intérieur. Bachelard y voyait le symbole des états de l'âme. La cave correspondait à l'inconscient, le grenier à l'élévation spirituelle. Les pièces de la maison étaient autant de reflets de l'intériorité et des qualités de chacun.

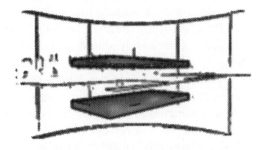

Ces attributions géographiques traditionnelles subissent des secousses. Les chambres, la salle à manger, le salon, la cuisine perdent peu à peu de leur spécificité, de leur exclusivité fonctionnelle et métaphorique. On reçoit à la cuisine. On s'isole derrière un paravent dans le salon, on met un casque sur les oreilles. Les enfants jouent. On regarde un DVD… technologie un peu primitive, vite dépassée par la 3D, mais qui garde son charme.

▷ *La chambre à coucher*

Elle est investie d'une fonction prophylactique et centripète : autrement dit, on y cherche refuge physique et soin moral. On s'y nettoie la tête, on s'adonne à soi-même, on s'y recentre sur soi, on s'y retrouve. Elle est un lieu de vie très complet, mais protégé : c'est à la fois la bibliothèque, le mini-bar, la salle de spectacle, le lieu bien entendu des fantaisies et des fantasmes. C'est le dernier carré où résistent encore l'intimité et la transparence. La chambre est connectée, mais sous contrôle. Toute communication entrante est examinée et filtrée. C'est un sanctuaire. Le lit est en suspension magnétique, les oreillers sont truffés de capteurs antironflement, les murs sont tapissés d'un papier peint électronique qui fait apparaître les images que l'on souhaite, selon l'humeur. À dire vrai, cette technologie fait plus le bonheur des enfants que des adultes, qui aspirent à plus de pérennité dans la décoration.

▷ *La cuisine*

Elle est au centre des nouveaux plans d'architectes. Dans l'ancien, elle est réaménagée, réorientée. Dans son principe, dans le rêve utopique du temps, c'est une centrale informatique interactive abritant four, table de cuisson et machine à laver multifonctionnelle. Elle les fait surgir d'un simple claquement de doigt. Elle est évidemment reliée à Internet, elle vous informe, elle est connectée au site de livraison à domicile de la grande surface locale. La réalité est un peu différente. Si la technologie fonctionne à peu près, le vrai problème des gens est de la faire cohabiter avec une immense nostalgie pour la table de ferme en bois massif, avec des espaces beaucoup moins modulables que prévu, avec la ronde des invités et avec la pression sociétale pour une consommation minimale et raisonnée d'énergie.

Alors, certes, le tri automatique des déchets et le système de réutilisation des eaux de pluie sont devenus des évidences. Il est acquis que la puce RFID, intégrée au tambour du lave-linge, permet de reconnaître les vêtements déposés à l'intérieur et que l'appareil choisit le programme de lavage approprié et utilise juste ce qu'il faut de lessive tandis qu'un écran vous informe de toutes les étapes réalisées, du contenu de votre machine, de la durée du cycle.

Une petite pointe d'amertume se fait sentir quand, sur les autres écrans de la maison, jaillit le spectacle des catastrophes d'une planète de plus en plus mal en point.

▷ *La salle de bains*

Heureusement, il y a la salle de bains. Très bon pour le moral. Elle est, plus encore que la chambre à coucher, un lieu de vraie solitude et de détente où l'aspiration à la propreté rencontre le besoin d'une pause mentale sinon spirituelle.

Décrochage et raccrochage au monde réel s'y font sans couture, en un clin d'œil. C'est autour du miroir que se concentrent les innovations, au motif un peu basique et naïf, comme nous l'avons déjà vu, que le moi est central, et tant que son règne dure autant le choyer. Le miroir de la salle de bains intègre une série de commandes qui la transforment en temple zen pour la concentration spirituelle, en boudoir pour la volupté du soin de soi, en tour de contrôle du monde extérieur pour connaître l'état du trafic et la météo, en tour d'ivoire pour quelques longs instants voluptueux.

▷ *Les toilettes*

Est-ce parce que l'espace dédié est plus restreint ? En tous les cas, elles sont l'endroit où se concentrent les innovations : automatisation, nouvelles fonctions comme la mesure du taux d'hémoglobine ou de lipides. C'est parfois aussi le dernier refuge de l'intimité : tout s'y passe à bruits couverts, odeurs absorbées, temps ralenti, espace de lecture, vaporisation d'ambiance. On a l'impression de pisser en pleine forêt.

▶ VERS UNE MAISON SÉCURISÉE...

L'entrée est contrôlée par ordinateur. Chaque occupant de la maison est automatiquement reconnu grâce à des paramètres préenregistrés. Au passage du facteur ou d'un livreur, la livraison du courrier et des colis est sécurisée par l'écran et un système de sas. Ironie de l'histoire, plus la maison se verrouille et se barricade, plus émerge un mouvement inverse qui n'est pas que symbolique.

▶ ... MAIS OUVERTE

Internet bouscule les règles du jeu domestique traditionnel en provoquant un mouvement de réouverture vers l'extérieur. L'intimité est mise à mal, la notion de secret se dilue, l'extériorité est en passe de l'emporter sur l'intériorité. On se dit parfois que les nouvelles règles du jeu tendent – là aussi – à mimer celles d'une époque où la sphère privée et la sphère publique se confondaient souvent, et que l'époque a décidément le goût et la saveur de la Renaissance. Cette idée plaît. Elle donne l'impression d'ennoblir la modernité.

Un besoin de connexion, nouvelle forme de lien social, accompagne donc Internet. Est-ce Internet qui l'a provoqué ou est-ce ce besoin qui a permis à Internet de triompher ? Ce qui est sûr, c'est qu'on ne sait plus comment on faisait avant. Avec lui, la maison n'est plus un lieu clos sur lui-même, elle est virtuellement ouverte sur le monde, prête à en partager les jouissances.

▶ DE LA MAISON *CLICKING*...

Tout commence en 2010-2020 avec la *maison clicking*, virtuellement reliée au reste du monde. Un clic de souris – et bientôt un claquement de doigts, un battement de cils, puisque les machines obéissent au doigt et à l'œil, littéralement –… et le monde s'ouvre.

La maison s'occupe de (presque) tout : elle connaît son monde, les petites manies de chacun. Elle gère le chaud et le froid, elle sait tout de l'état des réserves dans le congélateur, du choix des produits en fonction des goûts et des besoins de chacun. Elle coache : surpoids, besoin de vitamines, besoin d'euphorisants, besoin de câlins gourmands… Question convivialité, elle sait y faire : elle interprète (parfois avec finesse) les conversations – quand elle y est invitée.

Quand le niveau de la conversation est de qualité et qu'au cours du dîner Monsieur cherche cette citation de saint Augustin qu'il prétend avoir sur le bout de la langue, l'écran interactif au-dessus de la cheminée s'éclaire – ce n'était pas chez saint Augustin qu'il fallait chercher mais du côté de Mallarmé. Bon joueur, Monsieur reconnaît son erreur. La compagnie change de sujet, et les photos en 3D du dernier voyage en haute Gascogne illustrent l'enthousiasme de Madame qui évoque les chants occitans à Saint-Bertrand de Comminges.

Quand l'humeur est différente, la salle à manger peut se muer discrètement en boudoir très lupanar IIIᵉ République… et des créatures holographiques au désir impétueux surgissent des murs… petit clin d'œil facétieux aux maisons closes.

On note que, dans la plupart des foyers *mainstream*, ces prestations sont sponsorisées par des marques. L'habitation est prise en charge par Veolia, qui a ouvert ses services au grand public, le spectacle occitan est une proposition du comité régional du tourisme des Pyrénées et les hologrammes de l'intermède léger sont un cadeau de l'association des commerçants du quartier.

Dans l'*upstream*, on ne voit guère ce genre de choses. Si, pardon, cela se fait, mais pas au rabais. Les marques, c'est un peu vulgaire. Le *nec plus ultra*, c'est la relation personnalisée : ce n'est plus la marque qui s'adresse à vous, mais son PDG qui s'invite chez vous. Dans l'*upstream*, on ne plaisante pas avec ces choses-là. Le *networking* est une affaire de tous les instants. On reçoit l'avatar de cet homme d'affaires civilisé, très chevalier d'industrie humaniste. C'est plus chic.

Quoi qu'il en soit, le comble du savoir-vivre, c'est de se mettre en scène dans une atmosphère de convivialité réjouissante. La maison, armée de son faisceau de technologies intuitives, autorise, voire suscite, une approche sélective mais gourmande des autres, de la tribu, du village urbain, des îlots de quartier.

▶ ... À LA MAISON *MIXING*

La technologie sophistiquée d'écrans interactifs un peu snobinards et érudits n'est bien entendu qu'un des aspects de ce qui est en cours dans la vingtaine d'années qui nous intéresse. Vie rêvée des riches, utopie technologique, consommation hors de prix, bugs récurrents : l'écart entre Mallarmé et saint Augustin est un peu suspect, il y a peut-être eu une erreur d'analyse. Peu importe. Ce qui compte, c'est avant tout la convivialité. Elle s'incarne dans les repas, les fêtes, les événements. Il s'agit de réenchanter la vie sociale au plus près de soi, c'est-à-dire chez soi. Les services se multiplient. Un nouveau clic suffit pour obtenir à domicile toutes sortes de nourritures, traditionnelles ou exotiques – cela fonctionne depuis des années – mais, bientôt, un service complet permet de reconstituer à la maison le cadre correspondant. Serviteurs en livrée ou musiciens exotiques, brigades de restaurateurs aux couleurs du pays, décors et senteurs, paysages en hologrammes géants autorisent, pour un soir, un voyage total. On livre dans l'après-midi les costumes qui siéront aux invités. Le service est évidemment parfait. Ce qui veut dire réactif, adapté, synchronisé.

En fin de soirée, tout est remballé, et le rideau retombe.

On invite les représentations du monde à la maison et on joue le spectacle du monde. Le besoin de consommation est satisfait par les technologies de l'information et de la communication... et du bricolage. Toute l'offre marchande est disponible. Produits et services inclus.

Services ? Si la maison est aussi un espace de convivialité, ouvert sur le monde, cela crée des exigences... Comme on reçoit de plus en plus, il faut que la maison soit bien entretenue, mais comme on n'a pas toujours le temps de s'en occuper, il faut être aidé. Tout cela coûte cher. Les investissements affectif et financier se déplacent vers la maison, vers l'appartement, vers le « chez soi ». Les industriels du bâtiment se réjouissent. La maison a détrôné depuis longtemps la voiture en termes d'investissements économique et psychologique.

▷ *La maison est un objet complexe !*

Il faudra certes un moment avant que la maison n'atteigne un niveau de perfection comparable à celui de l'automobile puis qu'elle soit détrônée, mais cette complexification croissante rend le bricolage à la maison de plus en plus périlleux. Les éléments techniques et technologiques sont nombreux, et rien ne doit lâcher pour que la fête soit réussie.

Ce qui ne va pas de soi. La panne électrique – symbole mythique du désastre domestique et urbain – menace. La longue histoire des accidents technologiques ne s'arrête pas aux frontières comme le nuage de Tchernobyl sur la rive droite du Rhin. La panne américaine du 9 novembre 1965 reste l'événement fondateur, à cause de l'immensité du territoire et du nombre de personnes, des millions, plongées dans l'obscurité. Celle de New York, une douzaine d'années plus tard, confirmait l'incertitude qui pouvait régner dans le sport à haut risque qu'est la conduite de la technologie. Ces pannes déclenchent émeutes et pillages, combats de rue et apocalypse urbaine. D'année en année, la menace se rapproche. La France n'est pas à l'abri : panne générale de 1978 dans l'Est, de 1987 dans l'Ouest, et le Japon s'y met la même année : à Tokyo, 3 millions de clients sont coupés du réseau. Le verglas exceptionnel de 1998 semble donner raison au mythe d'une Gaïa vengeresse. Le Nord-Est américain gèle et retombe dans le noir en 2003. Sale année 2003 : Helsinki, Londres, le Danemark, la Suède, l'Italie du Nord sont frappés. En 2006, 15 millions d'Européens. Les drames nous rattrapent et nous frôlent. 2010, la Côte d'Azur est dans le noir total pendant 48 heures. 2012, la catastrophe n'est pas évitée à Londres pendant les Jeux olympiques : panne totale pendant la cérémonie d'ouverture. Terrorisme ou négligence ? On n'ose pas penser que des Parisiens aigris aient pu imaginer se venger de l'échec de la candidature de leur ville quelques années plus tôt. Ce n'est qu'une rumeur. L'époque est à la folle surenchère des haines et des démesures.

Les maisons du futur ont intérêt à être capables de vivre en autarcie et isolées des réseaux... ou à tenter de l'être. On se réfugie chez soi.

Réalisations charmantes, passionnantes, enthousiasmantes. Réalités rares tant à cause des budgets qu'elles impliquent que de la résistance des services d'urbanisme. Le conservatisme des administrations reste de rigueur. Certains, bien intentionnés, énoncent que derrière cet immobilisme apparent, il s'agit de préserver des valeurs fondatrices et que toute innovation doit prouver sa validité et sa capacité de survie par son combat pour émerger au grand jour. Alors seulement elle pourra être reconnue par l'ensemble du corps social. Alambiqué. D'autres pensent que rien ne change. Qu'une puissance conservatrice à courte vue sera toujours là pour empêcher les imaginations d'aller trop vite.

Deux approches, deux philosophies de la maison : négocier l'espace pour l'homme ou pour la nature ?

La **villa Nurbs** d'Enric Ruiz-Geli est centrée sur l'individu, et cherche à mettre toutes les ressources technologiques à son service. Plutôt que d'être tournée vers une négociation avec la nature, elle se veut une sorte de sas isolant tourné vers l'hypermodernité. Aucune nostalgie, une foi absolue dans le high-tech, une seule et unique pièce multifonctionnelle – chaque zone est son propre micro-environnement, comme les sièges de passagers d'une classe de première en super jet privé –, des revêtements extérieurs qui se gonflent et dégonflent. Un habitat proche de la singularité de Kurzweil : le partenariat à égalité d'expertise et de responsabilité entre l'homme et la machine-maison vivante. L'ensemble des systèmes de chauffage, d'éclairage, de sonorisation de la maison est télécommandé à distance et logé dans une zone hors les murs, dans le jardin. Le patio intérieur est une piscine-jardin. Nous sommes à Barcelone. En pleine ville, en pleine banlieue. Nous sommes dans un organisme vivant[1].

La **Zero House** de l'architecte Scott Specht est complètement écologique, automatique et auto-suffisante. Le toit surdimensionné est recouvert de panneaux solaires à haut rendement. Des batteries permettent de stocker assez d'énergie pour répondre aux besoins d'une semaine complète, même si le temps est couvert tous les jours. La maison est équipée d'une citerne de 10 m^3 sur le toit, et c'est la gravité qui crée la pression requise dans la plomberie. Les eaux usées des toilettes sont évacuées dans un conteneur à compost au sous-sol, qui digère l'ensemble organiquement, évitant ainsi tout raccord de canalisation. Autonomie parfaite. Et même ainsi, cette maison est hautement civilisée et hospitalière. Son éclairage à LED intégrés aux murs et aux plafonds consomme très peu d'électricité et augure de 100 000 heures de fonctionnement sans changer une seule ampoule. C'est un nouveau mode de vie, responsable sur le plan écologique, et séduisant sur le plan du style[2].

Un coup de vent ne risque-t-il pas d'emporter le projet de Scott Specht ?... L'épure ne rappelle-t-elle pas ce que l'on enseignait dans les cours d'architecture il y a vingt ans ?... Ces questions sont posées dans les forums en ligne, sans lesquels aucune idée dans quelque domaine que ce soit ne peut désormais éclore et trouver une légitimité chez les investisseurs économiques. C'est l'effet du système de cotations inventé par Bostrom. Luiz-Geli a trouvé de généreux donateurs prêts à le suivre. On peut visiter. De l'extérieur. Luiz-Geli revendique un concept d'intégration dynamique de l'homme dans la ville et dans la maison, Scott Specht semble vouloir donner la main à la nature.

1. *New York Times* et *GQ*.
2. Architechnophilia, *via* Yanko Designet, www.gizmodo.fr

Les utopies architecturales volent tels des papillons, légères, éphémères… Dans le dur champ du quotidien, qui tire le plus souvent le diable par la queue, on voit se développer des services (préventifs et curatifs) de « maintenance courante permanente » des équipements privatifs et des parties communes. Le champ d'application est multiple : robinetterie, plomberie, électricité, serrurerie, menuiserie, quincaillerie, fermetures, ventilation, chaudières, etc.

▶ Tout le monde s'y met

On assiste à une prolifération d'entreprises qui prétendent préserver l'environnement tout en permettant à leurs clients de réaliser des économies. La technologie suit : des systèmes de relevés à distance des compteurs sont mis en place. Ils reposent sur la lecture et la transmission automatique des volumes consommés et utilisent une technologie sans fil couplant la radio et Internet… Mais on a beau faire, il faut toujours un artisan quand le robinet fuit ! Ce qui ne va pas sans grincements de dents, car les services sont facturés de plus en plus cher. Dans le *mainstream*, la tension entre les avancées technologiques et le recul du train de vie est une préoccupation.

Pourtant, de façon réaliste, empirique, parfois acceptable voire raisonnable, les enjeux écologiques prennent une place plus importante. Il s'agit de faire monter dans le train environnementaliste le plus de monde possible. De toute façon, il est irréaliste pour le citoyen ordinaire de ne pas participer au mouvement écologique global, désormais considéré comme un protocole de survie. Le navire planète coule. Chacun doit s'impliquer.

Comme l'individu, la maison sort de son isolement. La maison idéale se prépare à devenir une maison citoyenne. Le passage est tout un symbole : on passe d'une relation rigide et tendue à une relation souple et fluide. L'habitat semi-collectif, excellent support de regroupement tribal, monte en puissance.

C'est tout un imaginaire qui s'incarne ici : la maison ne cherche plus à résister envers et contre tout aux agressions du monde, elle les intègre, elle les assimile. L'idéologie des disciplines martiales d'Extrême-Orient est convoquée : la recherche d'un meilleur contrôle de soi et de son environnement est primordiale. La fertilisation croisée des civilisations, des cultures, des idéologies n'est pas une nouveauté. De même que l'individu recherche une relation plus harmonieuse avec la nature, de même il construit sa maison. Le succès de la maison écologique est profondément celui d'une meilleure utilisation de l'énergie et de la force physique et mentale des acteurs : l'homme – et peut-être surtout la femme ! –, l'architecture, les matériaux.

Le mot qui viendra après « écolo »

❝ Les matériaux « intelligents » pour le bâtiment réagissent ou se transforment en fonction de leur environnement (température, lumière, humidité, etc.). La peinture réagit à une fuite de gaz. Les capteurs dans la charpente détectent l'intrusion de termites. Les vitres sont imperméables à la chaleur ou autonettoyantes[1].❞

Avec les matériaux autonettoyants, la maison elle-même devient un instrument avancé de l'« écoattitude ». La maison propre fait écho au corps propre. Être propre est un modèle, une norme, une excellence. La propreté de la planète relève d'une même féminisation du monde. Les femmes s'y montrent plus exigeantes.

Les prospectivistes et les poètes avaient imaginé que la femme était l'avenir de l'homme. Ils ne se sont pas trompés. Les femmes n'ont pas cédé de terrain sur la gestion domestique. D'autant moins que le domicile est plus que jamais – comme nous l'avons vu – le lieu privilégié de l'expérience sociale. La saleté est vécue comme une agression intolérable. Le domicile reconnecté au monde est un lieu de vraie vie – grâce aux nouvelles technologies de l'information et aux nouvelles solidarités sociologiques.

Le principe moteur de la maison « consciente » est celui de la circulation et de l'échange : circulation des courants d'air chaud et froid, de la lumière à travers de larges baies vitrées qui laissent pénétrer les rayons du soleil, de l'eau qui, une fois utilisée, est recyclée en permanence pour alimenter le potager domestique, dont la fonction est à la fois de rafraîchir la maison et d'apporter fruits et légumes. L'utilisation conjointe de différentes sources d'énergie – telles que le solaire, l'éolien, l'énergie issue de la décomposition des déchets organiques – s'articule, imite, se modélise sur l'évolution même de la maison vers un mix privé-communautaire.

La maison *mixing* réinvestit plus résolument le lien social et s'inscrit dans l'évolution de la ville, dont elle est inséparable. Bien entendu, ces différents arts d'habiter coexistent pendant cette période.

Alors, le mot ? Hybride, peut-être.

---

1. www.gizmodo.fr/2007/11/14/la_maison_du_futur_sera_totalement_verte.html ; actualites/news/t/technologie-1/d/la-maison-du-futur-et-les-nanotechnologies_9674/

► La maison devient un lieu hybride

Sa fonction se métisse avec celles des grandes « maisons » communes – l'école, l'hôpital, la mairie… – qui fabriquaient du « lien » et du « bien », et qu'elle intègre désormais comme composantes obligées.

L'internet tend à compléter, mais pas à remplacer l'école. On ne ferme pas lycées et collèges, on aménage les horaires. Certains cours sont suivis par les élèves depuis chez eux, en direct, à des horaires précis. Les écrans interactifs permettent la participation effective de chacun. Les rendez-vous physiques restent obligatoires – ne serait-ce, précisément, que pour l'éducation sportive qui acquiert une place privilégiée dans la lutte, enfin programmée, contre l'obésité.

La *cyberclinique* est disponible à domicile. Elle repose sur un lien avec un centre de soins éloigné, quelque part dans le monde, dans une *clinical valley*. D'ici peu, elle proposera des opérations endoscopiques à domicile. L'autosoin est une pratique en voie de développement. La cyberconsultation des années 2020 permet de gérer certains types de relation avec les patients. En particulier, chez les psys. Le divan du psychanalyste, c'est le mien, chez moi. L'histoire dira si le transfert fonctionne de la même façon.

La mairie et tous les services de l'État sont accessibles en ligne. Le vote par Internet est entré dans les mœurs.

La séparation physique des pièces perd définitivement son sens. Une architecture intérieure virtuelle se met en place au gré des envies. On joue au tennis au cœur d'un écran plasma enveloppant qui se développe sur tout l'espace autour de soi. Votre adversaire joue à des milliers de kilomètres ou sur le palier d'à côté.

Au centre, toujours la cuisine. Et le potager se trouve parfois sur le toit…

Jardin d'Éden numérique et potager citadin

Connaîtrons-nous dans les vingt prochaines années le jardin numérique, fiction totale de plantes virtuelles, de parfums de synthèse, d'écrans tactiles reproduisant selon l'humeur le jardin d'Éden ou (plus près de nous et plus crédible peut-être) le potager du siècle dernier ? Une flore holographique donnera-t-elle l'illusion d'une croissance naturelle, une faune en pixels chimériques hantera-t-elle le décor, frissons et enchantements garantis ?
En 2020, Walid Saadé[1] sourit rétrospectivement à l'évocation de ces hypothèses naïves mais tentantes. Au début de ce siècle, responsable de la marque Algoflash,

---

1. Walid Saadé est directeur marketing grand public de la société Compo France, et à ce titre directeur de la marque Algoflash.

il avait décidé de mener des études de marché. Les menaces environnementales et les intimidations terroristes avaient largement justifié le retour à la maison : la *castellisation du home* débutait, comme disent les sociologues. Derrière les murs protecteurs, les nouveaux jardins allaient donner accès à une nature parfaitement crédible, absolument spectaculaire, immédiatement consommable. On avait imaginé que, d'un clic, un décor naturel envelopperait la maison ou l'appartement en plus vrai que vrai. Une hypernature. Graviers et gazons s'empareraient des planchers et les imprégneraient de sons digitaux à effet de massage garanti. La sensation des pieds nus y serait ahurissante. Des plantes dressées à dévorer les ondes propagées par les routeurs et relais wi-fi allaient monter la garde. Synchronisé aux saisons, le logiciel pilotant le système allait reproduire fidèlement – voire avec un temps d'avance pour les plus impatients – les ensoleillements et les fraîcheurs matinales du vaste monde. Les poissons d'une mare virtuelle se disperseraient à votre approche. Vous marcheriez sur une eau vive et chantante, pixelisée et synthétisée. La fiente d'oiseaux dégagerait une fragrance enivrante et personne ne serait plus allergique aux plumes.

Il n'est pas resté grand-chose de cette utopie un peu suspecte. Le *story-telling* du tout-virtuel n'allait pas prendre. Elle avait fait rêver un moment, nourrissant programmes télévisés et magazines. Ce rêve-là n'allait-il pas devenir cauchemar à force de déréaliser le réel ?

Le jardin est en lien trop profond et puissant avec la déesse-mère, avec Gaïa, avec la palpation de la nature pour qu'on puisse l'enfermer dans une bulle de pixels. Une chose était sûre : le rêve de jardins était visité et revisité au motif qu'il était encore, comme il l'avait toujours été, un lieu chargé de mythes et d'aventures. En 2020, la réalité n'est pas moins piquante. Les tours de verre des fermes en ville deviennent les musts de tout paysage urbain politiquement correct. La nature y est certes domestiquée, mais ça ne sent pas forcément toujours bon là-dedans ! Ce qui est une bonne nouvelle… et n'est pas pour autant une fragrance de synthèse. La digitalisation à outrance n'est pas la solution que retient l'espèce humaine. C'est tentant sans être suffisant. L'impression de palpation digitale a beau être de plus en plus sophistiquée, quelque chose manque. Sous les tours des fermes géantes, chacun, dans les grandes villes, rêve d'un jardin à soi. *Non nova sed nove* : ce n'est pas tant que la chose soit nouvelle, mais la manière de faire va l'être radicalement.

Les nouveaux jardins inventés par Algoflash sous l'impulsion de Walid Saadé – qui met sa double culture franco-libanaise au service de ses inspirations – réussissent une synthèse entre fiction et réalité, entre hypertechnologie et retour à la nature, entre culture d'ici et culture de là-bas.

Le jardin à la maison en centre-ville est un jardin de curé high-tech. On attend qu'il nourrisse, qu'il soigne, qu'il embellisse. Il est à la fois potager et jardin d'agrément. On y trouve des tonnelles pour se protéger d'un soleil (que l'on contrôle quand même à volonté), une pergola, une treille… On y découvre aussi les splendeurs exotiques des jardins d'Orient… effluves discrets ou senteurs poivrées. Un singe se glisse dans une mangrove bonzaï.

Et on croit y apercevoir une remise à outils. Nuance : il s'agit du poste de pilotage de l'ensemble du système. Derrière la porte de bois savamment vermoulue, le citadin pilote la double vie de son jardin. Au-delà de l'immense métropole, il a accès à un jardin comme autrefois, au cœur de zones agricoles qui retrouvent ainsi du travail à donner à ses jeunes. Car ce jardin-là est commandé à distance. Des cohortes joyeuses de nouveaux agriculteurs, trop heureux de ne pas subir le sort aigre-doux des citoyens nano-urbanisés, s'activent avec bonne humeur. Les commandes de salades et d'œufs frais arrivent en bon ordre. Les fleurs sont arrosées avec délicatesse selon le cahier des charges de Bruxelles : l'eau de pluie y est récupérée, les éoliennes tournent dans un silence majestueux, les panneaux solaires fournissent la dose nécessaire d'énergie et les pelouses la biomasse. Tout cela se passe à quelques centaines de kilomètres. Les plus riches ont d'autres accès : les fruits exotiques du Brésil sont bientôt sous commande. Là-bas – mais aussi dans le Kerala, mais aussi en Tanzanie –, des groupements de villages se sont organisés. Potager City, une petite entreprise lyonnaise de livraison à domicile, livre désormais depuis le monde entier.

Ainsi le citadin y trouve son compte. Son jardin est le symbole de son pouvoir retrouvé sur la nature, signe de maîtrise du sauvage et de l'indompté – et, tapi dans l'inconscient de cette drôle d'histoire, le jardin semble reproduire la configuration antique des jardins royaux servis par mille ouvriers et jardiniers. *Hubris* contemporaine.

ALGOFLASH **Jardin d'Éden numérique et potager citadin**

est un concept interactif entre un jardin virtuel matérialisé par la biosphère et un ou plusieurs jardins réels « éco-gérés » par des associations sur place.

Visualisation holographique par dispositif web-cam.

P'RÉFÉRENCE
DYNAMISEUR DE MARQUES

Le jardin a donc son double dans le monde réel, et Walid Saadé a trouvé le passeur, le chaman idéal entre fiction et réalité : le nain de jardin *übernumérique*. Dans les jardins *mainstream*, on l'installe pour décorer parce que c'est beau ; dans le *downstream*, on le pose par dérision et on vous le fait savoir ; dans l'*upstream*, on l'aime d'amour, son nain de jardin, et on vous le présente comme un ami véritable.

Tous, en 2020, depuis leur salon, depuis leur *Uphonx*[1], conversent avec leur nain robot qui gère la liste des courses, les commandes du jour, le règlement des salaires, les livraisons et l'harmonie potagère et florale d'ici et de là-bas. Il est l'âme des jardins et garde un esprit facétieux. Cette petite merveille de technologie est devenue l'ange gardien du lien avec la nature, toujours prompt à proposer les fruits de saison ou le bouquet de la Saint-Valentin.

Le nain de jardin d'Algoflash fait le tour de la planète à la recherche de l'esprit des campagnes pour réenchanter la ville, reconnectant chacun à l'idée fondatrice du jardin : l'harmonie avec le monde.

▶ L'ANCIEN, C'EST L'AVENIR

Les projets visionnaires et les constructions *ex nihilo* qui veulent faire table rase du passé sont une chose. Les démarches qui prennent en compte les désirs des individus en sont une autre. La vingtaine d'années qui nous occupe se concentrera sur la rénovation de l'ancien. Les inventions les plus pertinentes permettront de conjoindre passé, présent et futur. Nous avons déjà entraperçu ce scénario à plusieurs reprises, n'est-ce pas ? Une même exigence diffuse à tous les étages : un monde sans couture, une histoire sans raccord, une quête d'harmonie dans un monde dissonant. C'est dans les esprits : un *Geistzeit* difficile à éluder. Et pourquoi faudrait-il l'éluder ? Les logiques de rupture ont plutôt mal fonctionné depuis quelques siècles. Les historiens s'attaquent à des proies faciles dans un premier temps : la pseudo-rupture des Soviets, la pseudo-rupture nazie, la pseudo-rupture maoïste. On a vu le résultat.

Nous nous écartons un peu du thème de ce chapitre, mais pas tant que ça : toute réflexion sur la maison est méditation sur le fonctionnement de l'univers. La maison, comme la cité, comme le temple, en est une représentation.

Le sanctuaire d'Ise, le site shinto le plus vénéré du Japon, plus ancien que nos cathédrales, offre justement un modèle radical de « couture », d'ajustage des temps fondateurs et des temps contemporains. Son fonctionnement fascine : reconstruit à l'identique tous les vingt ans depuis 478 de notre ère, il opère cette réconciliation et fait figure d'étalon.

Parvenir à cette perfection n'est pas une fiction. Les nouveaux matériaux l'autorisent.

L'aérogel

« *L'aérogel est le matériau solide le plus léger du monde. Avec une densité de quelque 3 grammes par litre, il est dix fois plus léger*

---

1. Voir p. 17.

que le polystyrène expansé, deux fois plus lourd que l'air. Cela parce qu'il en contient (de l'air) à hauteur de 99,8 %. Transparent, ce matériau supporte sans bobo deux mille fois son poids et ne fond qu'à 1 200 °C. Enfin, c'est un isolant thermique hors norme. Il est, par exemple, trente-sept fois plus isolant que la laine de verre, très largement utilisée dans le bâtiment."

Le bois

❝ *Le bois (abondant, peu coûteux, résistant, bon isolant…) a tout pour caracoler en tête du peloton des matériaux de construction. Las, le malheureux gonfle et « joue » sous l'effet de l'humidité, tout en servant de « cantine » aux micro-organismes et aux insectes de tout poil. Deux points faibles sur lesquels René Guyonnet, directeur de recherche au Laboratoire des procédés en milieux granulaires, a copieusement planché avant d'en venir à bout en imaginant un traitement thermique rendant le bois imputrescible sans emploi de produit chimique externe : la « rétification ». […] À l'arrivée, le bois acquiert une grande rigidité et se retrouve débarrassé des nutriments favoris des agents de dégradation. Jusqu'ici réservée aux résineux les plus répandus en Europe (pin maritime ou sylvestre, sapin des Vosges, épicéa…) et aux feuillus (hêtre, frêne, chêne…), la méthode entend profiter aux essences tropicales fragiles comme le fromager ou légères comme le balsa. « Et il est possible, avec la rétification, de traiter le peuplier, un bois de croissance rapide, et de le valoriser sur des créneaux moins « bas de gamme » que l'emballage des boîtes de camembert ou la fabrication des allumettes[1]."*

Le sanctuaire d'Ise est en bois et l'on imagine volontiers qu'il puisse, sans offusquer la divinité solaire Amaterasu à laquelle il est consacré, utiliser l'aérogel. Nous, oui ; les prêtres shinto, c'est moins sûr. Quo qu'il en soit, la cohabitation du nouveau et de l'ancien est sans aucun doute le véritable cheval de bataille de la vingtaine d'années qui viennent. Sans aucun doute ? N'avions-nous pas dit que rien n'est sûr ?

Une chose paraît acquise. Un bâtiment « moderne » se réduit à une équation simple : une « enveloppe » aussi légère que résistante, une kyrielle de matériaux remplissant des fonctions de protection thermique et d'isolation acoustique, et un système de ventilation garantissant une bonne qualité de l'air. C'est le CNRS qui l'annonce.

---

1. Laboratoire CNRS, École nationale supérieure des mines de Saint-Étienne, René Guyonnet.

⇨ Ouvert, peut-être, mais on en revient assez vite à l'élémentaire, au pragmatique

La maison « bulle », maison « forteresse », maison « dernier refuge » n'a pas dit son dernier mot. On se réaventure dans le monde, certes, mais avec un gilet pare-balles.

La violence est plus ou moins réelle selon les villes, mais le fantasme partagé est que le monde extérieur est trouble et sombre – les rues, les quartiers ne sont pas sûrs et leur sécurisation est une priorité. Chacun cède à la tentation de la fermeture et de l'isolement. Le mot d'ordre est : « Tous aux abris ! » La menace est néanmoins très exagérée : la banlieue n'envahit pas tous les jours les quartiers bourgeois en horde sauvage. Nous avons vu que c'est parfois l'inverse : les bourgeois vont visiter les quartiers chauds pour se donner des frissons. Mais le fantasme de cette menace est solidement ancré. Un dispositif d'autodéfense, d'abord symbolique, assure la garde. Des fortifications isolent et cuirassent, hésitant entre l'allégorique et le policier pur et dur. Faut-il faire de la maison un oppidum imprenable ? La première étape consiste à multiplier les quartiers à vitesse réduite par des dos d'âne (les zones à 30 km/h). Cela permet de délimiter les territoires. La rue est partagée entre l'espace réservé aux piétons, celui des cyclistes et celui des automobilistes. Cela apporte sécurité et qualité de vie dans les quartiers résidentiels. En « apaisant » la vitesse des automobilistes à 30 km/h, la cohabitation de tous les usagers de la rue devient possible. La terminologie administrative est élégante : c'est bien un apaisement que l'on attend.

Plus tard, la circulation est surveillée par des ralentisseurs électroniques qui agissent directement sur le moteur du véhicule. Étape suivante : la prise de contrôle par impulsions directes sur le cerveau du conducteur, qui lui délivrent des injonctions.

On passe de l'immeuble autogéré par ses propriétaires au quartier pris en charge par l'ensemble de ses résidants. Cela fonctionne comme les poupées russes : la maison s'intègre dans le quartier, qui lui-même s'intègre dans la ville... La tendance est à la recherche d'une enveloppe protectrice. C'est aux femmes que l'on attribue cette fonction, aux mères. Le maillage des quartiers par les technologies de la communication et de l'information étant totalement opérationnel, tout le monde est connecté à tout le monde, et on confie à une mère, depuis chez elle, la tâche d'organiser la vie du quartier, les fêtes des voisins de plus en plus fréquentes, l'entraide et le règlement des conflits. Un vrai métier adossé au triomphe des valeurs féminines.

Le silence devient un bien précieux, une valeur économique – puisque, de la qualité du repos de l'individu dépendent ses performances. La tendance perdure : les double vitrages deviennent des triples vitrages puis, rapidement, des trappes à décibel[1]. Toutefois, le silence absolu n'est pas la panacée. Les rues vidées de leurs bruits intempestifs évoquent par trop les fictions d'apocalypse post-nucléaire qui figurent toujours parmi les grands succès du box-office. On doit parfois y injecter des « bruits d'autrefois »… discussions sur le pas de la porte, injonctions de vendeurs ambulants, lectures de quartiers, bruits de fontaine. Des drones sonores parcourent les rues. Une télécommande spéciale permet à chaque foyer de baisser l'intensité sonore des bruits extérieurs ou de l'élever si, par hasard, le sujet abordé se révèle intéressant. L'ajustement psychologique fonctionne : chacun a l'impression de maîtriser son environnement sonore.

On généralise les dispositifs qui permettent de calmer le jeu. Les symptômes de la fatigue[2] du moi s'incarnent dans les oublis, les inadvertances – futiles peut-être, quand on perd ses clés ou les télécommandes. Les systèmes d'alarme protègent aussi bien des agressions extérieures que des inattentions, des faux mouvements, des petites défaillances. L'autosurveillance généralisée des objets, la connexion individus-objets, la radio-identification, permettent de localiser tout type de dysfonctionnement… et de retrouver l'objet égaré. Les smartphones ont en mémoire la totalité des objets de la maison. Il suffit de nommer l'objet perdu pour le récupérer en suivant les consignes vocales du smartphone ou les indications du GPS intégré. Et si Internet et les nouvelles technologies avaient été inventés par l'espèce humaine pour mettre un terme à sa solitude cosmique…

Après 2030, le néovillage tend à devenir une place forte. Il accentue la logique des quartiers protégés et des ghettos « affinitifs » – terme plus politiquement correct que « communautaires », mais qui énonce une réalité : on se regroupe, quand on le peut, par centres d'intérêt, par affinités culturelles. Les ghettos « affinitifs » émergent de désirs de partage, de besoins d'échanges. On hésite à les nommer : guilde géographique, ring ou même réseau. C'est une réalité qui se

---

1. Des systèmes inverseurs captent la fréquence de référence, puis la réémettent avec la même puissance, mais en opposition de phase. *Cf.* Éric de Riedmatten, *xxie siècle. Les innovations qui vont changer notre vie*, L'Archipel, 2005.
2. Jolanta Bak, *La Société mosaïque*, Dunod, 2007.

banalise, et plus personne n'y voit malice. C'est à partir de ces nouvelles guildes que se créent des cellules d'une énergie sociale créative considérable, des entreprises innovantes, des créations artistiques et culturelles qui vont orienter toute la fin du siècle. Ces cités-entreprises partiront à la conquête de la planète, peut-être pas pour être les plus belles et les plus riches du cimetière de l'histoire du XXIIe siècle, mais pour garantir à leurs membres une vie jubilatoire.

Vivre en ville

Jubilatoire, c'est vite dit. Mais c'est dit et, nous l'avons vu, c'est cela qui compte : c'est ce qu'on nous raconte qui compte. Car, au-delà ou en dedans de la fable utopique de la ville, il y a la ville dystopique. Non pas que l'une soit plus réelle que l'autre, ni au fond qu'on puisse passer de l'une à l'autre, c'est plutôt que l'une « est » l'autre.

Les guildes connaissent une double histoire, une double vie, toujours et encore selon le principe de la fracture, que nous avons rencontré à plusieurs reprises : à la belle histoire de la coexistence heureuse, pacifique et fertile, répond, dans le même temps et le même espace (paramètre schizoïde en forte croissance), une communautarisation géographique des groupes sociaux, culturels, ethniques en tension plus souvent qu'en repos. Les grands écarts entre les revenus et les modes de vie font cohabiter les extrêmes. Le vécu quotidien des individus est réellement plus artificiel, anxiogène, déséquilibré, usant, déconnecté des rythmes biologiques naturels[1].

---

1. René Duringer, « Vers un urbanisme rugueux... », dans un courriel à l'auteur. 1) « Mégapolisation » de la planète avec deux tiers des populations en zone urbaine en 2015 (trois quarts des Européens en 2030), exodes permanents et désertification massive accélérée à cause de la rationalisation des services publics. 2) La ville 2.0 *techno inside* n'est plus rythmée par des horaires de bureau et ne dort plus. 3) La ville de 2015 est déjà en construction en Asie ou au Moyen-Orient (verticalisation). 4) Persistance de la « communautarisation » géographique des groupes sociaux, culturels, ethniques. 5) Tendance au regroupement géographique, aussi bien par le public que par le privé (ex. : centres partagés), pour des raisons d'économie d'échelle. 6) Ghettoïsation des groupes sociaux et tension interculturelle permanente face au grand écart des revenus (coexistence des extrêmes). 7) Des modes de vie de plus en plus artificiels, anxiogènes, déséquilibrés, usants, déconnectés des rythmes biologiques naturels. 8) Une compétition exacerbée entre les villes, mégapoles, terroirs, bassins de pays. 9) Convergence du numérique, du développement durable et de l'urbanisme.

Du moins, avec nos yeux de 2009. La résilience des années 2015-2025 est la chose la mieux partagée au monde. A-t-on vraiment le choix ?

« L'urbanisation progressive de la planète est un phénomène historique qui va se poursuivre. […] Les villes planétaires sont devenues les « cellules » de la nouvelle économie mondialisée. […] Les villes constituent les sources, les exploitants et les dépositaires des connaissances. […] on ne peut être que frappé par les similitudes entre les notions de villes virtuelles, de villes numériques, de cyberespace, et les villes rêvées depuis plus de trois mille ans. Les objectifs qui présidaient à la description de l'Athènes antique, sans être identiques, paraissent finalement très proches des orientations d'une communauté électronique sur Internet. […] La science-fiction a remarquablement imaginé ce que pourrait être la ville virtuelle simulée par les technologies de l'image et de la réalité virtuelle, et la ville numérique superposant ses services électroniques publics et marchands à la ville réelle[1]. »

De fait, comme la science-fiction l'avait promis, la ville est plus brutale, plus sauvage, plus clanique, plus superbe, plus abyssale, plus vertigineuse, plus verticale, plus hétérogène, plus inégalitaire. Certainement plus rugueuse sous une architecture plus baroque, sans aucun doute enthousiasmante, et en évolution constante, jamais assagie, toujours en projet, sans arrêt recomposée.

⇨ Les extrêmes cohabitent. À la dure

La ville est une forge culturelle, artistique, un lieu de rencontres et de créations. La ville est un spectacle. Intense. La ville est un jardin, où l'on se reconnecte – c'est à nouveau possible – avec un paradis perdu, lieu d'apprentissage de l'être au monde, lieu de fécondité, de raffinement, de luxe et de confort. La ville est un terrain de chasse, dangereux, cruel, piégé.

Pour beaucoup, la ville n'est qu'un lieu de passage, qu'on fuit au plus vite. Pour y rester, il faut un habitat protégé et durable.

La place forte – en « dur » – symbolise le pouvoir des entrepreneurs. Maîtres du jeu économique et culturel, ils n'ont pas besoin de

---

1. M. Le Galès (Cevipof-CNRS), « La ville dans le futur », Rencontres internationales de prospective du Sénat.

se déplacer ou le font par procuration. Le château symbolise leur puissance. Les puissants s'en font construire.

Les magasins ne sont plus que des devantures virtuelles devant lesquelles on fait son jogging – on dit désormais son « niking » ou son « puming », par analogie aux marques « océaniques[1] ». Tandis que, exclue de la course flamboyante à la consommation, la foule des désœuvrés-esclaves observe, épie. En embuscade. Mais, tout va bien se passer pour le nanti essoufflé : le jogging vraiment chic inclut le garde du corps robotisé, baptisé *RobWeiler*.

La ville devient spectacle total. Villes forteresses. Expulsion des esclaves, des impies. Le siècle est impitoyable !

    « La ville moderne est un facteur de pollution, d'aliénation et de fracture sociale[2]. »

C'est peut-être vrai, mais les utopistes n'ont pas dit leur dernier mot. Les écoquartiers relèvent la tête. On les avait vus émerger dans les premières années du millénaire : la caserne de Bonne à Grenoble, les Hauts de Bléville au Havre, Saint-Jean-des-Jardins à Chalon-sur-Saône, les Berges du lac à Bordeaux, le plateau des Capucins à Angers, le quartier du Théâtre à Narbonne, la ZAC des Batignolles à Paris, BedZED (pour Beddington Zero Energy Development) à Londres, Malmö en Suède, Vesterbrö au Danemark, Vauban à Fribourg-en-Brisgau, Kronsberg à Hanovre, Hammarby-Sjöstad à Stockholm. L'habitat y est dense, donc peu consommateur de territoire et de réseaux, l'économie d'énergie est évidemment privilégiée. Isolation, capteurs solaires collectifs, gestion des déchets, récupération des eaux de pluie, priorité aux piétons, aux vélos, aux transports en commun. À peine une automobile çà et là. Et la recherche d'une vie en bonne intelligence avec le voisinage[3]. À BedZED, c'est toute l'activité du village (construction des logements, besoins en ressources énergétiques, déplacements, activités professionnelles, vie sociale, gestion des déchets...) qui a été pensé et dont on a évalué l'impact environnemental, économique et social. 90 % des matériaux proviennent d'une distance de moins de 50 km à la ronde (bois certifiés) et sont souvent issus du recyclage (anciens rails de chemin de fer...). Le confort moderne n'est pas sacrifié : baignoire (et non

---

1. Voir chapitre « Le paradigme des marques », p. 285.
2. Richard Rogers (architecte), « Des petites villes pour une planète », *Le Moniteur*, janvier 2001.
3. Grégoire Allix, sur http://geographie.blog.lemonde.fr, mars 2009.

douche) dans les salles de bains, four et cuisinière électriques, machine à laver individuelle... Le village est par ailleurs doté de lieux de vie communautaires : centres de santé, clubs sportifs, terrains de jeux, garderies, cafés, restaurants[1]...

Mais de quelle hauteur sont les murs d'enceinte ?

    « La ville durcit ses logiques. L'espoir d'intégration, de défragmentation des paysages urbains n'est tenu que dans ces quartiers durables, hautement privilégiés. Le terrorisme, les accidents industriels, les grèves, puis la logique évolutive vers des mégalopoles à une échelle encore jamais connue ont transformé l'utopie culturelle de la ville civilisatrice. Non pas que les villes soient des champs de bataille. Plus encore que des destructions réelles qui restent relativement rares, c'est la notion de menace qui pousse à ces nouvelles configurations. Certaines catégories de population, les plus aisées bien sûr, ont les moyens d'échapper à ces problèmes. Ils quittent donc la ville, et vont s'enfermer derrière des murs. [...] Le rapport à la ville a toujours été empreint de dualité : la ville est magnifique, c'est le lieu de la culture, de la production de richesse, mais elle fait peur... On imagine une mégapole de 21 millions d'habitants, Paris-Londres par exemple, un certain nombre de villes de 4 à 5 millions d'habitants, et ensuite les capitales régionales européennes, Rennes, Nantes, Bologne, Glasgow, etc., en complet déclin urbain[2]. »

Quoi qu'il en soit, il faut bien y vivre, en ville !

    « La migration, vers la campagne, de travailleurs à distance cultivant leurs potagers est l'hypothèse la moins probable[3]. »

Et pour que la ville soit vivable, les idées abondent. Elles se ressourcent dans des mythes sans cesse convoqués : la ville comme jardin d'Éden, la ville comme un jardin, tout simplement.

Des utopies euphoriques d'une poésie radicale inspirent les décideurs institutionnels. L'archiborescence de Luc Schuiten triomphe. Cette contraction d'architecture et d'arborescence est fondée sur l'utilisation de toutes formes d'organismes vivants comme matériaux de construction. Il inspire les collectivités locales les plus en pointe.

---

1. Sylvie Touboul, sur www.novethic.fr/novethic/planete/environnement, janvier 2004.
2. M. Le Gales, *Le Retour des villes européennes*, Éditions de Sciences Po, 2003.
3. Thierry Gaudin, in *Nouvelles Clés*, entretien cité sur nouvellescles.com

Un pacte Veolia-Greenpeace signé en 2015 met en œuvre l'Efficien-city, un programme urbain basé sur la notion d'énergie décentralisée et recyclée – c'est-à-dire relocalisée à proximité de ses lieux d'usage.

La ville idéale se définit autour de sillons, sentiers pour bus et vélos… et de clairières. Chaque quartier, animé par son mini-centre, rivalise de créativité avec ses voisins. Mais cet idéal se heurte en permanence à la lente progression des bidonvilles.

Il subsiste néanmoins quelques zones emblématiques dans les grandes villes, des pôles culturels qui captent un tourisme de plus en plus protégé. Ainsi, l'immense cloche de verre qui protège Notre-Dame de Paris depuis 2027 a pour rôle à la fois de stopper la pollution et de jouer avec la lumière vingt-quatre heures sur vingt-quatre, sept jours sur sept, pour animer et rejouer les mythes qui ont fondé son imaginaire. Les villes reprennent la parole pour se faire aimer. Les cités françaises redonnent leur place aux piétons, restaurent leur architecture, réapprennent à partager la rue.

 ## Le tramway

 « *Le tramway, désormais emblématique de cette renaissance, transforme les artères qu'il sillonne, voire les rues avoisinantes : pavement, mobilier, éclairage, pour n'évoquer que ce qui se voit en surface, car on en a profité pour tout renouveler. […] Reims a choisi une forme qui évoque une coupe de champagne, le musée du tram de Toulouse est profilé comme un Airbus. […] Bordeaux l'a débarrassé de ses poteaux et caténaires en mettant au point une alimentation par le sol. Mulhouse a misé sur l'élan artistique de Daniel Buren. Partout, il rejoint les campagnes. […] À Nice, […] sur la place Masséna, rendue à la noblesse italianisante de son architecture, c'est le Catalan Jaume Plensa qui pose en haut de mâts des figures humaines stylisées. Non loin de là, Sarkis, le plus oriental des artistes parisiens, a décoré à la feuille d'or la voûte de la Porte Fausse, un passage secret qui dégringole du boulevard vers les ruelles du vieux Nice[1].* »

Et si la technologie nous rapprochait ?

 « *Imaginez Metroscope, un périscope qui reconstituerait, dans les rames du métro, un peu de l'activité de la surface. Imaginez*

---

1. Martine Valo et Michèle Champenois, sur Newzy.fr

Cyclope, le premier GPS pour Velib' qui projetterait le chemin à suivre directement sur la chaussée. […] Imaginez Homepage, qui transformerait chaque fenêtre et chaque façade d'immeuble en portail personnel consultable par tout le monde depuis la rue. […] On pensait que toujours plus de technologie nous éloignerait les uns des autres et c'est l'inverse qui se passe[1].

En symbiose avec la ville ?

   Nos frottements quotidiens avec les interfaces des infrastructures et des services urbains sont autant d'empreintes numériques enregistrées et archivées dans nos sillages. Leurs agrégations révèlent les flux et les activités des consommateurs de la ville, difficiles à détecter par d'autres moyens. […] L'analyse de ces traces permet en effet de connaître presque en temps réel les caractéristiques du temps des quartiers : leur évolution et utilités au cours de la journée, de la nuit, du week-end, et en hiver par rapport à l'été. […] Ces informations rendues publiques augmentent la perception de l'espace de la ville par ses habitants et façonnent leur prise de décision, comme un bulletin météo suggère notre habillement. […] Ainsi l'embouteillage, détecté à partir des fluctuations d'utilisation du réseau de téléphone mobile, délivre un signal conseillant aux automobilistes de modifier leur route ou d'opter pour un autre mode de transport[2]."

Les villes se mouillent et partent à la reconquête de leurs berges[3] !

Paris et la Seine. Le quartier Paris-Rive gauche, dans le XIIIe arrondissement, est désormais le plus grand port de plaisance intra-muros européen. Des bateaux du monde entier accostent. Tous les soirs, des fêtes portuaires attirent le chaland.

Montpellier et le Lez. La nouvelle mairie de Montpellier, dessinée par Jean Nouvel et François Fontes, est devenue un port de plaisance à l'intérieur de la ville, à 7 kilomètres de la Méditerranée.

Grenoble et l'Isère. Les berges de l'Isère sont le lieu de vie le plus animé de la ville. Une piste cyclable permet de rejoindre le campus universitaire du sud au nouveau quartier Giant du polygone scientifique du nord. Depuis les passerelles et les

---

1. Newzy, encore.
2. Fabien Girdardin, sur le site Les Audiences dans la ville, JCDecaux.
3. http://www.lesechos.fr/info/france/300278260-quais-berges-fronts-de-mer-les-villes-aiment-l-eau.htm

bulles téléphériques, la rivière se faufile entre le Palais du parlement et le musée de la Justice, des Libertés et des Droits de l'homme.

Strasbourg et ses bassins. Sur le bassin d'Austerlitz, Strasbourg fait un triomphe à la Cité de la Musique et de la Danse, nouveau conservatoire dessiné par Henri Gaudin, aux Archives de la communauté urbaine et du département, au centre de culture scientifique et technique Le Vaisseau. La culture les pieds dans l'eau.

Nancy et la Meurthe. Les rives de la Meurthe ont été domptées par l'architecte et paysagiste Alexandre Chemetoff (Bureau des paysages), associé à Rémy Butler. Leur projet charpente l'ensemble du secteur compris entre la Meurthe et le canal. Le Jardin d'eau, le pôle universitaire avec écoles d'architecture et d'ingénieurs, l'École nationale d'application des cadres territoriaux, des logements sociaux et étudiants, des commerces et entreprises, le multiplexe (Kinépolis) et le Centre régional des musiques actuelles (L'Autre Canal) peuplent ce pôle nautique.

Caen et l'Orne. À Caen, l'Orne enfin domptée a laissé la place à de vastes projets urbains. Le Cargö, une salle de musiques actuelles, et l'École régionale des beaux-arts animent les abords du canal de liaison. Le Palais des congrès s'est intégré dans un écoquartier modèle.

Bordeaux et la Garonne. Sur les quais de la rive gauche, les mascarons du XVIIIe siècle se reflètent dans le « miroir d'eau », très fine pellicule humide dans laquelle les palais symétriques de la Douane et de la Bourse rivalisent d'élégance.

Quimper et l'Odet. La restauration des quais et des berges de la rivière, que François Ier qualifiait de plus belle de France, ouvre vers l'influence atlantique.

Saint-Dizier et son canal. La ville s'est reconfigurée autour du canal de la Marne à la Saône, en faisant triompher un bassin pénétrant le centre-ville sur 250 mètres. Saint-Dizier (Haute-Marne) est désormais la ville-ressource du lac du Der tout proche, le plus grand lac artificiel d'Europe. Elle célèbre sa tradition de fonderie sur le thème du mariage de l'eau et du feu.

Tours et la Loire. Sous le pont-hôtel, attraction majeure de la reconquête de la Loire, les mariniers, plaisanciers et baigneurs font revivre les gravures anciennes. Le fleuve royal a été sauvé, et la vie est revenue sur ses rives.

Mâcon et la Saône. Les platanes ombragent des guinguettes, un kiosque à musique, une aire de jeux et le marché hebdomadaire. Les cyclistes pédalent au-dessus de la rivière. Les bateaux de croisière, qui remontent le Rhône et la Saône depuis Marseille, accostent à côté.

Amiens et la Somme. Comme pendant l'Antiquité ou les Trente Glorieuses, la Somme reste un élément de la prospérité et du développement de la capitale picarde. La « SiliSomme Valley », dédiée aux nouvelles technologies, se joint tous les ans au cortège des jardiniers revêtus de leur costume typique qui descendent la rivière dans des barques à cornet, puis s'installent sur les quais pour vendre fruits et légumes cultivés dans les hortillonnages, ces jardins sur l'eau dont les origines remontent au Moyen Âge.

Nantes et la Loire. Délaissées après la désindustrialisation des années 1970, les rives de la Loire redeviennent des lieux de vie, de promenade ou de navigation. Nantes est redevenue la Venise de l'Ouest depuis que les artères comblées dans l'entre-deux-guerres ont été rendues aux bras de la Loire.

Lyon et le Rhône. La cité des Gaules, après avoir libéré les berges du Rhône de la voiture, a réconcilié la Saône avec les activités nautiques. Des *vaporetti* à la lyonnaise longent les berges qui n'ont plus rien à envier aux *ramblas* où se croisent et se mélangent familles, étudiants, autochtones et étrangers dès les premiers rayons de soleil.

Toulouse et la Garonne. Navette fluviale, Cité de la Musique dans l'île du Ramier, pistes cyclables et ligne circulaire de tramway longeant la Garonne et le canal du Midi, les Toulousains se réapproprient le fleuve.

Rennes et la Vilaine. Face à l'imposant palais du Commerce, la Vilaine coule désormais à ciel ouvert après avoir été enfouie sous un jardin et un parking. Le quai de La Prévalais accueille toute l'année des festivals dont le premier d'entre eux – les Tombées de la nuit, au début de chaque mois de juillet – reste le plus célèbre.

Lille et ses canaux. 13 écluses, 17 ponts fixes et passerelles... Le curage de 240 000 mètres cubes de sédiments pollués symbolise la renaissance de Lille autour de ses voies d'eau. Les habitants renouent avec les promenades sur les chemins de halage paysagers. Des festivités sont régulièrement organisées, comme « Tourcoing-Plage » ou « Les rendez-vous du canal » à Roubaix.

Orléans et la Loire. Le retour de la batellerie, la réouverture du canal entre Orléans et Montargis, la flotte d'« Inexplosibles », réplique exacte des bateaux à vapeur qui assuraient le transport des voyageurs entre Nantes et Nevers, ont permis à Orléans de renouer avec sa vocation ancienne de port fluvial.

Rouen et la Seine. Le succès de l'Armada a déclenché une frénésie maîtrisée : un ancien bassin a été transformé en port de plaisance ; la halle à vins, des docks et des hangars ont été réhabilités. Un palais des sports, un auditorium, des commerces et des logements accueillent les grands voiliers.

Cette nouvelle accumulation triomphaliste est une victoire sur l'eau. Alors que l'eau manque sur la planète, on la remet au cœur de la cité. C'est un retour aux sources, au sens propre. Le combat des villes pour se remettre à l'eau relève à la fois du défi et de la foi.

Les défis de Veolia

Edgar Morin en a fait son cheval de bataille : relier les connaissances, organiser la pensée, relier et distinguer à la fois. Il propose une « ardente patience[1] ». On en parle depuis des années. On ne va pas pouvoir attendre bien longtemps encore. Ilya Prigogine et Isabelle Stengers estiment que l'hostilité entre la philosophie et la science ont créé une situation désastreuse. La mise en œuvre d'un rapport pacifié entre le monde techno-industriel et les penseurs de notre temps est le premier défi de Veolia. Quand les périls se font de plus en plus menaçants, les impatiences doivent enterrer la hache de guerre : industriels et philosophes, techniciens et prospectivistes,

---

1. Edgar Morin, *Le Défi du xxie siècle. Relier les connaissances*, Seuil, 1999.

savants et utopistes, tous doivent s'y mettre. Pour les vingt années qui viennent, ces nouvelles alliances sont sans doute la seule chance de survie de la planète. « Le temps est venu de nouvelles alliances, depuis toujours nouées, longtemps méconnues, entre l'histoire des hommes, de leurs sociétés, de leurs savoirs, et l'aventure exploratrice de la nature[1]. »

Le second défi de Veolia consiste à dessiner une vision technique, innovante et durable de la circulation des flux (transport, énergie, eau et déchets), à l'échelle de l'agglomération et de territoires toujours plus complexes. Veolia Environnement est le seul groupe mondial à rassembler sous une marque unique l'ensemble des services à l'environnement des secteurs de l'eau, de la gestion des déchets, des services énergétiques et du transport. Il s'agit donc bien de *relier les connaissances* en écho à la fièvre ambitieuse d'Edgar Morin.

Ce « re-lien » est le troisième défi de l'entreprise : activer des synergies entre quatre expertises qui vont donner son efficacité à cette alliance. Dans la logique du regard que **nous** portons sur nos vingt prochaines années, ce métier est sans doute d'autant plus essentiel qu'il convoque un champ partagé d'imaginaire et de réalité : l'eau, la propreté, l'énergie et le transport ne relèvent-ils pas tout autant de la réalité la plus exigeante que de nos plus prégnantes mythologies ?

L'eau est source de vie, moyen de purification, centre de régénérescence. La mauvaise gestion de l'eau déclenchera les guerres du futur.

Spécialiste de la gestion déléguée des services d'eau et d'assainissement pour le compte de collectivités locales ou d'entreprises industrielles et tertiaires, Veolia Eau est aussi l'un des premiers concepteurs mondiaux de solutions technologiques et de construction d'ouvrages nécessaires à l'exercice des services de l'eau.

La propreté est une réponse à l'angoisse collective d'une dégradation des espaces publics et des civilités. L'imaginaire de la propreté est celui de l'intégrité[2].

Veolia Propreté fournit des services de propreté et de logistique (collecte, assainissement, nettoyage, gestion des flux de déchets), et effectue des opérations de traitement et de valorisation du déchet.

L'énergie est l'un de ces concepts valises qui fascinent autant les intellectuels que les industriels, les mystiques que les hédonistes. Force en action autant du registre de l'émotionnel que du rationnel, l'énergie maîtrisée par Veolia a l'avantage de relever du seul principe de réalité.

Gestion de réseaux de chaleur, d'unités de production d'énergie et de fluides, services d'ingénierie et de maintenance d'installations énergétiques, services techniques liés au fonctionnement des immeubles tertiaires et industriels, prestations de gestion globale des bâtiments : Veolia Énergie répond aux attentes de ses clients par des solutions complètes et personnalisées de confort et d'efficacité énergétique.

Le transport des hommes et des marchandises est sans aucun doute une solution au bien-vivre ensemble sur la planète.

Partenaire des collectivités locales, Veolia Transport est un acteur majeur de l'environnement. Ses services de transport public de voyageurs apportent des solutions à la circulation urbaine et à la limitation des gaz à effet de serre, et contribuent à l'amélioration de la qualité de la vie.

---

1. *Cf.* Ilya Prigogine et Isabelle Stengers, *La Nouvelle Alliance*, Gallimard, 1978.
2. Michel Kokoreff, sociologue, chercheur à l'IRIS-TS, chargé de cours à l'université Paris-IX et Paris-X.

C'est un défi : obtenir l'adhésion de la population autour d'actions mesurables, satisfaisant les contraintes climatiques, politiques et sociétales.

En s'appuyant sur les commentaires recueillis par Ipsos dans une étude pour Veolia, dans le cadre de l'Observatoire des modes de vie urbains, la ville idéale regrouperait :
- Le cadre de vie de Sydney et de Chicago.
- Les transports en commun de Tokyo.
- Le dynamisme économique de Shanghai et Pékin.
- L'offre culturelle de Paris.
- La diversité des populations de New York.
- La propreté de Los Angeles.
- La fête et l'amour d'Alexandrie.
- La facilité de rencontre de Berlin.
- L'architecture de Prague.

En s'inspirant des aspirations des gens, en les croisant avec les performances techniques et en pilotant l'entreprise avec une vision prospective, Veolia prépare les vingt années qui viennent – horizon de cette enquête. Vingt ans, c'est peu, mais c'est sans doute le temps qu'il faudra pour que ce qui se propose de mieux sur la planète soit réalisé quelque part et que Veolia contribue à l'émergence d'une ville idéale.

Grameen-Veolia Water Ltd assurera la construction et l'exploitation de plusieurs usines de production et de traitement des eaux de surface dans certains villages déshérités du centre et du sud Bangladesh. Au total, 100 000 habitants de cinq villages environ seront desservis, moyennant un investissement total estimé à 500 000 euros.

La première unité en projet permettra d'alimenter entre 20 000 et 25 000 habitants de Goalmari (village à 100 km à l'est de Dhaka) en eau potable répondant aux besoins alimentaires (boisson, cuisson des aliments), conformément aux normes de l'OMS. Après une étude fine des besoins des usagers, un réseau de distribution spécifique sera installé. Il comprendra notamment des bornes-fontaines, des réservoirs de stockage et des branchements groupés.

Le consortium Delfluent regroupe Veolia Eau (40 %), Evides (40 %), une entreprise publique néerlandaise de distribution d'eau, Rabobank (10 %), et deux entreprises de travaux publics, Heijmans et Strukton (5 % chacune). Le consortium est chargé pour une durée de trente ans de l'exploitation de la nouvelle usine de Harnaschpolder et de l'usine rénovée de Houtrust, ainsi que de la gestion et de la maintenance du réseau d'assainissement.

Harnaschpolder, qui est l'une des plus importantes usines de dépollution des eaux usées d'Europe, garantit un très haut niveau de protection de l'environnement. Spécialement conçues pour réduire les rejets de phosphore et d'azote dans le milieu naturel, les deux usines se conforment à la nouvelle réglementation européenne. Elles contribueront au respect des nouvelles directives européennes, plus strictes en matière de purification des eaux usées.

Desservant 1,7 million de personnes, les sites de Harnaschpolder et Houtrust purifieront 80 % des eaux usées de la région de La Haye.

Veolia Eau a signé avec Ashghal (l'Autorité en charge des travaux publics de la ville de Doha, capitale du Qatar) un contrat portant sur l'exploitation et la maintenance de deux usines de traitement d'eaux usées qui, une fois recyclées, seront intégralement réutilisées pour l'irrigation et l'agriculture.

La marche du monde

L'hypermobilité est une ubiquité. On se déplace partout de plus en plus vite pour répondre aux restructurations et délocalisations en augmentation constante. La durée d'affectation à un même emploi se raccourcit. Comment gérer cette accélération ?

Les villes lentes

" *Les « villes lentes » utilisent la technologie dans le but d'amélio-rer la qualité de l'environnement et du tissu urbain, et égale-ment pour la sauvegarde de la production d'aliments et de vins uniques qui contribuent au caractère de la région. Les villes qui souscrivent à cette action s'engagent à promouvoir un rythme de vie plus lent, inspiré des habitudes des communau-tés rurales, pour permettre aux citoyens de profiter de façon simple et agréable de leur propre ville. Les « villes lentes » met-tent en valeur leur environnement, leur patrimoine bâti ou leurs traditions culinaires. En s'inscrivant dans le mouvement Cittaslow, les municipalités permettent le développement des contacts directs entre citoyens, entre les habitants et les tou-ristes, entre les producteurs et les consommateurs[1]. "*

La lenteur en ville

" *J'ai lu ce matin dans le journal que des scientifiques de l'uni-versité du Hertfordshire ont mesuré la vitesse de marche des piétons dans trente-deux grandes villes. Leurs conclusions ? La plupart des gens marchent aujourd'hui 10 % plus vite qu'il y a dix ans. À Paris, les piétons feraient en moyenne du 5,11 km/h (16ᵉ position dans le classement), ce qui fait des Parisiens de petits trotteurs, comparés aux citoyens de Singa-pour qui font du 6,12 km/h.*
Aussi insolite qu'elle soit, cette statistique dit assez bien ce que peut être la vie dans une grande ville au début du XXIᵉ siècle : surtout ne pas flâner, mais atteindre son but le plus vite pos-sible. Plus d'une fois, je me suis moi-même surprise à marcher à grande allure, doublant sans vergogne les piétons plus lents, mamies en goguette, jeunes pères au landau, papys à

---

1. http://carfree.free.fr/index.php/2008/03/04/cittaslow-les-villes-lentes-contre-la-frenesie-automobile/

caniche, ceci alors que rien ne me pressait vraiment, simplement comme ça, par habitude, pour me conformer à la trépidation ambiante, accro à ma propre vitesse, ayant l'impression de perdre scandaleusement mon temps si je ralentissais. Au moment où je m'en rends compte, je me trouve un peu pitoyable... mais je continue. C'est ainsi.

Même dans une ville inconnue, où je me trouvais de passage, aller vite était une manière de ne pas passer pour une touriste, de se fondre dans la vie de la cité. Absurde ? Sûrement. Il n'est pas impossible aussi que j'aie pris cette habitude pour me prémunir des personnes plus ou moins collantes qui accostent le flâneur, et plus encore la flâneuse, flâner étant souvent pris pour un signe de disponibilité à l'autre. Hypothèse féministe : quand on est une jeune femme, on achète sa tranquillité en pressant le pas. Les scientifiques ont-ils mesuré l'allure moyenne des femmes et celle des hommes ? Je l'ignore, mais ce pourrait être une donnée intéressante.

Je remarque que lorsque je suis en compagnie, je marche nettement moins vite. La vitesse serait une manifestation pathologique de la solitude – ou tout du moins de l'individualisme[1] ?"

⇨ **C'est de son corps qu'on s'occupe dans l'espace urbain**

Le corps

▶ LE PROPRE : UN IMPÉRATIF CATÉGORIQUE

Les rituels de propreté, les dispositifs d'hygiène accompagnent la redécouverte du corps – ou en tout cas, le regard nouveau qu'on porte sur lui.

Le corps comme « machin » physique et psychique, le corps comme loisir, le corps comme potentialité accrue de soi – avant les techniques de réalité augmentée des transhumanistes et des seconds cerveaux *embedded*, dont ils s'imaginent que nous serons équipés, il y a le travail qu'on peut faire sur soi-même.

Pendant que la carte génétique et les systèmes informatisés étendent leur empire, on cherche aussi à se recentrer avec soi, sur soi, par

---

1. Myriam Gallot, blog Le meilleur des mondes, *Courrier international* et entretiens avec l'auteur.

soi, à réveiller son corps… soi-même. Les implants informatiques pour le corps sont encore un peu suspects, mais on sent qu'on va pouvoir en faire bon usage… quand il le faudra. Avec l'espoir de s'en dégager, de les maîtriser, de faire réapparaître le corps propre (justement).

Il s'agit de ne pas faire de cette intrusion un problème mais une des solutions alternatives, de retrouver des sensations authentiques (entendons : ancestrales, mythiques, celles qu'on évoque dans les films d'autrefois), de retrouver un lien archaïque entre le corps et le monde. Nouvelle quête, nouveau Graal : le corps propre comme modèle d'un monde propre. Le corps apaisé comme lieu de réalisation de soi, comme levier de soi sur soi et sur le monde. La fin du dualisme corps-esprit ? Cela fait longtemps qu'on en parle et voilà que cela devient possible.

« Bref, le corps propre comme page blanche de soi. En m'interrogeant sur mon corps, je vais apprendre plus sur moi absolument[1]. »

   « Le corps a pris une place nouvelle dans la société d'aujourd'hui. Non, bien sûr, qu'il soit « découvert » ou « redécouvert » : les soins de santé, d'apparence ou de beauté ont depuis longtemps, sinon depuis toujours, existé. Le corps, en revanche, est devenu plus important dans nos repères quotidiens, nos pratiques, nos représentations, souligné par l'investissement qu'une société plus individualiste et « consommatoire » autorise sur la personne et sa dimension physique, rendu plus présent par l'attention nouvelle que cette même société accorde au plaisir. Il est d'ailleurs, comme jamais, l'objet d'explorations en tous sens, espace physique « illimité » qui semble avoir pris le relais d'autres illimités aujourd'hui plus discrets. La vieille expérience de la transcendance semble s'être rabattue sur l'expérience de la sensation, cet espace intime totalement retravaillé, indéfiniment réinterrogé dont la présence a grandi avec l'affaissement des « au-delà » et des futurs idéalisés[2]. »

« L'expérience de la transcendance s'est rabattue sur le corps, sur soi-même. […] Le corps devient un lieu possible d'interrogation de soi, le seul lieu de notre présence[3]. »

Un espoir de maîtrise du corps… face à des risques dévastateurs (catastrophes, désastres écologiques…).

---

1. Inspiration et citations : Georges Vigarello, conférence *online*, Université de tous les savoirs, Canal U, 2000.
2. *Ibid*.
3. *Ibid*.

Se coucher « propre et lavé de ses soucis » de la journée semble essentiel pour près de deux tiers des gens qui passent sous la douche avant d'aller dormir[1].

Au demeurant, et comme dans tous les champs de la vie quotidienne, les soins du corps sont soumis à des modèles contradictoires, dont la résolution va se faire dans une cohabitation des pratiques. De nouveaux types de modèles de relation au corps apparaissent avec la montée en puissance des imaginaires dominants.

▶ LE CORPS : PLAISIR ET DISCIPLINE

Le modèle brésilien de la *capoeira*[2] fascine. La *capoeira* est à la fois une danse et un art martial, ou en tout cas est traitée comme tels par ses « passeurs » en Europe.
L'heure du Brésil est arrivée. En 2020, la forêt amazonienne est sauvée contre toute attente. En dépit des craintes les plus lucides, la survie de la planète s'est incarnée dans la sauvegarde des forêts primaires. La faible rentabilité économique de la déforestation sauvage pratiquée en Amazonie avait renforcé les positions des écologistes, qui ont entraîné l'opinion derrière eux[3]. Cet événement est considéré comme un tournant dans l'histoire de la planète. Le Brésil en profite… même si, dans le même temps, ses voitures à bas prix envahissent l'Europe – avec un souci moins évident des critères écologiques. Passons. Le modèle brésilien fait fureur. Sur la *capoeira* se racontent de belles histoires, brutes et sauvages, des histoires qui envoûtent :

        ❝ *[…] une véritable physique du devenir-animal [...] par connexion avec les intensités, les forces, les mouvements du vivant qui informent la chair et l'esprit pour les unir dans la dynamique d'un geste. Il peut s'agir même de devenir la feuille qui tombe d'un arbre, de devenir l'eau qui coule autour du rocher. Et, dans tous les cas, il faut oublier, abandonner la rectitude du corps civilisé.*❞

Une sauvagerie théâtralisée, rédemptrice ?

        ❝ *Dans la* capoeira, *l'affirmation joyeuse de la puissance et l'expérimentation des devenirs extrahumains suscitent un renversement*

---

1. Isabelle Muznic sur influencia.net
2. Camille Dumoulié, *Chimères. Revue des schizoanalyses*, n° 58/59, hiver 2005-printemps 2006.
3. Inspiré de Diana Alves, journaliste brésilienne spécialisée dans les questions d'environnement, *in* Unesco.org/courrier.

des valeurs. À l'origine de la capoeira, *il y a la* roda, *cet espace rituel et circulaire d'où jaillissent les mouvements giratoires des corps qui tracent dans l'air des cercles ouverts et dynamiques. Lancés comme à l'improviste, les gestes semblent soudain suivre les lignes d'une rigoureuse géométrie dont les hyperboles et les arabesques invisibles traversent l'espace. Ils répètent et relancent à l'infini les lignes de fuite tracées par les anciens esclaves. Une part essentielle est laissée à l'improvisation, à la* malícia *et à l'esquive*[1]*."*

Le Brésil fascine parce qu'il est revenu de loin. Il est passé par toutes les phases : de la terre sans espoir au pays promis à un développement certain. Incarné dans une relation au corps, il y a là un message qui ressurgit comme une congère, dirait Gilbert Durand, qui vient d'avoir cent ans. La *capoeira* ressemble bien à un retour du refoulé.

Notons qu'il y a, dans ces années 2020, beaucoup de refoulés qui se pressent au portillon. L'époque s'y adonne à cœur joie.

⇨ Alors, que se passe-t-il ?

Pendant que l'artiste réinvestit la ville en y réintroduisant de la nature, la nature sauvage de l'homme réinvestit son corps et donne libre cours à ses aspirations au dépassement, au *no limit*. Tissages et *reliances*, croisements et entrecroisements. Deux tendances qui doivent bien avoir une même explication.

Le corps est roi, et sa reine est la peau. Depuis qu'on dit que le contact peau à peau, immédiatement après la naissance, permet au bébé d'être colonisé par les mêmes bactéries que celles de sa mère, on se dit qu'il n'y a pas de raisons pour que l'on n'en prolonge pas les effets jusqu'à beaucoup plus tard.

" La peau est un admirable organe, étendu, mince, subtil ; et le seul qui puisse, pour ainsi dire, jouir de son organe jumeau : d'autres peaux, d'un grain égal ou différent, d'une tactilité, d'un dépoli sensible... Le regard seul a cet immédiat dans la réponse... mais voir est si différent d'être vu ; cependant que toucher est le même geste que d'être touché[2]*."*

Cette promesse de bonheur par la peau va donner libre cours à une permissivité sociétale réjouissante. La palpation est aussi une affaire

---

1. Camille Dumoulié, *op. cit.*
2. Collectif, *Équipées en Chine de Victor Segalen*, Marval, 2004. Les anciens sont très modernes...

de santé. Le corps nu, en lien direct avec la nature, s'en va triompher. Le retour du naturisme fait néanmoins sourire pendant longtemps, au motif de sa naïveté apparente, et des suspicions bien-pensantes des religieux qui reprennent les rênes de l'imaginaire sociétal. Mais les naturistes refusent la séparation artificielle entre le psychique et le physique et, de ce fait, ils estiment être à la pointe de la nouvelle modernité. Le massage qui fait circuler les énergies connaît un triomphe.

L'intimité du bijou

L'un regarde vers le futur avec une imagination facétieuse et brillante, l'autre cherche dans la médecine traditionnelle des secrets efficaces. Les vingt prochaines années regorgent d'occasions de retrouvailles.

❝ *Boucherelles & Cliffs, le dernier des bijoutiers à s'être installé place Vendôme, est le premier à rompre un interdit tacite. Le président du groupe JPGA (Jean-Pierre Galtier-Airlike), propriétaire de la maison joaillière, a présenté, cette semaine, le premier bijou vivant. Il est dit symbiotique, car il interagit avec le corps qui le porte.*

Cette « première » a pris la forme d'une simple présentation de collection, collection qui, sur le seul plan de l'esthétique, reste dans les canons classiques de la beauté. L'événement est, pourtant, à regarder avec des yeux attentifs : pour la première fois au monde, Solo DiTramento, le directeur artistique de la maison joaillière, a révélé, avec son directeur, une gamme resserrée de ces bijoux qualifiés de « vivants » par le marketing, et de « parasites » par d'autres, inquiets de cette nouvelle évolution technologique.

Ces bijoux présentent des pierres naturelles, diamants, rubis et autres émeraudes sertis sur un brochage biocompatible nanoT qui remplit deux fonctions essentielles, en plus de celle de support : d'une part, cette monture génère un champ luminescent qui met en valeur la pierre et, d'autre part, elle sert d'interface entre la partie technique du bijou et le corps humain. Un dispositif nanoT pénètre dans les couches profondes de l'épiderme jusqu'à s'ancrer dans les tissus musculaires. Les qualités nanoT assurent la bio-compatibilité de l'appareillage et créent une barrière immunologique qui protège le porteur de toute contamination.

Une fois inséré, le brochage assure son alimentation énergétique par induction cellulaire. En quelques jours, le bijou effectue sa « nidification » : il se met à « vivre ». La pierre scintille en fonction des humeurs (principalement hormonales) de la personne qui le porte. Cette nouvelle forme de bijou s'apparente, bien évidemment, au traditionnel piercing. Ces bijoux vont de la simple pierre que l'on porte au bras, au visage ou toute autre partie du corps, jusqu'à l'assemblage de bijoux complexes. Ces derniers se greffant sur un « bijou-pierre » de base[1]."

Les pierres qui soignent

" *Agate, aigue-marine, ambre, améthyste, azurite, citrine, corail, cornaline, cristal de roche, émeraude, grenat, hématite, jade, lapis-lazuli, magnétite, malachite, œil de tigre, onyx, pyrite, quartz, rubis, saphir, topaze, tourmaline, turquoise... Plus de cinquante pierres précieuses et semi-précieuses sont ainsi répertoriées dans ce manuel pratique qui vous indique comment bénéficier simplement et quotidiennement de leurs vertus. En effet, pour chaque pierre, une fiche indique ses propriétés et influences sur le physique comme sur le mental, et donne des informations précises et précieuses sur ses vertus : comment l'appliquer, sur quelles régions du corps et chakras, à quelles fréquences et pendant combien de temps, etc. Pour certaines de ces pierres semi-précieuses et précieuses, qui font partie de la Terre depuis son origine, et dont on ne connaît pas encore tous les secrets, leurs vertus ont été attestées maintes fois par les médecines traditionnelles. Et la science moderne confirme souvent la justesse de ces approche[2]."*

⇨ **Mais il va falloir quand même le recouvrir, ce corps.**
Sans que ce soit de la fausse pudeur

---

1. Olivier Parent (*Futurhebdo*), auteur prolifique présenté p. 135.
2. Christian Valentin, *Manuel pratique de lithothérapie. Ces pierres qui soignent et qui guérissent*, Jouvance, 2003.

Se vêtir, se déguiser, se protéger

La résistance des pingouins au froid excite la curiosité de l'industrie textile.

▶ HYBRIDATIONS COMMERCIALES

Les vêtements n'échappent pas à la règle générale qui veut que tout augmente : la réalité et le high-tech, le symbolique, et, bien entendu, les prix.

Dès avant le début du siècle, les marques, boutiques de vêtements et commerces d'accessoires de mode s'étaient emparés des rues et des faubourgs, délogeant les commerces de bouche, bars-tabacs, marchands de vins et fromages. Mais vers les années 2010, si le nombre total des petits commerces stagne, survient un développement important de marchés, de nouveaux commerces alimentaires (« bio », produits frais ou encore commerce équitable) et de commerces de boissons (cavistes, hors bars ou restaurants[1]). Bref, voici venir une coexistence plus ou moins sereine entre deux univers : commerces de bouche d'une part, dont le vécu quotidien, l'imaginaire et les représentations sont plutôt de l'ordre de la causerie, de la jactance et de l'appétit ; et commerce vestimentaire d'autre part, qui relève plutôt du chuchotement, de la convivialité complice et émerveillée. Nourrir le corps d'un côté, nourrir son image de l'autre. On assiste à une hybridation des commerces. Les cafés littéraires-librairies-galeries trouvent un nouvel essor. Les restaurants-salons de lecture sont à la mode. Les épiceries-marchands de vêtements, les boulangers-bottiers font des clins d'œil aux *fashionistas*.

▶ LE VÊTEMENT PLUS QUE JAMAIS SIGNE EXTÉRIEUR DE SOI

Nous avons envisagé, dans les chapitres précédents, l'alimentation et les banquets de proximité comme un nouveau registre de la relation entre les gens. L'habillement est tout autant l'objet de fantasmes. Les vêtements, mais aussi les coiffures, parfums, badges et marques, sont des signes d'appartenance à une communauté, et on ne dira jamais assez combien cette appartenance est malléable, ambivalente et fluctuante. Se vêtir de telle ou telle façon est en quelque sorte une manière de rejoindre un banquet sociétal, que l'on choisit au hasard des inclinations, des envies d'être tel ou tel personnage. Le fait que

---

1. Michel Sarrazin, à propos de l'étude Astertop, *Le Journal de Saône-et-Loire*, 2008.

le vêtement soit un vecteur d'identification n'a évidemment rien de nouveau. Mais dans un monde où l'image de soi est déterminante, et le repérage rapide des communautés de centres d'intérêt un facteur de satisfaction sociale, se vêtir selon ses aspirations et les signaler aux autres devient un moment fort de la vie des individus.

La part des revenus consacrés à la présentation, à l'exposition de soi ne cesse d'augmenter. Si les leaders d'opinion et les *trend-setters* prônent volontiers un minimalisme (presque ostentatoire), la majorité des populations en phase d'ascension sociale, ou tout simplement à l'aise dans leurs baskets, théâtralise de plus en plus ouvertement ses appartenances, même si celles-ci sont très éphémères.

▶ TEXTICAMENTS : ILS SOIGNENT

L'autre élément important de cette transformation est lié à l'évolution même du vêtement. Avant même de trouver sa place dans la société du spectacle, il bénéficie de ruptures technologiques. Les vêtements thermorégulants permettent de maintenir une température constante à l'intérieur de l'habit. Certains sont refroidissants et offrent, par exemple, une meilleure mobilité aux malades atteints de sclérose en plaques. Les nanotechnologies rendent les textiles hydrophiles, hydrophobes, antibactériens, anti-UV, autonettoyants, et permettent d'y fixer des nano-containers qui diffusent toutes sortes de substances : vitamines, médicaments, etc.

> *Après les alicaments, les texticaments : des pompes éliminent les cors au pied, des casquettes favorisent la repousse des cheveux, des slips assurent la bonne température des burettes, les soutifs détectent les cancers du sein, les pulls diffusent des antibios contre les pneumonies, les chaussettes traquent les varices et les chapeaux anti-migraines rendent l'aspirine obsolète. La recherche occidentale s'intéresse aux graves épidémies de rhumes et de cellulite. Elle n'a pas le temps de réfléchir aux « petits inconvénients » que sont le sida, la malaria, le typhus, la lèpre ou la peste aviaire, et de se pencher sur les « menus allégés » qui rétrécissent les estomacs. On n'a pas que ça à foutre, et on veut que perdure le décalage qui sépare le riche du pauvre[1] !"*

La fracture sociale a décidément de beaux jours devant elle.

---

1. D'après Arthur, www.bakchich.info/article4071.html

▶ Intelligents, ils connectent

Les « vêtements intelligents » connectent celui qui les porte et lui ouvrent en permanence tous les médias imaginables. On apprécie tout particulièrement les lunettes à écran et accès Internet intégrés. Avec ces lunettes, il est impossible de se perdre : un accessoire de navigation affiche une carte du lieu où l'on se trouve. Ces vêtements permettent d'être reliés avec le reste du monde, d'être connecté en permanence. Avec le développement de la reconnaissance vocale et des agents intelligents, les vêtements deviendront des assistants personnels, accessibles en permanence. Ces vêtements agiront comme une seconde peau « fonctionnalisable » combinant une série de ressources (l'énergie, la mémoire, la communication) et faisant l'interface entre l'individu et son environnement. Une « extension symbiotique » de l'individu est annoncée[1].

 Anne-Caroline Paucot, prospectiviste[2]

Sam Tooby est NetLookeur, il conseille dirigeants et autres personnalités pour leur habillement professionnel de la vie réelle et virtuelle. Il répond aux questions de Linus Mei, journaliste en exil depuis les années 2008.

Linus Mei : *Dans la première décennie du siècle, si on n'hésitait pas à répéter que « l'habit ne fait pas le moine », il semblait n'en être rien dans les entreprises. Chacun endossait les vêtements en adéquation avec sa fonction. Peu nombreux sont ceux qui dérogeaient aux règles édictées par le top manager de l'entreprise. Ce conformisme vestimentaire subsiste-t-il aujourd'hui ?*

Sam Tooby : Je me souviens. C'était tenue stricte les quatre premiers jours de la semaine, décontractée chic le vendredi ou lors des séminaires à la campagne. Le patron changeait de marque de cravate, ces vassaux faisaient de même. En 2020, ce conformisme subsiste, et même s'accentue. C'est logique. Comme l'ancestrale sécurité de l'emploi n'existe plus, les collaborateurs des entreprises évitent d'être, par leur habillement, le clou qui dépasse sur lequel chaque possesseur de marteau aura envie de taper. En revanche, la mode a évolué.

LM : *Quelles sont les grandes tendances de la mode vestimentaire professionnelle ?*

ST : À la une, on trouve les vêtements communicants. Tout le monde ou presque porte un vetcran ou un vêtement qui intègre un ou des écrans souples en fibres optiques. C'est un peu, à l'instar de la cravate d'hier, l'apanage du vêtement professionnel. Même si cet écran ne sert à rien, vu qu'il y a des écrans partout, il faut

---

1. www.agentland.fr/pages/share/2001/newsletter/newsletter23.html

2. Anne-Caroline Paucot, auteur du *Dictionnaire impertinent du futur* (M21 éditions, 2008), créatrice de l'Académie du Futur, in *Entreprise 2018*, et entretiens avec l'auteur.

en avoir un sur soi. En revanche, les habiminés n'ont pas bonne presse dans l'entreprise.

LM : *Habiminé ? Vous pouvez me traduire ?*

ST : Un habiminé est un vêtement où des animations et des messages défilent. Le tee-shirt intègre une puce, qui communique avec des bases de données, afin de proposer des messages personnalisés. Ainsi, si vous êtes dans la même pièce que l'amour de votre vie, votre tee-shirt peut faire défiler un « Je t'aime ». Vous conviendrez sans doute que ce manque de discrétion ne convient pas vraiment à la vie professionnelle. La deuxième tendance consiste à utiliser des textiles inter-actifs qui réagissent à la lumière, au changement de température ou à différents contacts. Je crois que c'est une façon de dire aux autres qu'on parle le même lan-gage, mais qu'on a aussi sa propre personnalité.

LM : *Les vêtements changent de couleur ?*

ST : Oui, c'est assez sympathique quand les vêtements sont de bonne facture, car les changements sont doux et créent une ambiance apaisante. En revanche, c'est très pénible lorsqu'on a affaire à de la confection médiocre. Cela devient vite aussi agressif qu'un mauvais parfum.

LM : *Est-ce que tout le monde porte des vêtements informatisés ?*

ST : Non, dans certains secteurs d'activité, vous n'en verrez aucun. Par exemple, dans la banque. Le culte du secret étant toujours aussi vivace, les banquiers crai-gnent que ces vêtements puissent servir à les espionner. Leurs craintes ne sont pas dénuées de fondements, car ces vêtements espionnent en particulier ceux qui les portent. Certains peuvent surveiller leurs mouvements et savoir s'ils marchent, courent, bougent…

LM : *Ces vêtements sont-ils confortables ?*

CT :Très, ils sont en général réalisés en fibres textiles d'origine végétale. Baobab, kapok, sisal, chanvre, viscose de bambou… Ce sont des fibres qui, outre le fait de minimiser l'utilisation des produits polluants, respirent, ne se chiffonnent pas. Associées à des algues, elles ont des propriétés antimicrobiennes, anti-inflam-matoires, hydratantes et déstressantes. En prime, des microcapsules greffées sur les fibres emmagasinent l'excès de chaleur corporelle et la restituent lorsque vous vous trouvez dans un environnement plus froid.

LM : *En quoi consiste votre travail de NetLookeur ?*

ST : Mes clients possèdent des miroirs d'évolution qui leur permettent de voir com-ment ils seront s'ils changent physiquement – s'ils se greffent des cheveux, s'ils maigrissent, s'ils se font refaire le nez… – et qui leur permettent également d'es-sayer des vêtements sans se déshabiller. Même si ces miroirs sont très perfor-mants, mes clients ont du mal à s'envisager et s'accepter différent de ce qu'ils sont actuellement. Mon travail est de les aider dans ce sens et de leur proposer un look en phase avec l'entreprise.

LM : *Quelle est votre méthode ?*

ST :Je fonctionne en leur faisant comprendre des principes basiques, comme « Qui se rassemble, s'assemble », et leur demande de prendre des visages-réfé-rences de l'entreprise. Je peux vous l'avouer, les références sont souvent les patrons. On n'y peut rien, depuis la nuit des temps, tout le monde veut s'identifier à ses dieux. Après avoir discuté de leurs choix, je leur propose quelques modifi-cations de leur look. Vous savez aujourd'hui, le champ des corrections est large.

Le clonage capillaire permet toutes les coupes de cheveux. Avec la chirurgie prothétique et esthétique notre corps peut être modelé à loisir.

LM : *En clair, vous intervenez pour que tous les collaborateurs d'une entreprise se ressemblent ?*

ST : Oui. Cela semble vous choquer ! Pourtant, il n'y a rien de bien nouveau sous les tropiques. Hier, l'entreprise conditionnait ses salariés de telle manière qu'ils arrivent à penser, s'habiller de la même manière, adopter les mêmes coutumes. Aujourd'hui, la technologie rend un peu plus évident le processus. C'est salutaire, car les choses étant clairement posées, on peut les accepter ou les refuser.

▶ LE RETOUR DU *LOW-TECH* ?

▷ *Fourrures, je vous (ré)aime...*

2020 : la mode de la fourrure revient. Avec sérénité, un brin d'ostentation, et pas mal d'humour. Portée par les top models (qui s'étaient faites, il n'y a pas si longtemps, les porte-parole des discours les plus intransigeants), et par la femme de la rue, qui affronte, avec parfois un certain cran, le regard réprobateur des cerbères d'une idéologie qui fut dominante et qui perd ses poils... si on ose dire.

Que se passe-t-il ? Pourquoi ce retour du balancier ? D'abord, parce que revient au premier plan le désir de penser et vivre par soi-même, pour soi-même, c'est une bonne nouvelle, et ce désir doit bien s'incarner quelque part. Le politiquement correct perd du terrain partout, ici comme sur d'autres fronts, nous l'avons déjà vu.

Seconde bonne nouvelle : derrière cet individualisme revendiqué, on décèle les signes avant-coureurs d'une attitude qui va remettre pas mal de pendules à l'heure. Personne ne conteste que la fourrure soit un luxe, mais le luxe n'est plus ce qu'il était. Le luxe n'est plus dans l'ostentation et l'arrogance : le luxe, c'est se redécouvrir soi-même, se réapproprier ce que l'on est. Le luxe est une essence, une authenticité et, dans le même temps, une sensualité retrouvée. Le retour de la fourrure incarne parfaitement cette nouvelle quête de contact tactile. C'est une autre incarnation de la société de palpation. Les femmes n'ont pas peur d'afficher cette nouvelle manière d'être, voire de la revendiquer. La fourrure convoque cette expérience archaïque et primordiale : l'état sauvage qui dort au plus profond de soi. Avec la fourrure, la femme et l'homme des années 2015 retrouvent une dimension oubliée et fascinante de sensorialité : ils redeviennent de bons sauvages...

▷ *Et les pauvres petits (ou gros) animaux ?*

Débat ouvert et jamais clos : « Et ton steak-frites ? D'où vient-il ? » Les femmes ont conscience – une conscience puissante et profonde – des lois de la nature, mais elles ne veulent pas qu'on les trompe sur l'importance de l'enjeu. Aux manifestations parfois outrancières de certains militants anti-fourrure, les femmes objectent la démesure, l'inconsistance de leurs actions. Le monde actuel a plus grave à résoudre : « Regardez le journal ! » L'agressivité démesurée de certains militants apparaît de plus en plus contre-productive. Hors de saison. Ridicule. Parfois même, vieux jeu.

▷ *Comment en sommes-nous arrivés là ?*

La fourrure est profondément perçue comme un symbole de protection (pas simplement contre le froid glacial). C'est une protection symbolique, un matériau magique qui incarne la protection maternelle et mère Nature ! Allons plus loin. La fourrure est à l'image même de la femme idéalisée, archétypale : elle est douce et enveloppante. Elle sublime le corps. Elle est désir et caresse.

Les femmes sont conscientes des risques de ce type de discours mais, quoi qu'on en pense et quoi qu'on en fasse, la fourrure, qui s'appuie sur les valeurs fondatrices et élémentaires de la tradition, est en train de regagner droit de cité. Car c'est bien de la nostalgie d'un Éden perdu qu'il s'agit. Cette quête relève d'un besoin essentiel. Le monde moderne a diabolisé la dimension primitive de la nature humaine. Or, si le terme « primitif » peut être connoté négativement, on peut aussi le remplacer par « originel » ou « premier ». Le mouvement anti-fourrure et son arsenal d'arguments bien-pensants ont été conçus par des citadins qui ont perdu le contact avec les sources et les ressources de l'âme et du corps. Le retour à soi-même, que nous évoquions dans les pages précédentes, a ceci de fascinant qu'il est aussi, et avec la même énergie, un retour et une avancée vers l'essentiel : l'écoute de l'humain dans toutes ses composantes.

Nous épargnerons au lecteur la liste complète des exemples qui prouvent combien et comment la femme moderne (et ses hommes) s'active pour se réapproprier un environnement qui soit plus juste, plus en phase avec quelque chose de simplement plus humain, au sens le plus serein et le moins polémique du terme : de la maison de campagne au linge de maison, du triomphe de la sensualité et des cinq sens au bon pain de campagne, de la vague en faveur des produits frais à la décoration florale… Évidemment, tout serait plus facile, et sans doute plus fade, si la fourrure n'avait pour avantage et pour nature que de passer un bon moment avec soi-même, tout emmitouflé dans des fantasmes plus ou moins régressifs.

⇨ Et les tabous dans tout cela ? Et le meurtre ? Et le sexe ?

Le tabou du meurtre est évidemment le cheval de bataille des militants anti-fourrure, et il n'est pas facile à résoudre. Certains invoquent l'idée que la Vérité est fille du Temps et que ce qui est vrai ici ne l'est pas là-bas, que tout est culturel, éphémère. Il n'empêche que c'est bien de notre culture qu'il s'agit et qu'il faut faire avec, puisque, même à Barcelone, on disait que les corridas allaient être proscrites ! Ce ne fut pas le cas, mais le boucher parisien doit-il trembler ? Soyons très clair sur ce point : il subsiste une gêne. Le simple fait que les fermes d'élevage traitent avec respect les animaux que l'on va dépecer ne suffit guère à faire des femmes des convaincues. Soyons plus clair encore : mieux vaut laisser dans l'ombre cette séquence du scénario. Personne n'a envie de s'attendrir sur sa prochaine étole qui trotte gaiement dans la plaine. Pour autant, on n'organise pas de visites d'abattoirs dans les régions d'élevage de porcs. Le génie humain est ainsi fait qu'il s'arrange de petites compromissions.

Le tabou sexuel permet d'aborder la place de l'homme dans cette affaire. On peut stigmatiser. L'image de la femme se faisant offrir un manteau de vison par son vieil et riche amant symbolisait, il n'y a pas si longtemps, la relation de domination par l'argent, la puissance du mâle sur la femelle. *La Vénus à la fourrure* du bon Sacher-Masoch en rajoutait dans le fantasme. Histoires anciennes peut-être, mais clichés encore vivaces.

À quoi s'opposent, avec bonheur et humour, les femmes des années 2010 qui attendaient avec impatience que l'homme se mette à porter fourrure. C'est le cas en 2020. Les femmes se sont allègrement débarrassées de ces images d'un autre temps pour – comme nous l'avons vu – revendiquer pour elles-mêmes le plaisir de cette seconde peau venue du fond des âges. Si le tabou du meurtre est sulfureux, le tabou sexuel est devenu beaucoup plus ludique, parfois candide, toujours séduisant, dans une société où le porno-chic, même sur le déclin, est un jeu de représentation, une figure de style.

Reste enfin que la fourrure est redevenue un accessoire de mode et que les femmes (et donc maintenant les hommes) peuvent en jouer sur la palette habituelle d'attitudes et de comportements : du plus superficiel au plus élégant, du plus exubérant au plus vulgaire, du plus ridicule au plus séduisant. On va pouvoir enfin choisir d'être soi-même, tout en affichant, avec fierté ou humilité, simplicité ou complaisance, que la nature reprend ses droits. La vraie vie, quoi...

Sauf que cela ne va pas de soi pour tout le monde... La protestation reste à l'ordre du jour à travers les réseaux sociaux et les campagnes anti-fourrure. On n'en finirait pas de citer les innombrables prises de position, des plus intellectuelles aux plus virulentes. On a tué des femmes dans la rue, et on a brûlé des boutiques de fourreurs en 2014. La tension augmente. Ici aussi.

⇨ **Mourir ?... Il le faut bien**

Vieillir et mourir

La dictature du jeunisme semble ne jamais devoir s'éteindre. On a du mal à se débarrasser des modèles « *adulescents* ». Tentation permanente d'entretenir le flou sur son âge réel. C'est que cette réalité est objectivement malmenée. Rire et pétiller font toujours partie des codes de bonne conduite socioculturelle au motif que le *fun*, c'est la vie même. Est-ce à dire que ces rires et ces pétillements sont factices ?

⇨ **La limite entre la vie et la mort devient floue. Quelle est la frontière... s'il y en a une ?**

Peu mettent en doute l'inexorabilité du vieillissement, mais ceux qui le font n'y vont pas de main morte... si on ose dire. Les uns convoquent les données scientifiques les plus pointues pour annoncer la mort de la mort, et les autres invoquent les religions exotiques pour dissoudre le vieillissement et la Camarde dans de grandes espérances un peu hasardeuses mais réconfortantes.

Tout cela est une question de regard. L'âge perçu est moins élevé que l'âge réel. Subjectivement, la vieillesse est postposée toujours plus loin et, objectivement, on meurt plus tard. Les générations qui partent à la retraite bénéficient véritablement d'une seconde vie, promise à une durée pas spectaculairement plus courte que la vie de travail qu'elles viennent de quitter. Pas question d'aborder cette nouvelle chance sans l'équipement physique et mental pour en profiter. Gymnastiques physiques et acrobaties intellectuelles vont être sollicitées.

On assiste à une montée de la solitude, pour des raisons diverses. Le vieillissement en est une, importante. Une forte proportion de personnes âgées vit en effet

seule, en particulier des femmes pour cause de veuvage. Ceci a des conséquences pour les territoires, qui vont être confrontés à une demande croissante
de services à la personne, et à une demande croissante de logements, le nombre
de ménages augmentant plus vite que la population du fait de la diminution de la
taille moyenne des ménages.

▷ A priori, *c'est mal parti !*

Les retraités voient leurs revenus baisser. Les retraités riches en capital et pauvres en revenus vont donc être tentés de monétiser leur
patrimoine, en particulier immobilier, en recourant au prêt viager
hypothécaire, qu'une loi récemment votée facilite. Si le dispositif est
bon dans son principe, son succès n'est pas garanti, car il a un effet
défavorable sur la transmission familiale du patrimoine. Le vieillissement accroît les tensions entre générations. Possibilités d'ascension
sociale moins nombreuses pour les enfants, transmission plus tardive
du patrimoine, et, dans certains cas, d'un patrimoine écorné, concurrence pour le logement, notamment dans les zones agréables où des
retraités aisés s'installent, provoquant une hausse de l'immobilier au
détriment des autochtones, prédominance d'un personnel politique
âgé, etc., tous ces facteurs contribuent à exacerber ces tensions[1].

▶ À LA RECHERCHE D'UN DISPOSITIF DE SURVIE

Quels que soient son état physique réel et son âge légal, on se
déclare jeune avec ostentation et enthousiasme. On est dans l'occul-
tation généralisée de la morbidité de la vieillesse. De même que la
symbolique de la mort a déserté les nécropoles depuis la fin du
XXᵉ siècle, de même la symbolique de la vieillesse se carapate.

Toutefois, si on souhaite rester jeune, on ne souhaite pas redevenir jeune. Cet entre-deux, entre jeunesse (active, incandescente,
conquérante) et vieillesse (décrochée, distante, désabusée) participe
d'une tension générationnelle forte – tension qui se résout dans une
guerre de tranchées plus que dans des affrontements.

La génération adolescente est largement critiquée par les hommes,
soulagés de ne plus en faire partie.

Chez les femmes, le complexe de la méchante reine de *Blanche-
Neige* pointe parfois : la nostalgie de la beauté fraîche et gourmande
qui s'est envolée pointe dans les blogs et les sites de socialisations

---

1. Michel Godet, Marc Mousli, *Le vieillissement, une bonne nouvelle ?*, La Documen-
tation française, 2009.

spécifiques qui continuent de se développer autour de thèmes de plus en plus précis, de valeurs de plus en plus exclusives. On notera que l'époque fait bon usage du miroir magique de la marâtre (on se crée une nouvelle apparence sur Facebook).

Des escarmouches frontales entre générations éclatent peu à peu. Le monde des (très) vieux devient à son tour un continent haï, une menace et un objet de répulsion…

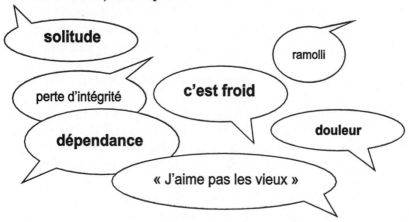

Jamais sans doute une génération ne s'était-elle sentie autant en porte-à-faux : la nanomédecine permet d'envisager le remplacement d'organes défaillants, de vaincre le cancer… voire de doubler les capacités du cerveau. Encore que ça, ce soit pour plus tard, pour une génération future de Varunas, c'est de la science-fiction. Pour l'instant, ce n'est pas le problème… Remplacer mon foie qui me torture, mon poumon qui m'asphyxie, éliminer mon début d'Alzheimer, ça c'est du domaine du possible… Quand ? Dans quelques années… Comment ça, dans quelques années ? Pourquoi pas maintenant ?

Parce que, pas maintenant.

Arrive une période étrange. Celle d'une « génération piteuse » qui éprouve de la colère et de la fureur contre le sort qui l'a placée à la charnière entre deux mondes : celui d'avant le transhumanisme et celui du transhumanisme.

Celle d'une génération qui éprouve aussi de la pitié et de la compassion pour elle-même, pour les parents ou les proches.

Celle d'une génération qui admire et envie ses vieux « exemplaires », « emblématiques ».

❝ À la télévision, un Japonais de 99 ans qui a gravi le mont Blanc, une mamie de 103 ans qui nage dans une piscine. Je

suis admirative pour celles qui sont restées coquettes, ont gardé leur bonne humeur ; ça me rassure cette lumière dans le regard. Les limites sont chaque jour repoussées : le Japonais a maintenant 120 ans, la mamie 128, et elles sont de plus en plus nombreuses."

À cette époque, on a le sentiment d'être entre deux temps : le temps d'autrefois et celui du futur. Un monde sans seuil, un monde solitaire, un monde schizoïde. L'érosion de la vie amoureuse et sexuelle est compensée par des *sextoys* de plus en plus convaincants. On dîne en ville avec son *escort boy* ou son robot d'amour. On parle de mariage technosexuel ou cybersexuel. On débat des nouveaux ébats. Rien n'est tranché.

Si l'âge de la retraite a reculé – on envisage donc tout naturellement de travailler jusqu'à 70 ans –, le problème de l'identité n'est pas résolu pour autant. Le seuil de la dégradation mentale et sociale n'a, après tout, reculé que d'une décennie. La dégradation physique subit le même sort. On ne sait plus qui, du mental ou du physique, commence à saper l'autre. On assiste à une furieuse course en avant : désastre psychologique, rattrapage technologique.

Bien entendu, cela ne peut pas durer : il y a trop de vieux pour qu'on puisse les laisser déprimer comme ça. On redoute la contamination du malaise, de la perte d'identité, à l'ensemble de la planète... Nous avions déjà rencontré un phénomène analogue avec la nourriture : manger bien, pour être bien dans son corps, pour que le corps sociétal dans son ensemble aille bien. Maintenant, on laisse filer la rumeur : le désespoir des vieux accélère la dégradation écologique du monde habité. Il faut faire quelque chose. Chacun y va de sa solution : Vivacœur[1] est une plate-forme de services à domicile, conviviaux et humains, dont la mission est de recréer un lien social fort et de lutter ainsi contre l'isolement, en utilisant la visiophonie *via* une télévision interactive.

Si bien qu'assez vite, à partir des années 2020, devenir vieux va (re ?)devenir une chance.

On ne peut plus les cacher dans des maisons de retraite.

D'ailleurs, il n'y en a plus assez.

De toute façon, on n'a plus besoin de les cacher

---

1. Créé par Brigitte Beulaygue, projet lauréat du concours Greenmedia de l'Incubateur Belle de mai.

La nouvelle médecine fait converger les spiritualités traditionnelles et les avancées nanotechnologiques les plus récentes. On soigne le corps et l'âme. Mieux encore, on réintroduit le respect pour l'âge. Ils l'ont échappé belle…

⇨ Que se passe-t-il ?

▶ ON SE DÉBARRASSE DU JEUNISME

On nous avait laissé espérer que le siècle allait être celui de la femme, de l'*anima* – on entendait compassion, empathie, tendresse, chaleur, rêve, beauté… –, et pas *bimbo* éternelle, modèle formaté, silhouette anorexique, bronzage et enthousiasme exigés. Mais la bimbo en question avait fait des ravages, et ce n'était pas fini. Comment s'en débarrasser ?

En portant un regard distancié, narquois parfois, sur l'inéluctable. On minimise les signes physiques extérieurs. On coupe les poils blancs de sa barbe. On positive les rides. On refuse de s'inquiéter du futur. On cultive la fantaisie et le primesautier. On change sa relation au temps. On s'inspire volontiers de certaines bonnes prises culturelles, dont on adapte avec une confusion assez bonhomme les meilleurs morceaux. Le taoïsme en fait partie :

> « *La quête d'immortalité taoïste consiste en un travail sur l'individu, corps et esprit, afin d'y retrancher la racine du déclin et de la mort, de maîtriser le cours du temps et de s'assimiler au rythme naturel de l'univers*[1]. »

C'est exactement ce dont on a besoin : se dégager de la contingence des catégories sociales au profit d'une réémergence dans un grand ensemble de soi au monde. Pour autant, le taoïsme avait quelque chose de déjà vu, d'un peu ressassé. Il convenait de chercher ailleurs des exemples. Les anthropologues ont toujours été pour ça d'excellents pourvoyeurs.

▷ *Tout est bon à prendre pour rêver d'un autre destin*

Les Cuivas, population amérindienne des plaines orientales de la Colombie, offrent un exemple de ce qu'une société peut inventer pour assurer l'homogénéité et l'égalité de tous les adultes, sans distinction d'âge. Les Cuivas ne sont pas encore connus du grand

---

1. Vincent Goossaert, www.clio.fr/BIBLIOTHEQUE/Le_taoisme.asp

public, c'est un nouvel exotisme réservé à quelques initiés. Encore une belle prise, un peu snob. Un truc idéal pour l'*upstream.*

« Chez les Cuivas, il n'y a pas d'espace social particulier aux vieillards et il n'y a pas non plus d'activités sociales dont ils sont exclus. Les Cuivas ne deviennent jamais trop vieux pour poursuivre la vie nomade, contribuer à la production, participer aux débats, pour épouser, pour consommer des drogues, pour quoi que ce soit. Au contraire, la société veut éviter la brisure, et traite ses vieillards comme si leur vieillesse n'existait pas. La société cuiva ne crée pas d'âge de la vieillesse : une fois sorti de l'enfance, l'individu demeure jusqu'à sa mort confondu à l'ensemble des adultes[1]. »

N'avons-nous pas déjà vu ça quelque part : le secret de la jeunesse c'est de sortir de l'indifférencié, celui de l'âge mûr c'est de la retrouver... Se fondre dans le conte du monde, c'est le secret même de la condition humaine. Bernard Arcand insiste :

« La théorie cuiva de la reproduction veut que la vie soit cyclique. L'origine de la société n'est pas le fait d'un héros culturel ou d'un couple mythique, mais l'émergence collective de toute la société qui se reproduit depuis et pour toujours. Les âmes des morts reviennent peu après donner la vie aux nouveau-nés, ce qui implique que ces morts sont très vite oubliés puisqu'ils n'existent pas dans un quelconque ailleurs, mais bien parmi nous. Ce qui implique aussi qu'il serait inconcevable de croire les vieillards sur le point de se séparer de nous et de quitter la société[2]... »

Source d'inspiration garantie pour la *grey generation.* Dans ces recyclages de mythes fondateurs, encore faut-il faire des choix. Donc, les Cuivas font figure de modèle idéal. On les réétudie. On part en expédition. On fait des reportages. On cherche des exemples identiques, et on en trouve :

« Les Yahgans de la Terre de Feu, vivant dans un milieu naturel particulièrement rude et dont la technologie représente un

---

1. Bernard Arcand (anthropologue, professeur au département d'Anthropologie, Université Laval), thèse de doctorat sur les Cuivas, chasseurs-cueilleurs amérindiens.
2. *Ibid.*

extrême de simplicité, traitent leurs vieillards avec respect et vont même jusqu'à les porter sur leur dos lors des migrations[1]."

▷ *Hélas, la réalité...*

On a beau dire... le sentiment de déroute et d'inutilité des personnes âgées, leur misère économique, physique et morale sont non seulement une réalité, mais aussi – ce qui est sans doute pire, parce que cela fige les choses en donnant l'idée qu'elles sont naturelles – un grand récit partagé, un mythe chuchoté, un imaginaire distribué à tout-va : les vieillards sont malades, pauvres, immobiles, inutiles, seuls et tristes !

On se tourne à nouveau du côté des peuples premiers dans l'espoir de retrouver un peu de réconfort, de compléter la liste des bonnes nouvelles. Déception.

" *Les voisins des Cuivas, les Onas, préfèrent abandonner leurs vieillards à une mort certaine. Ces deux populations habitent un même milieu naturel, se sont donné des technologies et des systèmes économiques identiques, des* **formes** *d'organisation sociopolitiques comparables, et pourtant traitent les personnes âgées de façon radicalement différente. La « société primitive » est donc contradictoire, et il ne peut y avoir de généralisation simpliste sur le vieillissement dans la société humaine[2]."*

En secret, par des biais détournés, on fait monter les vieux au cocotier, et on secoue pour voir ceux qui tiennent le coup.

La bonne nouvelle – car il y en a –, c'est que les vieux sont un énorme marché. Les services à la personne, les aides à domicile, les infirmiers et les aides-soignants font infléchir la courbe du chômage. Les entreprises de proximité sont florissantes, nouveau miracle économique qui alimente un cercle vertueux. Les technologies de la communication concernent toutes les couches de la population, pour maintenir le contact, favoriser l'éveil, et entretenir la solidarité. Des industries spécialisées dans les technologies de l'âge s'abreuvent à ce nouvel or gris.

⇨ **Mais mourir, mourir vraiment ?
On en est toujours à espérer...**

---

1. *Ibid.*
2. Myerhoff cité par Bernard Arcand, *ibid.*

Quelques illuminés, de type raëlien, parviennent à faire les unes des journaux de temps à autre. Leurs succès aussi factices qu'éphémères soulignent la fascination toujours vivace des promesses de vie éternelle.

Il faut en revenir ici[1] à Ray Kurzweil, qu'on célèbre enfin, en 2015, comme pionnier de l'intelligence artificielle, de la robotique, des nanotechnologies, du futurisme... Il le fut sans doute plus dans les instruments électroniques, la reconnaissance de caractères, la synthèse vocale et la reconnaissance vocale, ce qui n'est déjà pas mal, mais on ne prête qu'aux riches. Terry Grossman, médecin américain, créateur et dirigeant d'une clinique de longévité, le Frontier Medical Institute, spécialisée dans la médecine anti-âge, fait figure de disciple du premier. Tous les deux étaient partis de quelques clichés bien sentis : *a)* la médecine occidentale est avant tout une médecine curative, qui vous guérit après l'apparition des symptômes, mais ne vous apprend pas à prévenir les maladies et : *b)* les médecins, avec toutes leurs compétences et leur expérience, ne passent malgré tout que 15 minutes avec vous par consultation. Forts de ce constat, ils annonçaient que les vrais moyens pour combattre les fléaux qui allaient s'abattre sur l'Occident (stress, obésité, maladies cardio-vasculaires, diabète, cancer, Alzheimer...) allaient devoir être l'alimentation (surtout), l'activité physique et intellectuelle, la prise de compléments alimentaires, l'utilisation d'outils de diagnostics médicaux...

Mais la science permettra-t-elle de vivre éternellement ?

Des nanorobots, de la taille d'une cellule sanguine, vont-ils reconstruire nos cellules ?

Encore une utopie transhumaniste

   « À partir de la fin des années 2020, des nanorobots devraient atteindre le cerveau en passant par les capillaires. Les nanorobots des années 2029 seront capables de communiquer les uns avec les autres au moyen d'un réseau local sans fil, avec Internet ou avec vos neurones biologiques. Grâce à cette technologie, votre cerveau évoluera en un hybride d'intelligence biologique et d'intelligence non biologique. Aujourd'hui, vous êtes limités à seulement 100 billions (de connexions interneurales biologiques qui sont de plus extrêmement lentes et travaillent à seulement deux cents transactions par seconde environ). Avec les implants neuraux fondés sur les nanorobots, vous amplifierez votre pensée en ajoutant des billions de

---

1. Olivier Roland sur schismatrice.net

nouvelles connexions qui travailleront des millions de fois plus vite que vos connexions biologiques. Cela vous permettra d'étendre considérablement vos possibilités de reconnaissance, vos capacités cognitives et émotionnelles, mais cela vous apportera aussi une connexion intime pour de nouvelles formes puissantes de pensées non biologiques. Vous aurez ainsi les moyens de communiquer directement à grande vitesse avec Internet et avec d'autres personnes, directement à partir de votre cerveau[1]."

Des thèses qui sentent le soufre[2]. Aubrey De Grey est convaincu d'avoir formulé la théorie qui permettra aux êtres humains de vivre des milliers d'années. Ce mécano de l'éternel a fondé le prix de la Souris Mathusalem (Methuselah Mouse Prize, ou M Prize) qui encourage les recherches visant au ralentissement radical du vieillissement, voire au rajeunissement. Parallèlement, son projet SENS (Strategies for Engineered Negligible Senescence) a pour but « l'extension radicale de l'espérance de vie humaine ». Il passe par une évolution progressive allant du ralentissement du vieillissement à son arrêt, et jusqu'au rajeunissement. Il s'agit de « rester jeune (beaucoup) plus longtemps que quatre-vingts ans[3] ». De Grey meurt relativement vieux.

Nonobstant, les pompes funèbres ont de beaux jours devant elles. Dans les années 2020, au début du pic des décès de la génération des baby-boomers, les entreprises funéraires innovent à tour de bras. Elles concluent des ententes avec les banques pour offrir des produits d'épargne-décès adaptés aux différentes clientèles. Un notaire apporte ses conseils pour la rédaction du testament et des documents de disposition du corps. L'entreprise se propose comme exécuteur testamentaire. Elle vend également « l'immortalité » à ses clients grâce à une « mnémothèque » : constitution d'un fichier de photos souvenirs et autres données personnelles enregistrées dans les archives informatiques de l'entreprise funéraire, pré-enregistrement et conservation de messages « d'outre-tombe » sur disque vidéo. Le service d'inhumation traite le corps : asepsie, embaumement, crémation et columbarium ou inhumation au cimetière. Le cortège d'enterrement appartient au passé. Tout se fait sur le site du complexe funéraire. Et tout est prévu sur place : la maison cérémoniale s'adapte à tous les rites ; un service de traiteur et des salles de réception (voire des restaurants dans les grands parcs commémoratifs) restaurent les

---

1. www.schismatrice.net
2. *Cf.* Sherwin Nuland, in *Technology Review.*
3. Wikipédia.

participants ; des chambres d'hôtels ou de petits motels (sur le modèle des manoirs Ronald McDonald installés près de certains hôpitaux) pour l'accueil des familles ; des consultations pour aider à faire le deuil proposées par des psychologues ; un conseil juridique pour rédiger tous les documents légaux afférents au décès ; un service de communication pour la rédaction des avis et faire-part ; des services notariés pour la lecture du testament ; un conseil financier pour le placement des avoirs des héritiers ; un service de « commémoration », qui prend une grande importance du fait de la tendance à la constitution de « familles sociales » (réseaux d'amis remplaçant les réseaux familiaux traditionnels) et de la recherche de l'immortalité par l'entretien du souvenir. Tout cela compense la mort de De Grey.

 ## Mémentos, mémoriaux et autres tombeaux

Les projets artistiques de cimetières virtuels pullulent. Quelques exemples de projets d'artistes s'interrogeant sur la manière de garder en vie des êtres chers après leur mort.

Bioprésence

Ce projet en cours de Shiho Fukuhara et Georg Tremmel consiste à transcoder un morceau de gène humain à l'intérieur du code ADN d'un arbre (un pommier) afin de créer des mémoriaux vivants ou des pierres tombales transgéniques. Quand vous mangerez une pomme, c'est un bout de votre grand-mère que vous croquerez.

Memento mori in vitro

Plutôt que de conserver une boucle de cheveux coupés, Michael Burton imagine un moyen de cultiver une touffe de cheveux d'une personne décédée, histoire de conserver l'odeur, la texture, la couleur.

Cemetery 2.0

Le système d'Elliott Malkin connecte la tombe physique avec le mémorial en ligne de la personne décédée, grâce à un dispositif relié au Net par satellite.

Digital Remains

Michele Gauler imagine une sorte de « clé » qui, placée à proximité d'un téléphone portable, d'un lecteur mp3 ou de l'ordinateur, établirait une connexion Bluetooth avec eux et activerait l'accès aux restes numériques de la personne décédée.

Mastaba

Le laboratoire Okude imagine un temple du futur, où l'utilisateur peut comparer sa photo avec celles de ses ancêtres lorsqu'ils avaient le même âge.

" *Par ailleurs, les plates-formes commémoratives pullulent sur le Web. Deathspace a ainsi compilé les listes de pages Myspace de défunts. Le morbide Mydeathspace pousse le bouchon un peu plus loin en fournissant en sus quantité de détails sur les conditions du décès, photos, blogs, articles de presse, etc. Dans la rubrique nécro : Mor Glisko, 18 ans, morte d'une rhinoplastie bâclée, Timothy Tillotson, 19 ans, mort dans un crash, ou Rebecca, étouffée dans son oreiller... La page la plus déprimante du monde...*

Dans World of Warcraft, se sont tenues d'impressionnantes funérailles, organisées en l'honneur d'une joueuse morte du cancer. Dans Second Life, on trouve un mémorial dédié à l'astronome Carl Sagan, pionnier de l'exobiologie, qui a mis en place le programme Seti de recherche d'intelligence extraterrestre. L'entreprise néerlandaise de pompes funèbres Uitvaart a ouvert en janvier un crématorium dans Second Life, en coopération avec le plus grand constructeur de cercueils du pays. Elle propose ses services, offices et urnes aux avatars, dans les Gardens of Memories de la région de Tatlina[1]*.*"

---

1. Marie Lechner, dans *Libé Écrans*.

3 La mobilité

On avait craint un moment que sortir des sentiers battus ne soit plus de mise. Tous les sentiers – pensait-on – avaient été visités et revisités. Et si l'on se laissait tenter par une escapade buissonnière, on serait vite rattrapé par les instruments de navigation personnelle, lesquels ne se contenteraient pas de vous dire où vous êtes, mais le signaleraient aux autres, et, en outre, vous raconteraient complaisamment l'histoire du bout de forêt dans lequel vous étiez allé faire une pause technique. Il n'y aurait plus de bouton *off* sur les machines.

Les choses ne se sont pas tout à fait passées comme ça. Mais, pas non plus très différemment. Encore une fois, l'effet des phénomènes de fracture, paradigme décidément incontournable de ces deux décennies.

▶ PELLICULE DE PROTECTION

De fait, il y a deux types de mobilité touristique, la première : aseptisée, protégée, massifiée. Pas question de dérision ici. Le *mainstream* y trouve son compte. Le tourisme, c'est comme le zinc. L'oxydation produit une couche de rouille autoprotectrice qui stoppe l'érosion du métal. Le tourisme de masse s'installe sur des bandes de terre protégées avec l'assentiment de quelques autochtones. Cela forme un écran, en même temps que cela satisfait l'appétit culturel du *mainstream* qui se contente de quelques stéréotypes. Cette pellicule sociale et mentale protège l'art vivant, celui qui se pratique juste au-delà de la réserve à touristes, préservant ainsi l'authenticité du pays.

Cette couche de protection est un bon garde. Pas question d'avoir des états d'âme. Pas question de lutter contre. C'est un bienfait. C'est l'instinct de survie du corps social. Certains territoires sont ainsi désignés par l'inconscient des peuples et celui des investisseurs pour y construire clubs et palaces. On y assiste à une neutralisation de l'espace : un no man's land culturel sur quelques kilomètres, voire quelques centaines de mètres carrés puisque, bien souvent, l'hôtel d'une chaîne internationale fait l'affaire.

▶ ZONE DU VRAI JEU

L'autre mobilité, celle qu'on qualifie ici et là, avec peut-être un peu de prétention, de nouveau « grand jeu » est beaucoup moins stable, beaucoup moins sûre, voire carrément périlleuse. Les poètes de l'époque convoquent pour la représenter la métaphore de la glisse (dont nous savons maintenant qu'elle fait florès à cette époque). Les plus hardis parlent de surf sur la lave en fusion... jusqu'au jour où un surfeur les prend au mot et se lance sur les pentes de l'Etna lors d'une éruption spectaculaire. Cet exploit fait le tour du monde et devient la métaphore des défis contemporains. Un tourisme de guerre, des catastrophes, du terrorisme, se développe. Il s'agit de se rendre au plus vite, et si possible le premier, dans les zones les plus exposées de la planète, et de faire de cette démarche un « travail artistique vivant ». Sauf que, bien entendu, on en meurt beaucoup.

Entre ces deux mobilités, la fracture donc, entre ceux qui se recroquevillent et ceux qui se surexposent.

Ces deux façons de concevoir le voyage incarnent assez bien les fantasmes de mobilité. Une approche *mainstream* frileuse, une approche *downstream* audacieuse. Pour autant, ce ne sont là peut-être que des fictions qui restent prudemment à distance de la réalité.

La vérité du voyage est ailleurs, dans le voyage de décrochement, le voyage d'immersion. Un même désir, deux possibilités de satisfaction : le réel ou le virtuel. Et demain la troisième voie : réel et virtuel intimement mêlés.

Voyager

Comme on pouvait s'y attendre, le tourisme de cette période se caractérise par l'effacement des frontières entre fiction et réalité.

Il est donc lui aussi représentatif de l'esprit du temps[1] évoqué dès les premières lignes de cette enquête. Pour des raisons économiques, culturelles et générationnelles en effet, le tourisme n'est plus guère en prise directe avec le monde réel. Mais comme il faut malgré tout répondre à une attente de retour aux sources, sont donc apparus, grâce aux techniques hyperréalistes, des espaces reproduisant aussi bien des batailles historiques que des paysages des tropiques. C'est de ces nouvelles formes d'« hyperréalité » ou de « surréalité » que raffolent – sans en avoir forcément conscience – les touristes modernes. Cette nouvelle configuration incarne ce qu'entendait Baudrillard par « séduction », à savoir une étendue de signes, mais des signes qui ne renvoient à rien, « qui ne sont qu'un effacement de toutes les instances de la substance ».

> ❝ *Le voyage à Disneyland, du coup, c'est du tourisme au carré, la quintessence du tourisme : ce que nous venons visiter n'existe pas. Nous y faisons l'expérience d'une pure liberté, sans objet, sans raison, sans enjeu. [...] Disneyland, c'est le monde d'aujourd'hui dans ce qu'il a de pire et de meilleur : l'expérience du vide et de la liberté[2].*❞

Le tourisme de masse rejoint ainsi, pour l'incarner tout à fait, un autre levier des temps à venir, que nous avons déjà rencontré dans cette enquête : le jeu. Jeu avec le réel – qui est apprivoisé, neutralisé, aseptisé. L'aire de jeu, ère du jeu oblige, c'est le parcours touristique balisé, protégé, immunisé chez les anciens coupeurs de têtes dans la jungle du Sarawak, ou dans les banlieues et favelas des mégalopoles des cinq continents, qui plonge le touriste dans un spectacle en modèle réduit (au sens de réduit à l'incapacité de nuire, au sens de soumis). C'est le jeu avec la peur pour revivre les contes traumatiques de sorcières et de dragons (palpation-sensation). C'est aussi le jeu avec la torpeur des plages, lesquelles, nous le verrons plus loin, demeurent le refuge de l'inaction autorisée (corps allongé, murmure de la mer, soleil brûlant). Tout cela donne de l'épaisseur au vivre. Puisque, à défaut des aventures d'antan, on fait surtout comme si dans la bulle d'un Center Parcs. Sous la coupole de cette basilique végétale se déroule la liturgie du simulacre.

---

1. Thomas Schlesser, sur e-dito.com, inspire l'esprit de ce chapitre.
2. Marc Augé, cité par Thomas Schlesser.

« L'adulte ne joue donc pas à l'enfant, il revient à l'enfance en jouant à l'adulte. Plus encore, le rôle qu'il joue est très exactement celui de la vie sociale réelle, mais reproduite artificiellement sous la bulle du Center Parcs, avec ses sept à huit cents cottages rassemblés sur un espace relativement restreint, sa chapelle, son centre de conférence, sa plage, son centre commercial, sa place publique ou sa discothèque. Dans ce contexte, l'adulte joue à être chez lui. En effet, c'est peut-être ici la forme la plus élaborée du tourisme moderne, puisque ce n'est pas tant le lieu en lui-même dont on profite, mais de la croyance. Cette croyance est la plus basique qui soit, la plus facile à adopter : il ne s'agit pas de croire à la reconstitution de la bataille de Waterloo, encore moins de croire aux personnages de contes ou de dessins animés qui s'agitent devant soi dans un parc, mais simplement de croire que l'on est chez soi. La finalité du tourisme n'est donc pas ici le déracinement par l'exotisme, le transport loin de ce que l'on connaît, mais la conquête d'une hyperréalité qui est aussi bien un réel déréalisé[1]. »

Mais attention, là encore médisance et dédain ne sont pas de mise. C'est peut-être effrayant pour les beaux esprits, mais c'est comme ça. Il ne s'agit après tout – pour les observateurs et aussi pour les promoteurs trop contents d'y trouver leur compte – que de la logique imperturbée de l'euphémisation que Gilbert Durand avait mise en évidence. On connaît l'histoire : aux sacrifices humains avaient succédé les sacrifices d'animaux, puis des rites de commémoration. On atténue – c'est dans la logique de l'évolution. On ne se livre donc plus à d'improbables méharées. On laisse le danger aux merveilleux fous surfants dont nous avons parlé plus haut.

Si on ne dévore plus les kilomètres, on picore les petits instants

Les professionnels du tourisme constatent une montée en puissance des courts séjours, des week-ends improvisés, des aubaines que l'on saisit. Dans ce contexte de crise, ils mettent à disposition un large choix de destinations et de prestations à la carte, adaptées au statut et aux goûts de chacun – famille, célibataire, couple, aventurier, culturel, sportif, nature, mer, montagne, campagne, capitales

---

1. Toujours Thomas Schlesser.

européennes. Cette mutation reflète l'évolution des modes de vie, des mentalités actuelles et de la manière de profiter de ses vacances. Elle est aussi la conséquence de la vitesse acquise par le paquebot sociétal : un court séjour, c'est faire un break avant de repartir affronter la vraie vie. Quand ces congés sont consacrés à visiter des champs de bataille et à assister aux combats de guerres réelles, cela ne fait que corser l'émotion. Et cela ressemble aux safaris banlieue. Une virée en orbite est à peine plus chère, et donne l'occasion de méditer sur la planète. Voir les choses de très près, les voir de très loin.

 ## S'il faut voyager, voyageons efficace

  « *Le voyage démarre dans la recherche de voyage… Ce n'est plus seulement un déplacement d'un point à un autre car les points du globe ne sont plus fixés. Le monde bipolaire que nous connaissions jusqu'ici est devenu un réseau multipolaire. Certes, nous passons toujours d'un point à un autre, mais le changement de pôle affecte peu les relations que nous entretenons avec l'espace. Les mêmes boutiques sont repérables d'un point à un autre de la planète, et nous transportons partout avec nous nos outils de guidage et de perception des choses. Pour en sortir, il faut forcer les parois de notre bulle. Ainsi, l'intensité du voyage (se frayer une voie vers un monde qui serait extérieur) va de pair avec une sécurisation des modalités de transport. Une sécurisation source de tension mais d'autant plus élaborée qu'elle rime avec fluidité et intermodalité.*

Lors d'un voyage, nous changeons de mode de transport tout en conservant les relations qui nous unissent au monde avant notre départ. C'est l'apport des technologies de communication « embarquées » (ordinateur + voiture) et de l'importance que prend progressivement la notion d'intermodalité. De quoi s'agit-il ? De proposer aux usagers des villes une combinaison de moyens de locomotion qui permettrait d'accélérer et de fluidifier les déplacements. À Singapour, Copenhague, Lyon, l'abonnement aux transports en commun permet de bénéficier d'un vélo en accès libre que l'on peut utiliser et redéposer un peu partout en ville (service « Call a bike »). À Paris, le Vélib' a triomphé. […] On bouge pour enrichir son statut (être « à niveau » du monde global) et son être social (ouverture sur l'autre, expérimentation de soi) avec, en tête, un plus grand respect du différentiel culturel : être différent est facteur de productivité narcissique. Par extension, la surindividualité induit une sur-différenciation qui dépasse les frontières : l'étranger n'est plus seulement à l'autre bout du monde mais à deux pas de chez soi (l'aventure est au coin de la rue[1])."

Encore qu'une autre hypothèse se dessine

" *De mon côté, fêtes au Cambodge, voyage qui a été splendide. Quatre jours dans les temples d'Angkor, une expérience inoubliable, d'autant que peut-être, grâce à la crise financière et aux problèmes en Thaïlande, il y avait assez peu de monde, voire pas du tout en fonction des temples choisis[2]."*

Et, de fait, on va voyager quand même...

" *L'impact du tourisme sur le changement climatique a doublé entre 2009 et 2029. On a atteint 1,5 milliard de voyages dans le monde en 2020. Or, les transports, le logement et les autres activités touristiques comptent pour environ 4 à 6 % du total des émissions de gaz à effet de serre. La croissance continue du secteur a conduit à une augmentation de 150 % de ses émissions de gaz."*

Les comportements en matière de tourisme ont évolué : les destinations côtières, particulièrement dans des pays pauvres ou sur des îles, ont été les plus affectées par les changements climatiques et la hausse du niveau des mers. À l'inverse, les zones tempérées reçoivent davantage de touristes.

⇨ **Et le futur est parti se baigner !**

Vivre à la plage

La Méditerranée comme utopie, l'été comme fantasme, il reste au moins ça à l'Europe de 2020 : aller à la plage. Il y fait plus chaud

1. Antoine Couder pour cet éclairage (contribution à une réflexion sur le voyage sur www.e-dito.com).
2. Denis Lejeune, dans un courriel à l'auteur.

qu'autrefois, mais cela demeure respirable. On y pique-nique avec les pères fondateurs de la civilisation gréco-latine et on ritualise une très ancienne relation.

Voilà un concept que les Européens partagent. À défaut d'adhérer à la Grande Europe, ils ont en commun un imaginaire puissant, qui trouve ses racines dans un modèle archaïque qui a su surfer sur les vagues de l'histoire et dont les avatars se sont succédé depuis l'origine de leur histoire : la Méditerranée.

Vieille affaire, antique maîtresse toujours fringante, cause et témoin de nos meilleures escapades. Souvenez-vous : le pèlerinage du Moyen Âge (berceau des trois religions du Livre et des villes saintes), le voyage culturel du XVIᵉ siècle, le Grand Tour du XVIIIᵉ siècle, la villégiature du XVIᵉ siècle au XVIIIᵉ siècle, la mode balnéaire du XXᵉ siècle. Les anciens ont passé de bons moments avec elle.

Évidemment, tout cela se passe sous le soleil, en été. L'héliotropisme de la culture actuelle a transformé les côtes de Mare Nostrum en une gigantesque agglomération humaine de loisir, puis de travail. Dans la société industrielle, l'activité était un devoir et l'oisiveté considérée comme la mère des vices. Dans la société post-industrielle et post-crise, ne rien faire, le *farniente*, particulièrement sur la plage, à la mer, sous un soleil ardent, devient une des formes intenses de l'art de vivre.

> « *Le soleil devient objet d'adoration, pour le plaisir d'être, comme il était, pour certaines tribus primitives, objet d'adoration et de culte*[1]. »

▶ Utopie alimentaire

Tout autour de la Méditerranée se sont jouées des scènes fondatrices que nous répétons à l'envi. Des fantasmes liés au nomadisme transforment le rapport à l'alimentation. L'été, on mange dans la rue, en voiture, en train, sur la plage, en randonnée. Cette alimentation « en marchant » est nomade par excellence. Grignoter, c'est retrouver les gestes des tribus errantes. Le fantasme du cru rôde tout autour : manger cru, c'est l'innocence et la pureté, la gastronomie originelle, le temps adamique. Crudité et nudité s'opposent au cuit et à l'habillé, comme le corps jeune au corps vieux. Légumes crus et tapenade.

Et parallèlement, émerge une recherche hédoniste. La demande pour les auberges et les petits restaurants de qualité est révélatrice

---

1. Joffre Dumazedier, *Vers une civilisation du loisir ?*, Paris, Le Seuil, 1962.

de la quête de qualité et de nouveauté, de la recherche d'authenticité, de l'importance accordée aux terroirs. Tapas, empanadas, lavande en Provence, bouillabaisse dans le Midi, salade niçoise, paella valenciana, la cuisine du bord de mer, faite de poissons et de mollusques, de riz, d'olives, d'anchois, de pissaladière et de tomates.

Les Européens cherchent à retrouver leurs racines dans l'alimentation, dans les produits de la Méditerranée (qui appartient naturellement à l'Espagne, la France et l'Italie, et culturellement aux pays du Nord, par effet de porosité, ou peut-être par nostalgie des centurions bronzés de l'Empire romain), produits du potager, pâtes en Italie, recettes locales, partout petite gastronomie domestique.

L'Européen est tenu par le ventre à ses racines, depuis longtemps. Et pour longtemps.

▶ UTOPIE CULTURELLE

La culture, on l'a vu, prend une place croissante et les perspectives d'une soirée chaude et étoilée galvanisent les énergies. Le tourisme culturel, le tourisme industriel, le « tourisme du souvenir », le tourisme gastronomique se développent. En Italie, ceux qui ne partent pas en vacances se réapproprient les villes où sont organisées des manifestations culturelles volontiers commémoratives (Bologne, Palerme, Milan, Rome, Turin...). Pas de commune qui n'ait sa fête en Italie, son festival en France. Les bals populaires, les marchés de nuit, les rituels régionaux, qui passent souvent par des produits anti-malbouffe (l'huile d'olive en Provence), ou par des retrouvailles avec le patrimoine culturel au sens large (courses de taureaux, nuit du cochon...). Tout cela est prétexte à libations...

▷ *À la recherche du paradis perdu*

Quand l'Européen descend vers le sud, c'est pour aller à la plage. Autrefois sauvages, la plage et le bord de mer ont été apprivoisés. Entre la ville, espace de travail-loisirs, et la campagne, espace de beauté-liberté, la plage est un lieu d'oubli, qui se veut hors du temps. La plage est un étrange théâtre, un univers « hors contexte » qui permet un détachement psychologique des réalités de la vie, et des réalités locales. Croyant partir à la rencontre de ses racines mythiques méditerranéennes, l'Européen s'en débarrasse sur la plage. La plage est un lieu de redécouverte du corps. D'un corps sain et purifié, d'un corps jeune et admiré, régénéré. Bref, d'un autre corps, d'une utopie de corps. La plage est aussi un lieu de redécouverte de la famille, qui permet de réunifier le territoire privé des relations, de redécouvrir l'être ensemble. Autre utopie ? Familiale, cette fois. La plage est enfin un lieu dans lequel on reproduit son propre univers, son propre territoire. Chacun préserve son mètre carré de plage, surveille et se fait voir. Utopie encore, création d'un territoire fictif ? La plage est également un lieu « fictif » : plus dans la contemplation que dans la mobilité, dans l'oubli et la vacuité que dans une réelle activité. On lit des livres de fiction (rêve et oubli de soi). On réinvente son propre temps et ses propres rituels. Un temps qui nous appartient, mais qui flotte et se déroule sans événements… sinon le plaisir sensuel (culte du soleil, du corps, des petits plaisirs qui s'égrènent durant la journée : le bain, les repas déstructurés, faire quelques pas, attendre les fêtes du soir…). La plage est un espace magique. Frontière entre terre et mer, entre passé et présent, elle autorise repli sur soi et convivialité, repos et activité.

La plage des années 2020 est la plage éternelle, le paradis retrouvé. Elle ressemble terriblement à celle des années 2000. C'est peut-être la seule fiction pérenne, le seul souvenir heureux.

⇨ **Ira-t-on en voiture ?**

Les métamorphoses de la voiture

Il est désormais acquis que la voiture possède une bonne âme et une mission : accroître le confort et la sécurité, respecter l'environnement et faciliter la conduite grâce à l'électronique embarquée. Elle contrôle en permanence les différents éléments du véhicule à l'aide d'un ordinateur central. Le conducteur est constamment épaulé et surveillé par sa voiture, à l'aide de systèmes d'alerte qui permettent d'éviter les obstacles, de contrôler la trajectoire mais aussi de détecter les baisses de vigilance[1]…

▶ VERS UNE UTOPIE AUTOMOBILE…

La voiture est aussi un petit salon, comprenant des fonctions audio, vidéo et de communication, mais aussi un réfrigérateur et un four à micro-ondes. La continuité entre la vie chez soi et la vie en voiture, devenue silencieuse, est désormais assurée. L'électrification de

---

1. Inspiré de futura-sciences.com

l'automobile prend en charge l'accélération, le freinage et la direction assistée. Les pédales ont disparu. Le volant est remplacé par un manche à balai, comme ceux utilisés dans les jeux vidéo, que l'on peut déplacer n'importe où dans l'habitacle. La mobilité en ville et la sécurité de conduite sont censées être optimales. Grâce aux téléphones mobiles, on fait savoir où l'on est et où l'on va. Le croisement de toutes ces informations permet de fluidifier le réseau routier. Il n'y a plus d'heures de pointe à Paris. La trajectoire de chaque automobile est connue. Les panneaux signalétiques eux-mêmes sont virtuellement visibles dans la voiture… Le contrôle de la voiture n'est plus confiné à un endroit précis de l'habitacle. La conduite se fait par télécommande. Le comportement de l'automobiliste change en conséquence. Parce qu'il a appris à exploiter les nouvelles possibilités d'anticipation offertes par la technologie, que ce soit en matière d'embouteillages ou de risques d'accidents, il se sent plus libre d'esprit. Relativement irresponsable[1].

Toutefois, dès 2020, tuer autrui avec sa voiture est qualifié de crime… Cela freine alors les efforts de l'État, et de toutes les autres collectivités, pour améliorer la circulation… qui ne fait que croître après cette loi européenne controversée. Les compagnies d'assurances se déclarent irresponsables et cessent de verser des primes[2]. Pas simple.

▶ … OU VERS SA DYSTOPIE

L'automobile individuelle résiste à la diabolisation avec l'énergie du mâle, puisqu'elle incarne tous ses travers, tous ses triomphes et toutes ses vanités. Elle incarnait aussi les Trente Glorieuses, à savoir la production de masse, la consommation de masse et l'État providence, lesquels permettaient de consacrer une part plus importante du revenu à la consommation, et donc notamment à l'achat d'une voiture. La fin de ce cercle vertueux, et en particulier les déboires du secteur automobile qui en constituent l'un des signes les plus évidents, provoque également la remise en cause rageuse de toute une époque. La virulence des attaques ébranle l'édifice idéologique du *mainstream*. L'*upstream* nanti fait blinder ses limousines.

---

1. Extrapolation irrévérencieuse d'un article de Michel Alberganti, *Le Monde*, 16 février 2008.
2. Inspiré de lepost.fr.

• Le nombre de victimes de l'automobile est comparable à un bilan de guerre mondiale : 30 millions de morts au xxᵉ siècle. Aujourd'hui : 1,2 million de tués par an.
• Tuer avec une automobile n'est pas répréhensible si cela survient dans le cadre du Code de la route (la convention de Genève de cette guerre mondiale non déclarée). Ce n'est pas un vrai meurtre, même si cela fait de vrais morts. C'est la fatalité ou c'est involontaire.
• Une gestion guerrière du moindre conflit. La propriété privée et la puissance placent le conducteur en position et sensation de pouvoir absolu dans l'instant. Les statistiques rejoignent les faits divers : conquête et primauté de l'espace, sacralisation de l'engin, maintien à l'état neuf (immaculé ? virginal ?).
• Des milliers et des milliers de charges de cuirassiers dans toutes les directions, les unes après les autres, sur le même champ de bataille !
• Le pétrole, c'est la guerre (qui alimente les batailles).
• La communion avec la divinité de la mort : la vitesse.
• Une guerre totale contre le monde vivant. La « feraillo »-masse automobile (plus d'un demi-milliard de véhicules pesant une tonne en moyenne) dépasse maintenant la biomasse humaine, en poids et en volume (une automobile à l'arrêt occupe plusieurs mètres cubes[1]).

C'est entre ces deux grands schémas – utopie-dystopie – que se cherche un compromis. Qu'est-ce qui a changé ? Pas grand-chose, hormis, là encore, la virulence des désirs, la montée en tension des attitudes. Chacun va plus loin dans ses convictions. Les Vingt Teigneuses ! Drôle de période.

Pour autant, la voiture demeure, incontournable, indifférente à ces visions extrêmes qui relèvent l'une et l'autre d'une vision exacerbée du futur. Sa puissance symbolique reste bourrée jusqu'à la gueule de l'équation mobilité = liberté. Pour calmer le jeu, on promet que l'équation sera de plus en plus intelligente, et la liberté de plus en plus respectueuse.

« Reste que la voiture est devenue un luxe inaccessible pour le plus grand nombre », observe Philippe Cahen en 2025.

Les véhicules à bas prix, comme l'antique Logan ou encore la vénérable Nano de Tata Motors, sont restés tendance pendant plus d'une décennie. Tout comme les véhicules deux-places, inspirés de la Smart, dotés d'un petit moteur peu ou non polluant, idéaux pour les trajets urbains. Toyota avait tiré son épingle du jeu avec la iQ, cette microcitadine capable de transporter quatre passagers (trois adultes et un enfant) tout en mesurant moins de trois mètres. Les véhicules électriques (deux-roues ou automobiles) en libre service sur le modèle du Vélib' avaient constitué une solution dans les

---

1. Source : carfree.free.fr

grandes villes. Mais les propositions d'auto-partage, de covoiturage et de location n'attirent pas grand monde... en 2015. Le consommateur tient toujours à être propriétaire de sa voiture.

      Si, en Europe, l'auto est victime d'un désamour, dans les ex-pays émergents qui ont maintenant pris les rênes du commerce mondial, les (encore nouveaux) consommateurs ne sont pas près de renoncer au plaisir de la conduite, signe extérieur de richesse et de liberté. Même quand cette liberté est menacée par des embouteillages monstres et un excès dramatique de CO_2[1]."

▶ Les faits sont têtus

À l'échelle locale, la mobilité augmente de 50 % entre 1995 et 2020. La part de l'automobile passe de 85 % à 90 %. Bon gré mal gré, il faut bouger pour « survivre ». Ou même, sans employer des termes aussi dramatiques, pour bouffer, s'amuser, se cultiver, penser à autre chose.

Cette croissance est particulièrement importante pour les femmes et les inactifs, les premières assurant désormais une part majoritaire des déplacements quotidiens. La bonne nouvelle, c'est que les femmes et les seniors ont une conduite plus apaisée, occasionnant moins d'accidents graves. La part des loisirs est désormais plus élevée que celle du travail. Le parc automobile français passe de 27 millions à 36 millions de véhicules d'ici à 2015 et un peu plus d'ici à 2020. Cette expansion est encore plus forte en Asie et en Europe orientale. La baisse du coût d'achat se poursuit, mais les coûts relatifs à l'usage triplent. Ce qui exclut pas mal de jeunes et de personnes âgées. Pour eux, pas facile de s'amuser.

La complémentarité entre les différents modes de transport est un échec malgré la création de « biotopes urbains » pour favoriser les transports alternatifs. Les contrôles sont plus sévères et systématiques.

On a beau rêver à sa disparition ou à son réenchantement, l'automobile permet de résoudre des problèmes de mobilité dus à la crise du foncier, la flexibilité du travail, la double activité des ménages, les difficultés sociales des banlieues, le développement des services...

En 2020, plus de 50 % du parc des véhicules individuels sont en location et non plus en propriété.

Certes, au niveau des valeurs, l'individualisme décline au profit de valeurs plus collectives (respect d'autrui, responsabilité, souci du

---

1. Étude réalisée par l'auteur pour un commanditaire de ce marché.

bien commun) mais dans les faits, en 2020, l'usage d'une seconde voiture pour des déplacements exclusivement urbains est devenu courant.

Certes, les centres-villes sont, en 2020, de plus en plus fermés aux voitures mais, hors des centres-villes denses, l'offre de transport en commun ne propose pas d'alternative concurrentielle à l'utilisation de la voiture particulière.

Certes, enfin, les exigences croissantes en matière de qualité de vie conduisent les habitants des agglomérations à demander eux-mêmes la mise en œuvre de contraintes fortes pour limiter l'usage de l'automobile.

Mais la raréfaction du pétrole n'est pas, en 2020, une contrainte déterminante. Les conflits liés au partage de la voirie par les différents types d'usagers sont bien davantage un enjeu politique local. Le public est sensible aux conséquences négatives, scientifiquement avérées, de l'automobile sur la santé humaine, mais il n'accepte pas la mise en place de taxes élevées, même si les objectifs environnementaux sont clairement affichés (lutte contre l'effet de serre, lutte contre les encombrements…). L'obligation d'installer une « boîte noire » à bord de chaque automobile est effective. Très bien. Véhicule thermique hybride, voiture à très basse consommation (moins de 3 litres au cent), télématique routière, routes e-capables… Les constructeurs font des efforts. Parfait. Mais il n'y a ni rupture technologique ni remise en question idéologique d'ici à 2020.

Les métamorphoses de l'avion

▶ Qui prend l'avion en 2020 ?

Les seniors actifs. Ils ont entre 50 et 75 ans. Ils voyagent. Les progrès de la science et de la médecine leur permettent de jouir d'une santé insolente. Ils disposent de revenus importants, font des escapades pour se détendre et profiter de leur retraite qu'ils vivent pour ce qu'elle est : l'opportunité d'une seconde vie libre et créative.

Les familles mondialisées. Elles sont le reflet de la croissance des mouvements migratoires internationaux. On va à l'étranger pour voir famille et amis. On y va ensemble. Pas facile de satisfaire tout le monde : jeunes enfants, parents, grands-parents et même arrière-grands-parents. Famille Fenouillard en Cyberie.

Les citadins nomades. Ils vivent dans une région et travaillent dans une autre. Pas de temps à perdre. On maximise les voyages qui sont aussi un temps de travail à rentabiliser.

Les cadres supérieurs internationaux. Ils voyagent en classe Premium, et de plus en plus par taxi aérien ou jet privé. Ces habitués du haut de gamme et du luxe exigent un service hautement personnalisé : gain de temps et rationalisation, travailler et se détendre en même temps[1].

300 millions de Chinois et le même nombre d'Indiens. Ils partent découvrir la planète dont ils sont désormais les grands patrons.

Depuis l'automatisation totale des commandes et la programmation complète des voyages, il y aurait moins de commandants de bord. Un peu difficile à vivre pour les voyageurs. Alors, on jouerait sur les mots. Pas de pilote dans l'avion ? Si, si, « dans l'avion »... en réalité les pilotes resteraient au sol et dirigeraient le vol depuis un centre connecté virtuellement avec la cabine de pilotage occupée par leurs avatars en 3D. Ces centres seraient baptisés « dans l'avion ».

Cette utopie a failli fonctionner. Techniquement c'était possible, mais pas psychologiquement. Si bien que les avions des années 2020 ressemblent de très près à ceux de l'an 2000.

▶ Dans quelles machines vont-ils monter ?

Le grand fantasme du biomimétisme tarde à tenir ses promesses mais tient le monde en haleine.

Les os des oiseaux et les organes des insectes, les nanotechnologies et les fibres végétales, l'araignée, le requin, la graine d'érable et la feuille de tilleul passionnent des savants fou-losophes[2]... qui cherchent encore.

---

1. Étude du Henley Center pour Amadeus.
2. Arnaud Pigoudines dans un courriel à l'auteur.

" *Le Pentagone a tout essayé : les insectes-robots, les rats avec des webcams dans le dos, mais la graine d'érable, c'est nouveau ! La société Lockheed Martin, connue pour avoir créé des avions légendaires comme le BlackBird SR-71, a mis une fois de plus son équipe vedette « Skunkworks » sur ce projet.*
Cette graine d'érable artificielle sera pourvue d'un moteur, d'un système de communication, d'un capteur optique et d'une source d'énergie (c'est tout ?) ! Le but est d'en lâcher des centaines sur une zone afin de pouvoir faire du repérage super-précis[1]."

La méduse volante[2] fait la part belle à la glisse. La méduse AirJelly flotte dans l'air, loin de l'eau, grâce à une propulsion électrique et une intelligence artificielle, par un mécanisme inspiré de la propulsion sous-marine. AirJelly comprend un ballonnet rempli à l'hélium. Sa seule source d'énergie est un ensemble de deux batteries polymères au lithium-ion, relié à la centrale électrique de propulsion. Le robot est ainsi mû par huit tentacules, ce qui lui confère la forme très spécifique de la méduse.

À aucun moment de l'histoire de l'aviation, même expérimentale, un tel système de vol n'avait été testé. La méduse AirJelly se déplace grâce à ce nouveau concept de propulsion, comme une méduse dans l'eau, de façon douce et gracieuse.

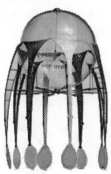

Ces machines ne sont pas commercialisées en 2029, mais elles sont très médiatisées, ce qui conforte le public dans l'idée que la réalité rejoint la fiction.

---

1. www.ubergizmo.com
2. Frédéric Boisdron, sur www.festo.com et http://roboimpact.free.fr

▶ Le retour en grâce des dirigeables ?

On s'envole comme une plume. À force d'être plaqué contre son siège dans les vols à réaction, on finirait presque par oublier qu'on peut voler sans bruit et sans pression. Décoller à bord d'un dirigeable, c'est ressentir la même sensation de légèreté gracieuse que dans un hélico. Le boucan en moins. L'hélice de l'engin fait à peine plus de bruit qu'un moteur de frigo[1].

La Poste française s'illustre avec des projets parmi les plus ambitieux en matière de réduction d'émissions polluantes, et notamment l'ouverture de routes aériennes reliant la métropole à la Corse et aux Antilles.

Les métamorphoses du vélo

Vélos en libre-service à Londres en 2010. New York, Amsterdam, Saint-Denis, Aubervilliers, Pantin, Montréal, Le Pré-Saint-Gervais, Les Lilas, Bagnolet, Montreuil, Vincennes, Saint-Mandé, Fontenay-sous-Bois, Nogent-sur-Marne, Joinville-le-Pont, Saint-Maurice, Chicago, Charenton-le-Pont, Ivry-sur-Seine, le Kremlin-Bicêtre, Gentilly, Rome, Arcueil, Montrouge, Malakoff, Vanves, Issy-les-Moulineaux, Boulogne-Billancourt, Saint-Cloud, Suresnes, Puteaux, Neuilly-sur-Seine, Levallois-Perret, Clichy-sur-Seine, Saint-Ouen... Encore une accumulation !

---

1. Éric Le Braz, rédaction de Newzy.

“ *Celui qui aura choisi la voiture enchaînera des mouvements secs, précis et mécaniques, subira les embouteillages avec résignation ou excitation, bataillera pour trouver **une** place de stationnement* [...].

*Imaginons que le même homme ait choisi de prendre le vélo. Attaché-case sur le porte-bagage, il aura humé l'air vif, surfé entre les tôles d'acier agglutinées, coursé **un** moineau fou, été transpercé par cette lumière matinale de début du monde. Le critère qui nous a fait plébisciter la bicyclette, à mille lieues de toute préoccupation de modernité, est cette capacité de faire corps avec l'espace. Le vélo fend subtilement l'atmosphère, qui se referme derrière lui sans laisser un sillage à la traîne*[1].”

On ne nous en voudra pas de signaler que le vélo est le véhicule de la palpation et de la glisse qu'obstinément l'époque revendique.

▷ Le vélo, le martinet, le saumon et le cheval de trait

L'efficacité énergétique du déplacement à bicyclette dépasse celle du martinet dans les airs et celle du saumon dans l'eau, qui sont pourtant les deux organismes les plus efficaces au kilomètre. Ce privilège reste un peu abstrait pour la plupart des cyclistes, mais il a l'avantage de donner aux deux-roues une qualification qui vient s'ajouter à la longue liste de ses avantages. De la bicyclette on dit qu'elle réenchante la ville, lui redonne du mordant et du vivant, qu'elle a un effet sur le moral, sur la relation des gens entre eux, sur le regard qu'on porte sur soi, sur les autres, sur l'architecture. Elle diminue le nombre des morts en ville, malgré quelques débuts incertains dans les zones où le vélo en libre-service fait ses premiers pas. Elle réconcilie le citadin avec son corps, elle lui permet de retrouver un équilibre, elle lutte contre la sédentarité, elle met de bonne humeur, elle lutte contre la pollution. Nouvelle utopie en roue libre qui laisse perplexes les nations les moins favorisées qui, elles, sont encore au vélo faute d'avoir pu accéder à la voiture, même à bas prix. Alors qu'en Occident le vélo devient le signe de la libération vis-à-vis des moteurs à explosion et de l'ivresse de la vitesse mécanique, il reste ailleurs le stigmate du sous-développement.

---

1. Didier Tronchet, *Petit traité de vélosophie, le monde vu de ma selle*, J'ai lu, 2008.

Dans la logique inattendue de ce succès, dans les années 2020, le retour du cheval de trait en ville, dernière trouvaille de la pensée néocitadine, accentue encore le décalage entre les civilisations. C'est le nouveau must. Le cheval : énergie propre, lien social et instrument de développement durable pour les communes soucieuses d'une nouvelle approche des services municipaux. On l'utilise comme outil thérapeutique pour la rééducation des personnes handicapées, les gardiens municipaux s'en servent pour surveiller les parcs et les jardins, il constitue le véhicule idéal pour visiter la ville, on organise des stages équestres pour les délinquants afin de leur enseigner la maîtrise de soi et la discipline. Dans certains parcs enclavés des cités difficiles, la création de brigades à cheval a permis de réduire la délinquance de 40 %.

 Cheval de trait

“ *Le cheval de trait français, unique par la diversité de ses neuf races, obtient son inscription au patrimoine mondial de l'Unesco en 2014, dans la catégorie « paysages culturels ». Dominique Léger, président du Centre de promotion du cheval de trait auxois, a gagné son pari. « La recherche de loisirs de pleine nature, l'aspiration à un développement plus durable, la quête de médiation sociale au sein d'un monde de plus en plus urbanisé redonnent de l'utilité à ces races », disait-il[1].*”

Les écrans, ou le voyage immobile

Tous les écrans sont en tissu, pratiques, pliables, de la taille d'une carte de crédit d'autrefois ou d'une cathédrale. Tout le monde possède un écran, envoie de l'information à tout le monde. Du coup, la spécificité de la télévision comme émetteur singulier disparaît. Les images pouvant être retransmises sur plusieurs supports, chacun est libre de composer son programme… C'est assez fatigant et « prise de tête ». On assiste à une concurrence globale entre tous les supports et à un mélange des genres parfois un peu périlleux entre loi-

---

1. www.web-agri.fr

sirs numériques – à travers la musique, les jeux, la vidéo... – et usages pratiques – banque, achats...

▶ LES SCÉNARISTES, GRANDS VAINQUEURS

Des programmes à succès de type comédie-monde agrègent des millions de personnes à travers la planète. Diffusés avec doublage instantané, il s'y glisse des images de marques et de produits locaux. Ces moments de ferveur planétaire autour de personnages connus de tous incarnent une forme de transculturalité, que les observateurs les plus bienveillants qualifient de bas de gamme, et ceux qui le sont moins de pornographie intellectuelle. Le projet de Grunitzky[1] n'y trouve guère son compte. C'est un nivellement par le bas du transculturalisme. On patauge dans le *mainstream*, et on a beau essayer d'élever parfois le niveau culturel et moral de l'humanité, il y a des jours où on se décourage un peu.

Les thèmes sont de plus en plus violents, morbides et répugnants. C'est une ère de palpation cracra et d'« infâme famous » pour reprendre une expression qui fait recette. Mais après tout, et comme toujours, le monde a le divertissement qu'il mérite.

Les sujets sont toujours les mêmes : le sexe et la spiritualité, l'amour et la religion, l'argent. Ce qui change, ou plutôt ce qui s'accentue, c'est l'interactivité. Un mot bien noble pour décrire l'interventionnisme systématique et cacophonique du public dans les médias. La plupart des observateurs regrettent cette forme de culture en miettes, cet éparpillement systématique. Comme si cette pulvérisation de l'information était destinée à mystifier, à truquer le jeu. Difficile à dire. Il ne s'agit pas non plus de tomber dans les pièges de la théorie du complot. Nous allons voir plus loin qu'on a intérêt à y échapper, mais ce n'est pas gagné d'avance.

Face à la dislocation de l'information, on assiste à des rituels de réagrégation. Au niveau planétaire. Le jeu de balancier est carrément caricatural. Des événements proclamés comme refondateurs sont proposés à une fréquence de plus en plus grande – mais calculée assez scientifiquement, pour ne pas saturer les foules à la limite de leur capacité d'absorption. « On vit au taquet », expression à la mode.

Le lancement d'un film, la naissance de l'enfant d'une star, la nuit de débauche annoncée d'un homme d'Église, la tentative de battre un record du monde sont orchestrés, mis en scène et en pixels pour en faire des événements globaux. Le cinéma numérique y trouve un

---

1. Voir le chapitre qui lui est consacré, p. 304.

moyen de se sauver la mise. Les salles se transforment en lieu d'immersion totale, son et lumière, pour des concerts universels, des retransmissions sportives, des événements intégrateurs, puis à géométrie et périmètres variables. C'est-à-dire qu'une fois l'événement enregistré, il est reproduit dans des lieux et à des moments qui permettent son simulacre, sa ritualisation. Un peu comme des bombes à sous-munitions.

Bientôt, le concept d'écran laisse place à celui de plateau. Ce n'est plus un mur dont on a besoin pour regarder ces spectacles, c'est une scène – qui prend le plus souvent la place de la table basse du salon. Les protagonistes sont en trois dimensions, à la dimension souhaitée. Il faut tout de même un consensus sur la taille : chaque spectateur ne peut pas encore choisir une échelle différente de celle de ses voisins. Scènes de genre, scènes de guerre, nuits d'amour, un nouveau réalisme envahit les plateaux – on aurait dit autrefois les écrans, mais la métonymie ne fonctionne plus.

⇨ Pour autant, les attitudes changent-elles ?

 Le divertissement en miettes

Déjà altérée par la présence intermédiaire d'un média, notre perception du monde est à présent cisaillée par un zapping devenu systématique. Fragmentaire et centrifuge, notre rapport au réel s'orienterait-il vers l'inconséquence, voire le chaos ?

Zapping, fragments et inconséquence

" *L'imaginaire de la fragmentation émerge ostensiblement au début du XXe siècle. À propos de sa série de Tours Eiffel brisées, Delaunay parle ainsi dans ses Cahiers de « dramatisme, cataclysme. C'est la synthèse de toute cette époque de destruction : une vision prophétique ». Kaléidoscopique chez Léger, en bris de miroir chez Severini, cubique chez Braque ou Picasso, l'image confine au désordre. Elle traduit ainsi le chaos absolu du monde, et anticipe « prophétiquement » notre ère de perception fragmentaire.*
À l'heure de la télécommande, du changement instantané de piste musicale ou de fréquence radio, de l'hypertexte infini par simple clic, nous devons reconnaître que le pilote de nos perceptions est tout simplement... l'index. La pression d'un doigt

suffit à briser le flux d'une information pour déboucher arbitrairement sur une autre, elle-même déjà en cours. De plus en plus, le prisme du zapping formate notre perception des choses. Rien n'a de début. Rien n'a de fin. Tout gravite et se percute sans cesse. Pub pour Nesquik et massacre en Algérie, débat sur l'eugénisme et chanson de Florent Pagny, portail Internet pour les enfants et supermarché en ligne. Pensez à votre ordinateur, à votre téléviseur, votre radio, votre chaîne hi-fi. Une simple pression de l'index et vous cisaillez votre rapport au réel, déjà mis à mal par la présence d'un média.

Pire encore, le document écrit s'attèle lui-même à épouser cette forme. Les mises en pages de certains magazines encouragent non plus la lecture – cet exercice salutaire parce que fastidieux – mais les rebonds visuels. La préoccupation des annonceurs n'est d'ailleurs rien d'autre que la recherche d'une disposition idéale pour dérober l'œil à sa lecture. Tyrannique ? Absolument pas, puisque ce sont les lecteurs eux-mêmes qui, dans leur majorité, réclament cette discontinuité de l'ensemble, sous couvert, bien entendu, d'une cohérence de façade (jolies couleurs, typo claire…). Feuilleter ne suffit plus à l'individu moderne, il veut pouvoir zapper, aussi vite que possible, d'un espace textuel à un autre dans la même page, et se réjouit donc de la multiplication des accroches visuelles.

Dans cette mesure, comment ne pas craindre le développement d'une perpétuelle inconséquence ? Jadis, la discontinuité et l'aléatoire étaient une façon d'alerter l'esprit, de le sortir d'une torpeur contemplative. Scellée à notre quotidien sous le masque du confort, la possibilité de zapper aboutit aujourd'hui à l'exact revers. La discontinuité est une évidence, une norme d'autant plus lénifiante qu'elle empêche de « reprendre ses esprits » ou, comme le dit à merveille l'expression, de les « rassembler ». Illustration supplémentaire de cette triste évolution, « zapper » désigne à présent le fait d'avoir oublié, de ne pas comprendre ou de ne pas faire attention.

Nous abordons, comme l'avaient pressenti les avant-gardes voilà un siècle, une époque de « déconcentration », une « fragment' ère ». Au centripète s'est substitué le centrifuge. L'attention s'est dissipée. Il n'est plus question de suivre un fil unique pour aboutir à un point final (la lecture, encore elle !), mais, conformément à l'exigence du zapping, de dissoudre le « moi » au confluent de mille courants contraires. Pour ne pas lasser le consommateur, la publicité s'affaire à multiplier les messages.

Voyez l'invraisemblable éclectisme des perceptions que suscite une boisson : simple denrée alimentaire, elle devient non seulement un vecteur d'intégration à une caste ou à un groupe, mais aussi – dans le cas très fréquent de la présence d'un jeu-concours ou d'un tirage au sort – une sorte d'objet magique permettant d'offrir instantanément une voiture, une maison ou 100 000 euros. De zapper sur une autre vie.

Difficile d'imaginer, de « prophétiser » l'écueil d'une telle tendance. D'aucuns vous zapperaient le moral en redoutant que ne se réduise en miettes, en poudre, en rien, la somme d'informations infiniment confuses que reçoit notre cerveau. D'autres, plus baudelairiens, affirmeront que cette ère de la fragmentation aboutira à d'inédits harmoniques, dont le sens ne sera plus tant rationnel qu'esthétique, voire mystique. Peut-être l'occasion de faire jouer chaque fragment de nous-mêmes pour qu'exultent enfin tous nos doubles[1]."

---

1. Thomas Schlesser, en qualité d'historien d'art sur e-dito.com, et entretiens avec l'auteur.

4 Quelques sujets d'inquiétude

Il ne faut sans doute pas prendre tout ce qui suit à la lettre, mais on ne sait jamais.

Exaltation et ravissement

Glorification de chaque instant, l'exaltation se fait intérieure mais n'en est pas moins démesurée dans le retour de formes (spi)rituelles de plus en plus ostentatoires.

La notion de ravissement revient. On cherche l'extase sous toutes ses formes : intérieure et extérieure. Hurler de rire est de bon ton ici, s'abstenir n'est pas mal vu là. L'enjeu, on l'aura deviné, c'est sentir, ressentir, donner au corps les moyens d'atteindre ses limites... là où commence le territoire de l'âme, disent les uns, là où je commence à exister, disent les autres. Pour les puristes, l'exaltation ne passe pas par les machines. On se débrouille sans elles. Le corps dit tout. La posture est le message.

Révolte, compassion et colère

Électrisation des tensions : de grandes jacqueries électroniques s'organisent – contre la misère du monde, souvent. Pour autant, il ne faut pas se faire trop d'illusions sur la nature de ces engagements. La compassion est surtout un désarroi devant la vulnérabilité des êtres, devant la fragilité de l'autre et donc, évidemment, devant sa propre impuissance. L'indignation fait sans doute partie des émotions les plus dangereuses. Les mouvements de foules indignées, impulsés par les médias sociaux, par les blogs à accélérateurs de conscience (chacun a droit à une diffusion spéciale par hyperspams légaux pour manifester son opinion) peuvent à tout moment déclencher des tsunamis d'indignation – le lynchage médiatique est un risque permanent et n'est pas une figure de style. On dirait parfois qu'on entre en ochlocratie : un gouvernement du monde par la foule, la multitude, la populace. Diable !

L'adorateur et l'idolâtre

L'amitié, l'admiration, l'amour, la tendresse elle-même semblent parfois être réservés aux petits joueurs. Bien entendu, tout le monde a ça en réserve. Mais il faut que quelque chose exulte. Il en faut plus pour être à la hauteur des enjeux de l'époque. L'adoration, la vénération sont la marque des attitudes hyperboliques qui deviennent la norme. On avait vu venir de loin cette montée en puissance : une tension croissante dans les alertes médiatiques, des unes de journaux de plus en plus accrocheuses – le poids des mots le choc des photos, ça ne datait pas d'hier, c'était dans les gènes, c'était l'embryon charmant de ce qu'allait devenir le rapport au monde. L'enjeu a de quoi séduire : chacun étant son propre concepteur-rédacteur et directeur artistique, pour parler comme les publicitaires, il faut, chaque fois que l'on prend la parole, accrocher l'interlocuteur, mettre la barre plus haut, promettre plus fort. Il est de bon ton d'être exalté. L'idolâtrie n'est pas loin. Le plus grand crime du genre humain, le forfait qui comprend

tous les autres, la cause tout entière de sa condamnation, c'est l'ido-lâtrie, disait Tertullien. Belle aubaine ! Plus on pousse le bouchon, plus on a des chances d'être entendu. « À mon blog je retourne immédiatement. » Hélas, c'est le moi qu'on idolâtre dans son propre blog, et tout le monde s'en fout. L'immense majorité des blogs sont des constructions narcissiques qui n'intéressent qu'une infime mino-rité. Mais l'on dit aussi : quelle importance ? « Je préfère être le pre-mier dans ce village que le second à Rome. On a ses lettres ! »

Le nombre de moines faisant vœu de silence augmente. Ils vénè-rent différents dieux. Sans les idolâtrer.

L'expérience esthétique

La démarche vers l'art n'est pas de tout repos. Les artistes sont de plus en plus tentés de proposer une expérience totale, symbiotique avec leurs œuvres. Ce n'est pas la disparition sans cesse annoncée de l'art, c'est un glissement de soi tout entier dans la proposition de l'artiste. Être dévoré par l'œuvre. Cette « imprégnation » s'apparente à la dimension mystique de la relation que l'on peut entretenir à l'œuvre d'art.

Prenons deux artistes : Vittoz[1] et Odon, aux antipodes l'un de l'autre. Le premier scrute le futur dans les configurations du jeu. L'autre hante un passé immémorial dans d'immenses tissages qui pendent depuis les hauteurs des cathédrales – vaisseaux cosmiques insaisissables. L'« esthétique relationnelle » qu'ils proposent est une manière d'inventer d'autres liens entre les artistes, le spectateur et l'œuvre. La solution est dans un terrain de jeu collectif. C'est toujours, et plus que jamais, une expérience de soi au monde. Une forme sans cesse plus accomplie d'éducation Ces deux artistes ne sont pas des stars. Ils brassent autour d'eux, comme des milliers d'autres, une petite tribu que leurs propos magnétisent. C'est dans l'expérience fusionnelle avec leur cosmogonie rapprochée que va se faire l'expé-rience esthétique du monde réel, tandis que les artistes mondiale-ment connus construisent des empires qui se figent. Le phénomène s'amplifie dans les années 2020 : tout le monde peint, écrit, chante. Il n'y a plus de marché de l'art universel. C'est le retour à la place du

---

1. Nous avons déjà parlé de Vittoz dans le chapitre « Règles du jeu », p. 121.

village où chacun, depuis son étal, propose à son voisin un échange marchand d'émotions.

Ennui, respiration et inquiétude

Le laps de temps au-delà duquel on commence à s'ennuyer raccourcit chaque jour. La notion de *microboredom* renvoie à l'éclairage proposé par Thomas Schlesser. La culture digitale aurait ainsi cette mission de combler tous les pores du temps. Ne pas laisser respirer. On ne sort jamais sans ses instruments de bourrage de temps : téléphone, Varuna. On réclame le droit à l'ennui, dont on perçoit que, justement, il laisse respirer l'imagination. Et de là naît soudain – parce qu'on prend son temps et qu'on médite (un peu) – un immense sentiment d'inquiétude.

⇨ **L'inquiétude est un langage**

⇨ **L'inquiétude est un devoir**

⇨ **L'inquiétude est une vision[1]**

❝ *La peur peut créer un lien social grâce à une nouvelle forme d'opinion publique. […] La production des richesses est désormais intimement liée à une production de risques, comme l'illustre l'exemple de l'énergie nucléaire. Cela pose un problème de justice sociale. Si une partie seulement de la société profite de certaines richesses, une déprédation de l'environnement – une marée noire ou un nuage toxique radioactif – frappe toutes les classes sociales et traverse les frontières.*
Pour les jeunes, l'horizon des années 2020 est plutôt sombre. À cette époque, la planète sera dans un état lamentable, mais il sera trop tard pour la sauver. Ils travailleront de manière intensive et stressante dans une entreprise qui ne leur laissera pas le temps d'avoir une vie privée. Ils vivront seuls et ne communiqueront que par écran interposé. Les entreprises seront managées de manière autoritaire et les nouvelles technologies contribueront au stress. Soit elles les traceront et violeront leur

---

1. *Cf.* Gilles Schlesser, « Observatoire des inquiétudes », sur e-dito.com

intimité, soit elles provoqueront de légendaires crashs et crises. L'impression est qu'ils ont, comme dit Bergson, « le pessimisme naturel de l'intelligence » et qu'ils ne savent pas où trouver « l'intelligence de la volonté[1] »."

Pour lutter contre cette inquiétude restent l'ironie et le doute… ce qui n'est pas du luxe quand se cristallise, dans la théorie du complot, une des menaces les plus graves des temps à venir.

 ## Théorie du complot

   L'autodésignée « théorie du complot » se ramène à la vision délirante selon laquelle la réalité, jusque dans ses détails, fait l'objet d'une manipulation occulte dont la vérité est masquée à l'humanité. […] En apparence, il s'agit d'une négation généralisée : nier par principe toute vérité attestée par des procédures reconnues et diffusée par les canaux habituels. En réalité, cette négation masque une double affirmation : d'une part, toute vérité officielle, fût-elle inscrite dans les livres d'histoire, n'est que mensonge ; d'autre part, la vérité cachée est le contraire de ce qu'on nous dit. On nous dit que Coluche est mort d'un accident, le vrai est qu'il a été assassiné ! On nous dit qu'Al-Qaida a commis les attentats du 11 Septembre, le vrai est que ce sont les Américains qui en sont les auteurs ! On nous dit que l'homme a marché sur la Lune ? Mensonge ! La preuve ? Cette fable profite aux Américains. […]
Rien de plus dangereux que ce tour d'esprit ! On y reconnaît la logique négationniste. Le succès dans les masses de cette façon de raisonner faux, conduisant à tenir pour vérité le contraire de la vérité dès lors que celle-ci est officielle, ne laisse pas d'inquiéter – c'est ainsi qu'argumentent les négationnistes, ces autres faussaires de l'histoire.
On devine les avantages narcissiques de la croyance dans cette théorie : son adepte s'épanouit dans le sentiment de détenir un secret d'une extrême importance. Il jouit d'en savoir plus que les plus grands savants. […] Dans cette négation triomphe le ressentiment contre les élites de la connaissance et se déploie une figure contemporaine de l'anti-intellectualisme. Plus gratifiant

---

1. www.paperblog.fr/1285846/tableau-pointilliste-de-l-entreprise-de-demain/

encore : l'adepte de cette théorie éprouve l'ivresse d'avoir réussi à déjouer un piège collectif, dans lequel l'humanité ordinaire tombe. Il se découvre plus malin que le conspirateur qui, sous des guises diverses, trompe l'humanité depuis des siècles !

La « théorie du complot » ne vit que d'un fantasme : la manipulation occulte. Cette obsession croît exponentiellement : plus la vérité est importante, plus elle est cachée et plus complexes en sont les manipulations.

La théorie du complot est un ersatz des grands récits concernant le destin de l'humanité. Contre-grand récit, elle est une story-telling. Pouffer de rire devant son énonciation reste trop court. Sa parenté avec les Protocoles des sages de Sion, *son identité de structure intellectuelle avec la logique négationniste incitent à la méfiance : la théorie du complot est l'un des viscères réparés, renouvelés, du ventre d'où est sortie jadis la bête[1]."*

C'est dans cette sphère lugubre que s'incarne, avec le plus de dangerosité, l'amalgame entre fiction et réalité. Cette impossibilité à les distinguer, nous l'avons souvent vu, peut créer un monde singulier et ludique. Elle porte en germe des excès spectaculaires, démoniaques et paranoïaques[2].

---

1. Robert Redeker, « Marion Cotillard et les complots », *Le Monde*, 30 mars 2008.
2. Véronique Campion-Vincent, *La Société parano*, Payot, 2007.

5 L'horizon de nos utopies

La prospective est dans l'air du temps. C'est ce dont cette enquête veut faire état. Il ne s'agit pas tant, on l'aura compris, de dire ou prédire ce qui sera mais ce que les uns et les autres imaginent qui sera peut-être. Ce n'est pas un effet de mode, c'est un effet de nécessité.

Qu'est-ce qui structure cet air du temps ? Le mouvement de balancier entre utopie et dystopie, peut-être…

Les médias (au sens large d'ensemble des sources d'information qui nous arrivent) informent et nous conforment à un certain ordre annoncé du monde. Nous nous ajustons à ces perspectives. L'abondance d'informations, de visions, de points de vue donne une impression de chaos. Ce n'est pas une mauvaise nouvelle en soi, mais autant avoir à disposition des instruments de navigation en état de marche. Beaucoup fonctionnent, chacun à sa manière. Il y en a autant dont on se doute qu'ils sont très approximatifs, mais le but du jeu est souvent le jeu lui-même…

De nouvelles images des choses, des perspectives en continuité ou en rupture, en prolongement ou en décalage des courbes, se diffusent dans le corps social. Ces images constituent les nouveaux horizons utopiques et sont présentées comme susceptibles d'advenir. Narrer le futur est probablement la narration d'une fable d'aujourd'hui. Le futur nous devra tout. Nous ne sommes pas exonérés de la même dette envers le passé. Certains observateurs soupçonnent d'ailleurs qu'on a tendance à traiter le passé comme l'avenir : dans les deux cas, on se raconte des histoires, avec les sous-entendus qu'implique l'expression.

Bobards ou pas, les mythes sont à la mode. Repérés, réactivés comme de vieux moteurs qu'on fait repartir à la manivelle. Images d'autrefois. Les divinités étaient à l'hospice. Avec les nouvelles prothèses technologiques, on les a remises sur pied[1].

Les années qui viennent vont y puiser leur inspiration, mais il s'agit sans doute d'une nouvelle race de mythes – une génération de mythes revisités, dans l'air du temps. Ils vivent et meurent beaucoup plus vite qu'autrefois. Ou en tout cas leurs avatars. Sans doute s'agit-il des mêmes schémas : grosso modo, des structures similaires qui racontent une histoire identifiable.

Des faits réels et des fantasmes collectifs incarnent l'esprit du temps. Peut-être pour rendre visible et tangible un légendaire qui n'attendait qu'eux pour opérer son retour et faire la une des médias. L'imaginaire du monde se nourrit de grandes histoires, de contes chargés d'émotions et de terreurs...

Leur hypermédiatisation donne le sentiment d'une accélération de l'histoire contemporaine. Ce n'est peut-être pas une illusion. Une quantité encore jamais vue d'informations, de narrations, de fictions débarquent sur la scène sociétale, aussitôt remisées ou recyclées. Cette accumulation est-elle organisée ? S'agit-il d'une mise en scène ? Que veut-on nous faire croire ? Vous pensez qu'il y a complot ? Vous n'allez pas croire à ces salades !

À un autre niveau, les classes sociales les plus favorisées, dupliquées à l'infini sur les papiers glacés et les sites Internet tendance, créent une dynamique du désir et de l'aspiration qui légitime un mimétisme intense. Les mises en scène « people » les plus ostentatoires, le dévoilement de soi spectaculaire et permanent, les révélations, les scoops sont des moteurs puissants de la fantasmatique sociale. L'enjeu, pour beaucoup, est de savoir si on va en être ou pas... La fracture sociétale se porte comme un charme. La fracture est un des horizons infranchissables de notre avenir.

Il y a là un vaste paradigme : riche-pauvre (en argent, en motivation, en désir d'indépendance, en capacité d'indépendance), puissant-misérable, branché-suiveur, culture *upstream*, *mainstream* et culture *downstream*, conformiste-non conformiste, on-off. Comment écrire quoi que ce soit sans prendre en compte ces absolus de la

---

1. On l'a vu avec Arachné dans le chapitre « Communiquer », p. 129.

société : être maître de soi ou être esclave des images proposées par les médias ? Dans quel sens emprunter l'ascenseur social ?

Quand chacun est soumis, subjugué, asservi à cet autre horizon – plus nouveau, lui, en revanche – qu'est l'accumulation des connaissances, leur diffusion planétaire, quand les médias s'intéressent à tout, la question se pose : la connaissance du monde est-elle une connaissance de soi ? L'abondance, le polymorphisme des informations changent-ils la donne ? Les médias avaient pour fonction de sélectionner l'information, de l'organiser. Aujourd'hui, inversion des rôles : on va picorer, sélectionner, trier… pour justement se construire soi-même d'une façon indépendante. Bricolage de ses propres mythes, réinvention plus libre de soi ? Est-ce de l'ordre de la cacophonie (qui rendrait *in fine* illisible le discours des médias) ? Ou est-ce une nouvelle grammaire de l'information dont les règles sont en train de s'élaborer ?

Pour rester dans le cercle social, on est obligé aujourd'hui d'avoir une « vie publique ». On est ainsi poussé à élaborer une sorte de marketing de soi. Peut-être est-ce là ce qui change vraiment : de nos jours, chacun veut devenir une « marque », alors qu'autrefois il s'agissait de devenir (ou non) un héros.

⇨ Quel angle choisir pour parler des temps qui viennent ?

Si le futur est un commerce, quel est son modèle économique ? Les prospectivistes ont-ils des visions ou des souvenirs ? Dans un cas comme dans l'autre, cela relève de l'éblouissement. Un merveilleux qui aveugle. N'allez pas les croire trop vite, mais dites-vous qu'il faut que les gens en aient envie pour que cela fonctionne. Le désir comme clé de l'avenir ? C'est plutôt une bonne nouvelle. On va avoir envie d'acheter.

De quoi le futur est-il le nom ? Il y a – comme l'est celle-ci – des phrases à la mode assez agaçantes. Le futur est le nom d'une forme d'emballement. Un enthousiasme plus ou moins réfléchi, une forme de séduction, une drague et une accélération un peu trop forte. De fait, on constate une frénésie d'innovations, de découvertes et de redécouvertes, de façons d'être et de faire. D'où cette urgence vient-elle ? On vient de le dire : la machine s'est emballée. On note que ce discours-ci se retrouve aussi bien dans les livres sérieux (*Le Monde en 2025*[1]), que dans ceux qui relèvent peut-être d'une

---

1. Nicole Gnesotto et Giovanni Grevi, Robert Laffont, 2007.

vision New Age illuminée (*The Mystery of 2012. Predictions, prophecies & possibilities*[1]).

Vivre le futur au quotidien est assurément une aventure parmi les plus excitantes. Elle implique d'abord de se faire une idée des utopies, des récits, des scénarios, des fictions qui vont mener le monde dans les années qui viennent.

▶ L'HORIZON EST-IL OPAQUE...

Les vingt années qui viennent n'ont pas bonne réputation. Le sujet est à la fois opaque et vertigineux. Auteurs, acteurs, observateurs, consommateurs, citoyens, blogueurs regardent l'avenir immédiat avec incertitude. La perplexité est à son comble. Une rumeur de radicalité diffuse partout. Il y a là un effet d'annonce qui pourrait passer pour une publicité excitante : on se masse aux fenêtres. Comme pour assister à une mise à mort.

Il est de bon ton de dire et d'écrire que ces vingt ans-là vont bouleverser le monde tel que nous le connaissons. Cette enquête se termine alors qu'éclate la crise financière. Tous les observateurs se mettent derechef aux balcons. Chacun y allant de son autorité.

De la punition...

" *Pour punition de notre arrogance, pour le seul quatrième trimestre 2008, nous avons dû commencer par payer mondialement 5 000 milliards de dollars de pénalités pour sauver le système bancaire, passer quelques dizaines de banques et 700 fonds spéculatifs par pertes et profits, puis nous avons perdu 25 000 milliards de dollars de capitalisation boursière, c'est-à-dire le quart de la valeur financière mondiale de toutes nos actions et obligations. [...]*

Maintenant, il va encore falloir payer quelques milliers de milliards de dollars pour relancer l'économie mondiale sans que le cataclysme financier soit pour autant conjuré. [...] Sans compter les dettes publiques, surtout celle des États-Unis, qui s'accumulent également par milliers de milliards, les perspectives de récession, voire de dépression mondiale, la crise monétaire en perspective, etc[2]."

---

1. Collectif, Sounds True Inc., Boulder, Colorado, 2009.
2. www.nadoulek.net

L'accumulation chiffrée, incompressible et incommensurable laisse pantois. Elle est faite pour ça. La convocation d'hyperboles spectaculaires crée l'effet de sidération nécessaire pour que chacun prenne la mesure des démesures qui s'annoncent.

... à la mutation

" *La fin de l'Occident tel qu'on le connaît depuis 1945 ne veut rien dire d'autre que le monde tel qu'il a été constitué après la Seconde Guerre mondiale est en train de disparaître sous nos yeux. [...] L'Occident, conçu comme un duopôle USA-Europe de l'Ouest, dirigeant les affaires de la planète, avec les États-Unis comme leader et les pays d'Europe de l'Ouest comme suiveurs, suit le même chemin que le pilier qui s'écroule. Un nouveau monde se forme [...]. Pour prendre une image qui me paraît adéquate, cette crise systémique globale est comme un tsunami. Les États-Unis sont au cœur du séisme déclencheur (et le Royaume-Uni en est l'île la plus proche). L'Europe est la seule côte où les maisons sont hautes et construites en béton (avec quand même des degrés divers, notamment une plus grande fragilité hors zone Euro). L'Asie a des constructions de toute nature sur ses rivages. Le Moyen-Orient vient lui-même de subir un tremblement de terre quelque temps avant le tsunami, à savoir l'invasion de l'Irak. La crise n'est rien d'autre qu'un moment de transformation du monde[1]."*

▶ ... OU TOUT EST-IL DÉJÀ DANS LA BOÎTE ?

Beaucoup estiment que les jeux sont faits. Les vingt ans qui viennent sont programmés, les effets de surprise n'en seront pas car tout est déjà dans la boîte. Il suffit de lire, regarder, humer l'air du temps. Tout est là, tout est prévu. Pas l'ombre d'un mystère. Il suffit de prolonger les courbes. Ce n'est pas seulement parce que les sauts technologiques à répétition sont attendus sinon programmés, c'est parce que la nature humaine ne va pas changer en vingt ans. Ça se saurait. Encore que... La technologie ne sera pas le sujet central de la période qui vient, elle sera l'air qu'on respire, elle sera le cornac de la vie quotidienne. Les transformations techniques proposeront

---

1. Franck Biancheri, du *think-tank* Europe 2020, cité sur laspirale.org, créé par Laurent Courau, réalisateur et journaliste indépendant. « L'eZine des mutants digitaux » porte un regard passionné sur les mutations contemporaines auxquelles il participe avec une jovialité radicale.

de nouvelles éthiques. Et si l'on envisage de nouvelles éthiques, c'est que les choses bougent…

Pourtant, on lit souvent que le futur annoncé par les études, les livres, les enquêtes ne reflète en réalité que nos angoisses face au présent[1]. L'hypothèse d'un futur ludique et enthousiasmant est tout de même une hypothèse.

 Un début, pas une fin...

« Si je simplifie le climat prospectiviste actuel, il y a un constat consensuel sur l'ampleur et l'intensité du défi (environnement, gouvernementalité, humain…) que l'humanité doit relever pour survivre (au sens fort du terme) à l'horizon d'un siècle, voire peut-être à cinquante ans. Il y a en gros deux réponses (pour simplifier) :
– l'urgence (et le courage interplanétaire qu'elle implique) va créer les conditions (technologiques) de la survie de l'espèce humaine, et inventer les chemins d'un futur viable (Jacques Attali et consorts) ;
– l'humanité va agoniser et disparaître.
La thèse d'Edgar Morin est très subtile et différente. Éclairée par les phrases « Nous sommes à la préhistoire de l'esprit humain », « Les débuts d'une idée sont minimes », « Les commencements sont extrêmement modestes », c'est une position médiane et riche : la survie ne se joue pas dans des figures spectaculaires ; elle n'est pas garantie ; il faut être attentif à ce qui se trame à l'interstice des communautés, chez certains individus, dans des idées encore très minoritaires, ou chez des artistes[2]. »

Des sociétés en fragments

« À l'âge postmoderne, chaque domaine de compétence est séparé des autres, et possède un critère qui lui est propre. Il n'y a aucune raison que le « vrai » du discours scientifique soit compatible avec le « juste » visé par la politique ou le « beau » de

---

1. Pierre Musso, Laurent Ponthou, Éric Seuillet, *Fabriquer le futur. 2, L'imaginaire au service de l'innovation*, Village Mondial, 2007.
2. Thierry Tricard, courriel à l'auteur.

la pratique artistique. Chacun doit donc se résoudre à vivre dans des sociétés fragmentées où coexistent plusieurs codes sociaux et moraux mutuellement incompatibles[1]."

Relire les Anciens

« Je suis agacé quand on parle de crise. Je suis agacé par les discours apocalyptiques du type : « Le ciel nous tombe sur la tête. Tout est foutu. Il n'y a plus de parents, plus d'enfants, etc. » Pourquoi ? Simplement parce que l'on tient ce discours depuis des milliers d'années. Relisez donc les satires de Juvénal, né en 65 de notre ère. Il s'y plaint de l'absence de la transmission, du manque d'autorité, du caractère rebelle de nos enfants et de l'état de délabrement de la société. Et en cherchant bien, avant lui, on trouverait le même genre de discours. Le discours apocalyptique, le discours du désastre, n'est pas seulement énervant ; il est faux. Nous ne vivons pas un désastre, mais une mutation[2]."

Accélération des changements

« La fin du xxᵉ siècle et le début du xxiᵉ annoncent, pensons-nous, d'immenses changements dans la façon dont l'espèce humaine pourra agir sur le monde, y compris sur elle-même, et consécutivement sur la conscience qu'elle aura, et de ce monde, et d'elle-même. Ces changements, sauf accident, prendront toute leur portée dès les premières décennies du siècle actuel, sans pour autant cesser de se manifester, en accélération constante, dans les décennies suivantes. Ceci veut dire qu'un enfant âgé d'une dizaine d'années, aujourd'hui, pourra à la fin de sa vie jeter sur les conceptions que nous avons encore aujourd'hui de l'univers et des hommes le même regard curieux mais globalement incompréhensif que le regard que nous portons sur le monde féodal ou antique[3]."

---

1. Xavier de La Vega sur François Lyotard in *Sciences humaines*, spécial n° 6, novembre 2007, c'est-à-dire dans un magazine de bonne visibilité. C'est justement la visibilité des analyses qui compte, leur partage, leur diffusion, leur imprégnation de l'imaginaire du jour.
2. Jean-Claude Guillebaud, conférence reproduite en ligne pour *La Vie* et coupée-collée sur des blogs sans vergogne ni crédit, mais avec enthousiasme.
3. Jean-Paul Baquiast et Christophe Jacquemin, sur www.automatesintelligents.com

Radicalité d'un espoir

" Une civilisation s'éteint, celle du gâchis et de la rareté, de la croissance et de la précarité, de l'esclavage du salariat et de l'argent-dette, des catastrophes écologiques, et en même temps une autre s'éveille : une civilisation de la décroissance conviviale, véritablement démocratique, du partage et de l'abondance, dans un environnement sain, avec des comités citoyens, une monnaie au service des citoyens, une santé autrement[1]."

Ruptures et réinventions

« Le littéraire serait-il plus moteur pour comprendre le monde contemporain que le sociologique[2] ? » On ne prendra pas parti, puisant sans vergogne à toutes les sources.

▶ INTERNET EN VOIE DE DISPARITION

On plaisante, bien sûr ! Il est omniprésent et cela ne pose pas de problème. Mais de fait, en 2020, il a disparu : il est invisible et accessible partout. Il y a bien longtemps qu'il a cessé de faire peur, voire de susciter des fantasmes. Il fait partie des murs. Ce n'est pas une métaphore : il est l'enceinte protectrice, la matrice qui autorise une régénération permanente de soi – tant il est manifeste pour tous que l'information est la clé de la survie. Et, de fait, il est dans les murs, dans les vêtements, dans les objets, dans les gadgets… invisible mais disponible pour augmenter le potentiel de chacun.

Internet nous familiarise avec des informations de toutes sortes. Le Net est désormais le nouvel océan des connaissances, des pratiques sociales, des rencontres, des amours. Il donne les clés d'un nouveau rapport au monde. Il est une immense machine techno-affective. Chacun y relève ses défis, chacun s'y réinvente.

Les recherches d'information procèdent d'une démarche active – volontariste le plus souvent, même si elles se font beaucoup en réponse à des sollicitations. Car on parle beaucoup du Net comme

---

1. Marc Jutier, *Nouvelle civilisation 2012*, Éditions Pascal, 2008.
2. Olivier Mongin, directeur de la revue *Esprit*, entretien sur nonfiction.fr (2008). *Les Années* d'Annie Ernaux (Gallimard, 2008) sont à relire d'urgence pour comprendre d'où l'on vient.

de la grande bibliothèque-monde. C'est aussi le plus grand bric-à-brac de l'univers et les internautes sont le plus grand peuple de chalands de l'histoire.

La nature même du réseau fait que l'on clique et déambule sur le Net dans un esprit de furetage attentif. On s'y construit comme autrefois on se construisait dans les voyages, les rencontres, les amours. Au demeurant, Internet ne tue pas le réel, il le facilite, parfois le stimule. Les systèmes de personnalisation proposés par les technologies des moteurs de recherche donnent une crédibilité plutôt bienveillante aux flux qui parviennent jusqu'à l'internaute. Le correspondant a maintenant toujours donné son profil, il est le plus souvent dans une transparence totale. Dans les années qui viennent, la rupture avec les pratiques précédentes se situe dans l'émergence de la confiance. Les informations échangées sont vérifiées. On est passé aux choses sérieuses, plus question de poubelle de l'information mondiale.

Le problème c'est que l'information – les *news* – n'est pas toujours très bonne. La technologie est (presque) sans faille mais le paysage sociétal qu'elle révèle n'est pas forcément réjouissant. Technologie et téléologie ont beau rimer, la technologie reste l'application de la science aux arts utiles, et elle le fait sans états d'âme, alors que la téléologie, qui est la science des fins dernières de l'homme, annonce des lendemains plutôt sombres. À l'enthousiasme et la ferveur pour une technologie sans cesse plus surprenante s'opposent des scénarios plutôt ténébreux.

▶ L'APOCALYPSE EN EMBUSCADE

Si l'humanité est encore là dans vingt ans, elle considérera avec une certaine perplexité la période qu'elle viendra de traverser. C'est sous une sombre étoile qu'elle aura fait ses premiers pas dans le XXIe siècle. L'accumulation de complications plus ou moins prévues ou prévisibles – crises financières, fermetures d'usines, terrorisme, accidents, massacres – finissait par relever du gag – humour très noir. D'une certaine façon, peut-être n'en reviendra-t-elle pas d'être encore là. Le mythe de la fin des temps, dystopie de toutes les époques, avait semblé cette fois bien décidé à reprendre du service. Du côté de l'ésotérisme, le calendrier maya annonçait les dernières heures en 2012 ; un hadith de l'islam annonçait que l'ange Isrâfil, obéissant à l'ordre d'Allah, allait souffler dans la Trompe. Par chance, Ibné Hibbân entendait : « La fin du monde n'aura pas lieu tant que les gens ne s'accoupleront pas en public dans la rue comme le font les ânes. » Comme ce ne fut pas tout à fait le cas, on se mit à respirer. On s'est parfois sodomisé dans les parcs en ville, mais cela restait discret[1]. Plus inquiétant – parce que chacun en était témoin –, les cyclones spectaculaires autour de l'équateur semblaient ceinturer la planète, se préparant à l'étouffer. Les savants mirent leur grain de sel en prévoyant l'inversion du bouclier magnétique terrestre. Réflexion faite… c'était pour dans quelques millénaires. Plus proches, plus réellement menaçants, l'épuisement des ressources, le réchauffement climatique, la dissémination nucléaire, le terrorisme furent théorisés par des cohortes – au sens d'ensemble d'individus ayant vécu un même événement, ensemble, en même temps – de scientifiques, de philosophes, de juristes s'exprimant dans de très sérieuses revues et d'éminents colloques.

La convocation de l'idée de catastrophe comme avenir admissible était la chose du monde la mieux partagée. D'autres cohortes en colère envahissaient les rues et se heurtaient aux barrages policiers comme si ces derniers et les pouvoirs qu'ils représentaient avaient pris fait et cause pour la dégradation généralisée de la planète.

Évidemment, c'était plus compliqué que ça.

À côté de l'intellectuel généraliste du type revue *Esprit* « dont la fonction est de faire des liens, de poser des problèmes, de créer un paysage[2] », d'autres modèles cherchaient à prendre place sur la photo. Ainsi l'astrologie spiritualiste. Peut-on en rire à défaut d'en pleurer ? Le suspense de l'échéance 2012[3] n'avait pas suffi à faire trembler la planète, mais c'était bien une variation sur le même thème.

Ces deux postures radicalement opposées s'ignoraient superbement et n'envisageaient pas de se rapprocher. En 2008, la revue *Esprit* revendiquait 10 000 lecteurs et le site erenouvelle.com faisait état de 14 350 635 visiteurs. *Esprit* relevait de l'*upstream*. L'*upstream*, c'est l'amont, c'est aller à contre-courant. Forcément, il y a moins de monde. Mais moins de monde n'est pas signe d'insuccès. Moins de monde, c'est beaucoup d'efforts, c'est beaucoup d'exigence. Il y a peut-être là une clé : une discipline, des règles, des contraintes du côté de l'*upstream*, une confortable désinvolture intellectuelle et émotionnelle du côté du *mainstream*. Dans l'*upstream*, on se débrouille avec ce que l'on a, on n'attend pas un *deus ex machina* qui nous sortirait d'affaire. Le site erenouvelle.com était un exemple parmi des centaines du même acabit : son inspiration millénariste, en

---

1. Voir chapitre « Ordre et désordre amoureux », p. 109.
2. Olivier Mongin, *op. cit.*
3. Relayé, par exemple, dans auféminin.com, c'est-à-dire précisément sur un site très visité, donc susceptible de nourrir un grand nombre d'imaginaires.

attente d'un Royaume qui serait le Paradis retrouvé, relevait du *mainstream* et, on l'a compris, d'une possible et, en tout cas, espérée intervention divine. Le partage du monde, la fracture dans les représentations sont au cœur des vingt prochaines années. Pour l'heure, force était de constater que l'*upstream* n'était pas très peuplé. Ce n'était pas un signe des temps. C'est toujours comme ça.

À la dictature de l'opinion du très grand nombre, on oppose des sénats d'experts – tout aussi nombreux, tout aussi dictatoriaux. Comme si l'opinion publique et l'opinion instruite se regardaient en chiens de faïence.

Voilà une ligne de partage des eaux qui fleure bon la décadence. Cette hypothèse aura la vie dure : le monde en 2010 entre-t-il dans une phase de déclin ? Si l'histoire connaît des cycles, sommes-nous sur une trajectoire comparable à celle du « déclin de l'Empire romain[1] » ?

Quoi qu'il en soit, dès avant 2010, le monde sent le roussi et on ne sait à quels dieux s'en remettre. Les explications du monde fonctionnent, en tout cas, toutes plus ou moins bien.

Effet d'écho, convergence des imaginaires et surtout cautions scientifiques : la vision catastrophiste écologique est le grand schème partagé par tous.

⇨ Le monde à venir sera-t-il une divine surprise ou une tragique méprise ?

▶ L'HORIZON CANICULAIRE

Dès les années 2000-2010, les étés caniculaires de la plaine du Danube avaient annoncé ce que la France subit entre 2010 et 2020. L'évolution des forêts australiennes, soumises depuis plusieurs années à des épisodes de sécheresse exceptionnelle, avait également été observée avec attention.

L'horizon 2050 est évoqué dès la fin de la première décennie du siècle comme date-butoir. L'arbre a de tout temps été un puissant symbole : il incarne la vie et sa durée, sa perpétuelle évolution, la communication des trois niveaux du cosmos – le monde souterrain par ses racines ; la surface de la terre par le tronc et ses basses branches ; le monde ouranien, le ciel, par son faîte. Tous les arbres ne vont pas périr mais certaines espèces vont disparaître. Dès les

---

1. Préfiguration de l'excès hyperbolique, rhétorique issue de la fiction, Baudrillard allait être convoqué.

années 2010, les forestiers ont commencé à remplacer les chênes par des châtaigniers ou des acacias qu'ils estimaient capables de survivre aux conditions climatiques prévues pour 2050[1]. Voilà qui laisse une confortable marge de manœuvre puisqu'on s'intéresse à ce qui va se passer d'ici à 2030… mais tout est dans le symbole.

Pareillement, tout aussi problématique, tout aussi chargé symboliquement, les océans que tant de mythologies établissent comme principe d'origine semblent appelés à connaître des perturbations aux conséquences dramatiques.

*

Les questions des années 2010 convoquent le spectaculaire du monde et ses grands décors : un « haut » récit calamiteux au suspense entretenu[2].

L'orage gronde. Les experts en climatologie sont alarmistes : vagues de chaleur, précipitations irrégulières, typhons et ouragans… Comme dans tout bon thriller, le principal suspect est mis de temps à autre hors de cause…

Quand la nature freine le réchauffement climatique

" *Les décennies 2000-2010 et 2005-2015 seront-elles globalement moins chaudes que la décennie 1994-2004 ? En mai 2008, des climatologues réputés publiaient une étude répondant positivement à cette question. Iconoclaste à première vue, leur conclusion n'est pas contradictoire avec le constat des bouleversements en cours. « Nous ne disons pas que le changement climatique sera moins important que prévu, expliquait ainsi Mojib Latif. Nous disons qu'une oscillation naturelle du climat se superposera momentanément à la tendance au réchauffement.* »[3]"

Le refroidissement de l'Antarctique, une bizarrerie élucidée

" *Que ces prévisions controversées soient fondées ou non, le climat terrestre est affecté par une variabilité indépendante des changements imposés par l'homme. Le Soleil, principale source*

---

1. Laurence Caramel, *Le Monde*, 13 février 2008.
2. Surveillé et analysé par Sylvestre Huet, journaliste à *Libération*, dans son blog {science²}.
3. Stéphane Foucart, *Le Monde*, 12 mai 2008.

d'énergie de la Terre, varie ainsi en intensité selon un cycle de onze ans. [...] Des oscillations de l'atmosphère et de l'océan peuvent également jouer ce rôle à une échelle régionale. L'oscillation nord-atlantique (NAO), par exemple, est caractérisée par la différence de pression entre l'anticyclone des Açores et la dépression d'Islande[1]."

⇨ **La météo n'est pas bonne. Les perspectives sociétales 2010-2030 non plus...**

On s'adonne au jeu des scénarios[2]. Déclin progressif, état récessif, descente aux enfers, crise majeure, bombe politique... les francs-tireurs d'un réenchantement hypothétique du monde ne sont pas nombreux. Et c'est l'armée britannique elle-même qui propose une vision jusqu'à 2035, le tableau n'est pas encourageant :

Des puces électroniques dans le cerveau...

Une explosion démographique dans les pays du Moyen-Orient accompagnant une baisse de la fertilité en Europe...

Des armes à impulsion électromagnétique...

Une classe moyenne révolutionnaire prenant la relève du prolétariat de Marx...

Des « flash mobs » rapidement mobilisables par des gangs criminels ou des groupes terroristes...

Les inégalités, la violence et la dégradation de l'environnement n'augurent guère de l'avènement d'un futur pacifique et prospère. Le bonheur est un défi politique qui ne peut se relever que s'il est un projet partagé. Si les gouvernements n'en prennent pas la mesure, la planète va dans le mur. Le sombre et le dantesque l'emportent en part de marché, pour parler comme les publicitaires. Le noir fait vendre. Ce que l'on *achète* dans les frissons apocalyptiques, c'est du sensationnel, des *bonnes prises* pour parler comme les journalistes. Une immense partie de l'humanité vit dans l'instabilité sociale et la violence, la faim, la pauvreté, la corruption, le terrorisme, les mafias, la dégradation de son environnement et de son économie. Les menaces s'additionnent. La plus effrayante étant sans doute la possession de l'arme nucléaire par une organisation terroriste : 75 % de risques.

---

1. *Ibid.*
2. Vincent Nouzille, Nicolas Beau, « Prospective », sur bakchich.info

Que faire de telles perspectives ? Des films. En appeler à la fiction pour exorciser les peurs ? James Bond, Superman, Batman… où êtes-vous ?

Voilà le hic : dans la fiction, un héros solitaire aux pouvoirs surhumains est capable de prendre l'Apocalypse par les cornes. Dans le monde de demain, il faudra une réponse globale de tous, de tous les États, de toutes les institutions pour trouver des solutions au changement climatique ou à l'étreinte des pieuvres mafieuses. Héros unique de la fiction, aux dons multiples, côté imaginaire ; héros multiples de la réalité, autour d'un projet unique, côté réel. Il ne s'agit pas de dire que la fiction et la réalité sont *pareilles* mais de suggérer qu'elles s'imbriquent et s'emboîtent dans les représentations que nous nous faisons du monde.

▶ LES CAMPS RETRANCHÉS DE L'OPTIMISME

Geneviève Ferone pointe avec acuité les risques des fictions aveuglantes. « L'équipe de *Mission Impossible*, écrit-elle avec ce qu'il faut de causticité souriante un peu amère, ne peut rien contre les gaz à effet de serre. Pourtant, on était prêt à lui faire confiance, à Jim Phelps, non ? »

Néanmoins, Geneviève Ferone ne croit pas que la partie soit perdue : « La ressource la plus rare n'est assurément pas le pétrole, ni l'eau, ni même l'intelligence ou la sagesse. Ensemble ou individuellement, nous avons tout cela, nous pouvons accéder à l'énergie des étoiles, modifier nos comportements et inventer de nouvelles formes de solidarité, réparer l'horloge biologique, devenir bicentenaire et capturer le gaz carbonique au fond de la terre. […] La seule ressource qui va nous manquer, c'est le temps. C'est qu'il y a surtout urgence à se méfier des fictions qui vont finir par nous envoyer dans le mur[1]. »

Le *Rapport sur l'état du futur* du Millennium Project pointe le caractère exceptionnel de l'époque que nous vivons. Les téléphones mobiles, l'internet, le commerce international, la traduction automatique instantanée, les vols intercontinentaux sont autant de moyens qui permettent à l'humanité d'envisager des stratégies créatives, globales et efficaces pour relever le défi du bonheur. Le rapport considère que l'internet permet à chaque individu de réinventer partout son rôle citoyen et de reprendre les rênes de son histoire. La liberté politique s'accroît même si la Chine gâche un peu les statistiques. Optimisme technologique.

---

1. Geneviève Ferone, *2030 Le Krach Écologique*, Grasset, 2008.

Pour autant, la principale activité fantasmatique à partir de 2010 est l'attente d'une prise de conscience globale avec effet sur le politique, rebond sur l'économique, atterrissage sur le psychologique de proximité et diffusion sur le *poétique* d'un monde enfin tiré d'affaire.

Mais ce n'est pas gagné.

Certains épient avec avidité les signes de son émergence et la souhaitent planétaire. Elle prend diverses formes. Émergence d'une Nouvelle Renaissance – ou d'une Nouvelle Origine[1] :

De l'émotion comme agent mutant...

" La Nouvelle Origine *va éclore dans les émotions des artistes et des intellectuels, celles qui les poussent à l'incandescence. Elle se nourrira de celles des entrepreneurs, acteurs de la mutation économique. Elle ne pourra se passer de l'âme des militants, qui incarnent l'aspiration à l'universel. Elle nécessitera les émotions des politiques, de qui on attend aujourd'hui l'authenticité. Elle n'émergera qu'à travers l'élan de la jeunesse, symbole toujours renouvelé de l'espoir[2].*"

... ou vision cyclique de l'histoire

" *Les risques actuels sont imprévisibles et ambivalents : si, d'un côté, ils génèrent des catastrophes, ils créent, de l'autre, de nouvelles ouvertures sur le monde. Regardez, nous travaillons ici à Munich avec l'Institut d'histoire de la Renaissance, et c'est très intéressant de comparer notre époque à celle des XVIᵉ et XVIIᵉ siècles, au lendemain des guerres de religion. Alors que les pensées métaphysique et religieuse ne faisaient qu'un et que la guerre avait détruit tout espoir, il régnait chez les intellectuels européens un profond pessimisme, comme de nos jours. Les penseurs, et particulièrement les Allemands, affirmaient que plus rien ne pourrait naître. Et pourtant, c'est aux XVIIIᵉ et XIXᵉ siècles qu'un nouvel ordre moderne est apparu et qu'on a inventé la démocratie moderne, si naturelle pour nous aujourd'hui[3].*"

---

1. Philippe Lemoine, *La Nouvelle Origine*, Éditions Nouveaux Débats publics, 2007.
2. *Ibid.*
3. Ulrich Beck, propos recueillis par Oriane Jeancourt-Galignani, *Philosophie Magazine*, n° 12, septembre 2007.

Si cette attente du renouveau n'est pas encore comblée, des formes éparses se manifestent. Elles sont disparates au point qu'on a du mal à en repérer la cohérence.

On a tout pareillement du mal à prendre au pied de la lettre les promesses de la Banque mondiale qui prévoit une planète riche et débonnaire, une classe moyenne mondiale roulant en limousine, la résistance – la résilience? – de l'économie planétaire face aux catastrophes annoncées qui n'auront pas manqué de se manifester sans pour autant freiner la croissance.

Écoute-t-on encore les banquiers?

Les apôtres de la décroissance annoncent une autre forme de rédemption... qui ressemble à une punition : freiner, maigrir, décoloniser, se désencombrer l'esprit et le corps.

En a-t-on vraiment envie?

▶ LE MAGIQUE À LA RESCOUSSE

Il faut changer d'angle d'attaque – les tentatives de réconciliation se déplacent sur d'autres champs –, en revenir aux fondamentaux. Fiction et réalité à nouveau s'asseyent à la table des négociations. Sujet du jour : réintroduire du sacré, retourner du côté des mythes. Les mythes? Encore? Presque une tarte à la crème. Tout le monde s'y réfère. C'est quasiment un stéréotype. Gilbert Durand, Edgar Morin, Michel Maffesoli... y sont pour beaucoup. On les écoute avec fascination. Les médias en font leurs choux gras, les collections de poche aussi. Et c'est une très bonne nouvelle! Car s'il y a bien une chose qui est faite pour durer – peut-être est-ce là cet indestructible que l'on traque – c'est à la fois les stéréotypes culturels et les mythes qui s'y rattachent. Sachant que, bien entendu, un stéréotype peut en cacher un autre, plus pertinent souvent. Les contes populaires ont la cote. Les grands textes sacrés aussi. Les savants explorent le spirituel, la science découvre dans l'alchimie motif à méditation. Il y a du magique dans la nature.

Tout n'est donc pas perdu mais rien n'est acquis non plus. Le tournant du siècle a été celui de la perte de l'innocence, de la montée du cynisme, du triomphe de l'ironie, de la fragilisation de l'espace privé. On craint les dérives :

« – [...] *les politiques dont la tâche est de symboliser la vie publique seront perçus à distance comme des guignols plus ou moins sympathiques. Rire des politiques n'est pas interdit, les enfermer dans la caricature et ne plus les prendre au sérieux est un danger puisque la représentation médiatique* [dévalorise] *spontanément la représentation politique.*

> – [...] *en rendant public l'espace du privé, en divulguant toute notre vie et pas uniquement notre corps désormais photographié jour et nuit à outrance [...] avec la sommation de tout montrer, de tout savoir, il n'est plus guère possible de cultiver les secrets d'un amour discret ou caché et de croire que les relations amoureuses peuvent être aussi romantiques et pas l'occasion d'escapades dans des parcs de loisir* [1]."

On se réveille au matin des temps qui viennent avec le sentiment d'une perte, d'un passé enfui. Irréversible et embelli. On ne va pas lâcher la proie pour l'ombre. Le futur tapi dans cette ombre glace d'effroi.

> " *Je n'ai pas de représentation imagée du lendemain, et le jour présent apparaît comme un seuil au bout duquel se trouve une porte ou une marche et derrière cette porte ou après cette marche, le néant, un vide sidéral* [2]."

▶ À LA RECHERCHE D'UNE CONSOLIDATION DE SOI

Une préoccupation permanente : *quid* des acquis ? Il peut s'agir des acquis sociaux et économiques, mais cette première ligne cache des interrogations moins souvent explicites ou médiatisées : la fragilisation des acquis de familiarité, les objets domestiques qu'on ne retrouve pas, la sensorialité qui s'émousse, la communication qui s'appauvrit, la perte de soi quand justement le soi, l'ego – on va le voir – est au centre de toutes choses...

Quelques contre-exemples...

L'écriture de cartes postales, de lettres manuscrites – lit-on çà et là – a entamé un long déclin vertigineux. Vraiment ? Protestations. Il n'y a pas perte d'écriture, il y a une mutation dans la façon de faire. La doxa savante et psy dira que cette mutation implique un regard différent : écrire un SMS ou un e-mail, ce n'est plus la même chose ; avec les romans manga par téléphone, les testaments par SMS, il se passe quelque chose. On consulte son compte Facebook, on *chatte*, on n'arrête pas de se *contacter*... avec des mots. Avec une certaine exigence : la crédibilité d'un bloggeur est souvent liée à la qualité de son orthographe[3]. Des textes intenses et vibrants s'écrivent sur les sites personnels. On y conte sa vie sans compter les mots.

---

1. *Esprit*, mars-avril 2008 (éditorial).
2. Anne-Laure Languille dans un courriel à l'auteur.
3. Conversation de l'auteur avec Mathieu Halb, directeur d'études et de recherches auprès de grandes entreprises.

La conduite automobile : cette manifestation de puissance, ce jeu avec l'abîme, cette façon de canaliser ses pulsions étaient déjà, à l'aube des années 1990, un comportement digne d'une vieille baderne. Ce n'est certes pas sur les routes autoguidées que l'on va désormais se défouler, mais dans les jeux vidéo à réalité augmentée. L'illusion y est totale. Pas assez. Les courses sur des circuits automobiles réels et fermés où dorénavant tout est permis deviennent le grand divertissement du milieu des années 2020. Le nombre des morts n'y est pas trop préoccupant, les automates chirurgiens ayant tôt fait de réparer les imprudences des plus intrépides.

Aucun geste n'est désormais innocent : jeter un mégot dans la rue, un emballage de yaourt dans la mauvaise poubelle est devenu un crime citoyen. Les municipalités proposent des contreparties : des zones d'infra-droit qui permettent à l'instinct crapoteux de se décharger. On imagine des squares défouloirs, des décharges, des dépotoirs *en site propre*. Dérision du langage administratif. Des sites Internet tentent de canaliser ou d'amplifier[1] cette inclination. Le besoin de souiller reste irrépressible. On s'en occupe.

Changement de couleur : le vert est disqualifié. La faute à la récupération politique d'une part et à l'opportunisme des marques qui en avaient fait leur cheval de bataille marketing. Saturation. « Verchiment », traduction pertinente du *greenwhashing*. Le vert n'évoque plus que des politiques naïves et inefficaces ainsi que des actions dépassées. On dévaste les forêts, il n'y a plus de vert sur la planète. Ann Mack[2] avait prévu que le bleu allait être la nouvelle couleur du moment. Le bleu du ciel et des océans. Le bleu fait fortune entre 2015 et 2025 : on compense dans le symbolique ce qui disparaît dans le réel. Le manque d'eau. Le bleu c'est aussi le ciel à la conquête duquel on est reparti. Les séjours sur Mars, nouvelle escapade à la mode. On peut rêver.
Aussitôt Richard Watson[3] prévoit que le bleu du ciel ne tardera pas à être masqué par les couches de pollution, que celui des océans virera au boueux… Il est urgent de passer à autre chose. Il propose que l'on passe au transparent.

▶ L'ÈRE DE LA TRANSPARENCE

C'est une non-couleur, un mode de vie… Ère de la transparence, ère de la mise à nu qui a l'avantage de connoter d'une part le nouveau rapport entre les gens ainsi que la perte d'intimité et, d'autre part, l'obligation de dire les choses telles qu'elles vont être. Le transparent s'installe pour durer.

Tout est dit, écrit et publié sur tout dans l'instant et par tous. Chacun s'exprime, annonce, applaudit ou dénonce. Chacun a une opinion et la proclame, chacun raconte ce qu'il fait à la minute où il le vit. Tous les objets et les services de la planète sont ainsi

---

1. Depotoir.ca
2. Ann Mack est l'une des directrices du réseau publicitaire JWT Worldwide.
3. Nowandnext.com

disséqués, racontés. Des sites innombrables donnent accès à ces informations. Ces informations sont pertinentes parce que de toute façon vous n'allez que sur les sites qui correspondent à vos goûts, à votre style, à vos fantasmes.

Cette transparence absolue aurait eu autrefois des relents obscènes. Elle s'étend à d'autres domaines : les intentions, les scénarios de vie. Chacun, sur ces sites, annonce ses désirs et ses projets. Tout le monde peut s'en mêler, faire des propositions commerciales ou affectives, voire plus si affinités.

La transparence s'applique aussi au domaine politique avec *Wikileaks*[1], qui est devenu en quelques années un instrument de contrepouvoir très actif sinon très efficace.

L'ère de la transparence émerge dans un monde où innocence et illusion ne sont plus qu'un vague souvenir ému dont on trouve peut-être la trace dans les grands films hollywoodiens – hyperspectacle de mondes magiques. L'industrie des films à grand spectacle renouvelle les mythologies. Les scénaristes sont à la recherche de ce genre de sujets… La transparence se développe sur deux théâtres d'opérations : d'un côté, l'exploration des ressources de l'imaginaire, la convocation des puissances de la mythologie, son renouvellement radical ; de l'autre, le nettoyage des écuries d'Augias… illusoire sans doute mais ça fait du bien d'y croire. Le débat et l'abandon du fichier Edvige fait sourire les adeptes de Facebook. Les RG ont à portée de main et gratuitement plus d'informations qu'ils n'en demandaient.

Résurgence des mythes

Chaque époque, chaque décennie, chaque année possède-t-elle une pensée complexe, diffuse, secrète qui lui soit exclusive ? On parlait volontiers en décennie : les années 1980, les années 1990, les années 2000. Dans l'incertitude et la terreur du futur, on se construit des présents de plus en plus denses, de plus en plus fourre-tout. On cherche pour chaque instant du présent une idée indestructible, une éternité. Faire durer le moment. On parle presque en décade, si ce n'est en journée. Chaque jour est un concentré de temps et d'espace, un concentré attentif et vigilant qui est une histoire totale, un résumé du monde à lui tout seul.

---

1. Forum en ligne pour pallier la défection éthique du pouvoir dans ses conduites irresponsables et inacceptables à l'égard du peuple (source : Wikipédia).

Ainsi propose-t-on une nouvelle horloge du temps à travers une accumulation de journées dédiées qui, au demeurant, changent selon les années :

JANVIER 2009. 1ᵉʳ : Journée mondiale de la paix. 8 : Journée nationale de dépistage de l'obésité infantile. 26 : Journée mondiale de la douane et sur l'éthique. 27 : Journée de la mémoire de l'Holocauste et de la prévention des crimes contre l'humanité. 30 : Journée mondiale des lépreux.

FÉVRIER 2009. 2 : Journée mondiale des zones humides. 6 : Journée mondiale sans téléphone mobile. 12 : Journée internationale des enfants-soldats. 16 : Journée internationale du patrimoine canadien. 21 : Journée internationale de la langue maternelle. 22 : Journée mondiale du scoutisme. 26 : Journée mondiale d'action contre l'ordonnance sur les brevets en Inde. 28 : Journée européenne des maladies rares.

MARS 2009. 2 : Journée mondiale de prière (des Cursillos). 4 : Journée mondiale de lutte contre l'exploitation sexuelle. 7 : Semaine nationale de lutte contre le cancer. 8 : Journée mondiale de la femme. 13 : Journée mondiale de solidarité avec les prisonniers en Tunisie. Journée nationale de l'audition. 15 : Journée internationale des droits des consommateurs. 18 : Journée nationale du sommeil. 19 : Journée mondiale d'action contre la guerre (d'occupation en Irak). 20 : Journée internationale de la francophonie. 20 : Journée nationale de la courtoisie au volant. 20 : Journée mondiale du conte. 21 : Journée mondiale de la poésie. Journée internationale pour l'élimination de la discrimination raciale. Journée internationale des forêts. 22 : Journée mondiale de l'eau. 23 : Journée mondiale de la météorologie. 24 : Journée mondiale de lutte contre la tuberculose. Journée nationale du fromage. 25 : Journée européenne de l'enfant à naître. 27 : Journée mondiale du théâtre.

AVRIL 2009. 7 : Journée mondiale de la santé. Journée internationale de réflexion sur le génocide de 1994 au Rwanda. 8 : Journée internationale des Roms. 11 : Journée mondiale de la maladie de Parkinson. 17 : Journée mondiale de l'hémophilie. 17 : Journée mondiale des luttes paysannes. 22 : Journée mondiale de la Terre. 23 : Journée mondiale du livre et du droit d'auteur. 25 : Journée africaine du paludisme. 26 : Journée mondiale de la propriété intellectuelle. Journée mondiale de la photographie au sténopé. 27 : Journée mondiale des adjointes administratives et secrétaires. 28 : Journée mondiale sur la sécurité et la santé au travail. 29 : Journée mondiale de prière pour les vocations. 29 : Journée internationale de la danse.

MAI 2009. 1ᵉʳ : Journée mondiale de l'asthme. Journée mondiale du travail. 3 : Journée mondiale de la liberté de la presse. Journée du Soleil. 7 : Journée mondiale des orphelins du sida. 8 : Journée mondiale de la Croix-Rouge. Journée mondiale du commerce équitable. 9 : Journée de l'Europe. 10 : Journée commémorative de l'abolition de l'esclavage en France métropolitaine. 11 : Journée du pied. 12 : Journée mondiale de la fibromyalgie. Journée internationale de l'infirmière. 14 : Journée mondiale contre l'hypertension. 15 : Journée internationale des familles. Journée nationale de dépistage du cancer de la peau. 16 : Journée nationale de l'autisme. 17 : Journée mondiale contre l'homophobie. Journée mondiale des télécommunications. 18 : Journée internationale des musées. Journée mondiale de la maladie coeliaque. 21 : Journée mondiale de la diversité culturelle pour le dialogue et le développement. 22 : Journée mondiale de la biodiversité. 25 : Journée mondiale de l'Afrique. Journée mondiale des enfants disparus. 28 : Journée internationale d'action pour la santé des femmes. 29 : Journée internationale des Casques bleus. 31 : Journée mondiale sans tabac.

JUIN 2009. 2 : Journée mondiale pour un tourisme responsable et respectueux. 5 : Journée mondiale de l'environnement. 8 : Journée mondiale des océans. 12 : Journée mondiale contre le travail des enfants. 13 : Journée mondiale du tricot. 14 : Journée mondiale du don du sang. 15 : Journée mondiale de lutte contre la maltraitance des personnes âgées. 16 : Journée mondiale de l'enfant africain. 17 : Journée mondiale de lutte contre la désertification et la sécheresse. 18 : Journée nationale contre les maladies orphelines. 20 : Journée mondiale des réfugiés. 22 : Journée nationale de réflexion sur le don d'organes et la greffe. 26 : Journée internationale contre l'abus et le trafic illicite de drogues. Journée internationale des Nations unies pour le soutien aux victimes de la torture.

Juillet 2009. 1er : Journée mondiale de lutte contre la pauvreté. 6 : Journée internationale des coopératives. 9 : Journée de la destruction des armes légères. 11 : Journée mondiale de la population.

Août 2009. 7 : Journée internationale de l'éducation. 9 : Journée internationale des populations autochtones. 12 : Journée internationale de la jeunesse. 13 : Journée nationale des gauchers. 16 : XXe Journées mondiales de la jeunesse. 23 : Journée internationale du souvenir de la traite négrière et de son abolition. 30 : Journée internationale des personnes disparues. 31 : Journée mondiale du blog.

Septembre 2009. 8 : Journée internationale de l'alphabétisation. 10 : Journée mondiale de prévention du suicide. Journée mondiale des premiers secours. 15 : Journée européenne de la prostate. Journée mondiale du lymphome. 16 : Journée internationale de la protection de la couche d'ozone. 21 : Journée mondiale de la maladie d'Alzheimer. Journée internationale de la paix. 22 : Journée mondiale sans voiture. 25 : Journée mondiale du cœur. 26 : Journée européenne des langues. 29 : Journée mondiale de la surdité. 30 : Journée mondiale de la mer.

Octobre 2009. 1er : Journée mondiale de l'allaitement maternel. Journée internationale des personnes âgées. Journée internationale de la musique. Journée mondiale de sensibilisation aux hépatites. 3 : Journée mondiale de l'habitat (et expulsion zéro). 4 : Journée mondiale des animaux. 5 : Journée mondiale des enseignantes et des enseignants. 7 : Journée nationale des aveugles et malvoyants. Journée mondiale d'action pour le travail décent. 9 : Journée mondiale de la Poste. Journée mondiale du handicap. 10 : Journée mondiale contre la peine de mort. Journée mondiale de la santé mentale. 10 : Journée nationale des « dys ». Journée mondiale pour la vue. 11 : Journée mondiale des soins palliatifs. 12 : Journée mondiale contre la douleur. Journée internationale de la prévention des catastrophes naturelles. 13 : Journée nationale de la sécurité routière. 14 : Journée mondiale pour la normalisation. 15 : Journée nationale des toxicomanies. Journée mondiale des paysannes. Journée internationale de la canne blanche. Journée mondiale du lavage des mains. 16 : Journée mondiale de l'alimentation. Journée nationale de dépistage de l'hépatite C. Journée missionnaire mondiale. 17 : Journée mondiale du refus de la misère. Journée mondiale du don d'organes et de la greffe. 18 : Journée mondiale de la ménopause. Journée nationale contre l'épilepsie. 22 : Journée mondiale du bégaiement. 23 : Journée mondiale de l'ostéoporose. 24 : Journée mondiale d'information sur le développement. 28 : Journée internationale de la langue et de la culture créoles. 29 : Journée mondiale du psoriasis. Journée mondiale des accidents vasculaires cérébraux.

Novembre 2009. 6 : Journée internationale pour la préservation de l'environnement en temps de guerre. 7 : Journée internationale de l'écrivain africain. 10 : Journée mondiale de la science au service de la paix et du développement. 13 : Journée mondiale de l'utilisabilité. 14 : Journée mondiale du diabète. 15 : Journée mondiale des écrivains en prison. 16 : Journée internationale de la tolérance. 17 : Journée mondiale contre les broncho-pneumopathies chroniques obstructives. 18 : Journée de la philosophie à l'Unesco. 19 : Journée mondiale pour la prévention des abus envers les enfants. 20 : Journée mondiale pour l'industrialisation de l'Afrique. Journée internationale des droits de l'enfant. Journée nationale contre l'herpès. 21 : Journée mondiale de la télévision. Journée mondiale des pêcheurs artisans et des travailleurs de la mer. 25 : Journée internationale pour l'élimination de la violence à l'égard des femmes. Journée nationale de la trisomie-21. 26 : Journée mondiale sans achats. 29 : Journée internationale de solidarité avec le peuple palestinien.

Décembre 2009. 1er : Journée mondiale de la lutte contre le sida. 2 : Journée internationale pour l'abolition de l'esclavage. 3 : Journée internationale des personnes handicapées. Journée nationale du cinéma indépendant. 5 : Journée mondiale du bénévolat. 7 : Journée internationale de l'aviation civile. 8 : Journée internationale de la radio et de la télévision en faveur des enfants. Journée mondiale du climat. 9 : Journée mondiale des Nations unies contre la corruption. 10 : Journée mondiale des droits de l'homme. 11 : Journée internationale de la montagne. 14 : Journée mondiale du chant choral. 18 : Journée internationale des migrants. 19 : Journée internationale des Nations unies pour la coopération Sud-Sud. 20 : Journée internationale de la solidarité humaine.

Une telle accumulation n'a qu'une prétention : faire croire que tout a été pensé, aménagé, que l'on n'a oublié personne. Et qu'il reste de la place si nécessaire. Un mélange d'éthique et de relations publiques... mais aussi l'obsession de remplir chaque instant. Qui aboutit au final à une forme d'illisibilité du monde.

Au fond, quelle importance ? Le secret de cette liste, c'est que chacun peut y trouver les ingrédients nécessaires pour se concocter une recette personnelle d'imaginaires (souvent partagés par le groupe sociétal auquel on se réfère ou auquel on aimerait appartenir). Chacun puise dans la marmite toujours bouillonnante des récits du monde celui qui le concerne. Chaque journée est un mythe en soi. Les interprétations savantes de ce qu'est le mythe sont nombreuses, et souvent contradictoires. Mais chacun finit par posséder sa perception strictement personnelle. Aussi, dans cette liste, je ne vais rechercher que ce qui peut, peut-être, me concerner. M'impliquer.

⇨ Plus que jamais, le mythe est rappelé à la rescousse

On l'annonçait plus haut. Le mot est très à la mode – pour être prudent peut-être faudrait-il parler de grandes figures dont la mise en scène fascine. Chacun est un voyageur qui a un récit, une histoire, une vision de là où il vient. C'est ainsi que se reconstruisent les mythes. Ce qui est intéressant, c'est qu'on assiste peut-être à un retour de la tradition orale au sens large : les médias et les individus propagent le récit de grandes figures, et, ce faisant, éprouvent le plaisir de raconter. La conversation est le grand média de ce futur.

Plaçons-nous du côté des gens plutôt que de celui des savants.

Les mythes, c'est un jardin de sens, un potager de significations disparates qui se cultivent avec précaution.

Les mythes d'aujourd'hui sont liés à des individus et à des objets... mais ces objets, connectés entre eux, fonctionnent comme des individualités. Ils voyagent, ils s'absorbent les uns les autres. Tout comme les mythes fondateurs. Les contes populaires sont des mythes domestiqués, les figures d'aujourd'hui sont des récits commerciaux. On ne fait plus guère la différence, et ce n'est pas bien grave.

Les mythes fondateurs tentent des explications du monde, les contes proposent des éclaircissements sur la vie en société et les récits commerciaux sont des contrats implicites de partenariat entre producteurs et consommateurs pour faire tourner la machine-monde. Certains sont tentés d'y voir la dégradation d'un système. Toujours cette tentation de penser que la noblesse appartient à ce qui remonte aux origines, et la bassesse et la décadence à la vie d'aujourd'hui. On assiste à des attaques en règle contre les narrations fictives dont les individus seraient les victimes. À peine apparu sur la scène médiatique, le *story-telling* est diabolisé. N'est-ce pas de quoi est faite toute l'histoire humaine? Quelques voix s'élèvent pour protester de la valeur civilisatrice du commerce.

C'est le grand débat. La narration commerciale est-elle la forme vivante du conte, recèle-t-elle des aspects cachés des mythes d'origine? Le public et l'opinion font pression et redéfinissent l'histoire des temps présents – ubiquité des systèmes de communication aidant, chacun y va de son témoignage numérique.

Tout cela n'est-il pas de l'ordre du jeu, de la fascination qu'exercent les belles histoires, les sensations, les émotions... un jeu facétieux, ironique avec les choses mystérieuses dont l'existence est faite? Le monde étrange et terrifiant des commencements de l'humanité n'a rien perdu de son étrangeté et de son pouvoir de sidération.

*

Les événements planétaires rythment cette fantasmatique : quelle courbe prolonger à partir de secousses médiatiques réinterprétées comme mythes fondateurs? En 1986, Tchernobyl actualise la peur de l'Apocalypse et le mythe de l'apprenti sorcier. La chute du Mur de Berlin de 1989 réintroduit l'espoir que l'homme peut réenchanter l'homme, mythe messianique ; elle déchaîne des forces libératrices, fait basculer l'équilibre des pouvoirs ; elle est fondatrice en ce sens qu'elle peut être liée à la révolution de l'information. La chute du mur montre que la révolution technologique peut élever l'information au rang d'arme de contre-pouvoir triomphante. En 1990, Jean-Marc Boivin, nouvel Icare qui avait décollé de l'Everest deux ans auparavant, se tue en tombant du ciel depuis la cascade Salto Angel. Génocide au Rwanda en 1994 : fureur des démons. En 1997, la mort de Lady Di revigore le mythe de la Princesse, sacrifiée par la société du spectacle. Le 11 septembre 2001 donne une légitimité à la paranoïa anti-terroriste, actualise les conflits de civilisation, fonde un monde nouveau. La canicule de 2003... le tsunami de 2004 réactivent le mythe de la colère de

Gaïa. L'affaire d'Outreau en 2004 : les dieux se sont-ils pris les pieds dans le tapis ? Katrina en 2005 : les dieux n'ont-ils rien voulu entendre ? Le Darfour en 2006 : cette fois-ci, les dieux n'y sont pas pour grand-chose, et une nouvelle journée mémorielle pour les damnés de la Terre se met en place sans que beaucoup s'y intéressent. La crise de 2008 marque-t-elle le début d'un nouveau nettoyage des écuries d'Augias ? Début 2009, Obama est-il le nouveau messie ?

▶ Les cycles comme explication

Autre mode, autre stéréotype. On fait référence à des cycles de temps très longs, enveloppant de leur immensité singulière les principes actifs du cosmos. Ainsi, retrouver les traces du big bang nourrit-il le secret espoir que cet hypercommencement de l'histoire est le passage obligé d'une hyperrenaissance de l'histoire. À la limite peu importe que cela soit ou non scientifiquement démontrable, ce qui compte c'est que cela s'inscrive dans l'imaginaire des représentations, savantes, puis vulgarisées.

Les cycles plus proches des époques historiques – vision sans doute plus accessible – exercent un autre type de fascination. Retour du Moyen Âge ou de la Renaissance ? La Chine dominait le monde avant l'an 1000, va-t-elle recommencer bientôt ? Cette proximité relative de périodes historiques idéalisées ou diabolisées, qui seraient sur le retour, semble donner un sens à l'espèce humaine : l'accumulation d'exemples plus ou moins familiers, de repères sur une échelle de temps qu'on peut à peu près cerner, crée une sorte de solidarité – une histoire partagée. Fusion utopique peut-être mais cela fait du bien. Solidarité transculturelle, solidarité transhistorique.

Avec les cycles ultracourts des modes, le temps se recycle sur des périodes de plus en plus brèves. Peut-être assiste-t-on aussi à la résurgence de phénomènes dont la visibilité (médiatique, notamment) avait été faible, mais qui appartiennent à l'histoire comme les coquillages au navire ?

Allons-nous vers un monde idéal ? Un monde imparfait ? Un monde cataclysmique ? Peut-être allons-nous vers des réitérations, des réaccomplissements de schèmes mythologiques au motif que rien ne se perd dans la mémoire. La *mare imaginalis* regarde en avant comme en arrière le mouvement de l'espèce vers son destin (qui est, tout à la fois, festin des origines et des fins dernières).

" La pensée du temps cyclique prétend introduire à une expérience temporelle du sacré. De plus en plus nombreux sont les ethnologues, mythologues, métapsychologues, folkloristes, comparatistes, voire philosophes, qui remettent en cause l'absolue objectivité d'un temps linéaire. Plusieurs, tels H. Corbin, A. Coomaraswamy ou D. Charles, ont pris en compte le sérieux philosophique que véhicule la conception cyclique du temps – y voyant une alternative réelle au temps linéaire et accumulatif de la technique. Ni primitive, ni infantile, ni archaïque, mais archétypique selon C. G. Jung, cette conception d'un temps cyclique fait partie de l'héritage immémorial de l'humanité. Elle se retrouve en toute civilisation, à toute époque, sur tous les continents. Elle y exprime l'attitude traditionnelle de l'humain face à une historicité dont le sens est problématique[1]."

⇨ Le futur commence, ponctué d'autant de coups de freins que d'accélérateur...

Ainsi de la photographie… On veut s'affranchir de l'industrie de la photographie avec le sténopé. On dit se libérer de la compulsion du numérique. On cherche les antithèses. Récréer avec une évidente jubilation d'autres moments, d'autres temps. Contre l'impatience générale, on propose de gérer le temps avec gourmandise.

" Transformer une cellule de moine en camera obscura *en obstruant la fenêtre et en ne laissant qu'un petit trou. L'image du parc de l'abbaye pénétrera dans la pièce, elle se visualisera autant sur les murs et le plancher que sur le plafond. Tout individu debout dans la pièce deviendra donc porteur de l'image. Le hasard fait partie du jeu. Pendant une prise de vue, des personnages peuvent passer devant l'appareil pour devenir ensuite fantômes sur la photo. À la fin de la journée, on inscrit la photo sélectionnée sur son site. L'hypermodernité au service d'un art ancestral[2]."*

---

1. Alain Delaunay, in *Encyclopædia Universalis* – elle-même un indispensable référenceur de nos mythologies, avec Wikipédia, Facebook et consorts.
2. Cécile Urbain, *Le Monde*, 20 mars 2008.

Les objets d'autrefois apportent des sensations inconnues. En fait : des sensations oubliées. Ces objets recyclés, ces pensées repensées et à nouveau diffusées permettent d'accéder à un *illo tempore*, un temps ancestral, fondateur. Peut-être un temps où il faisait bon vivre. Les psys n'osent plus dire « le ventre maternel », on leur rit au nez. Peut-être, mais alors de quoi s'agit-il ?

▶ DÉSIR D'AUTHENTICITÉ

Pour combler le besoin du consommateur d'être rassuré par des références qu'il connaît, les marques jouent sur le registre de la nostalgie et surfent sur toutes les vagues. En 2012, l'automobile qui fait le plus parler d'elle est la Juva 4, à moteur à hydrogène.

C'est le cadeau de Carlos Ghosn à la postérité. Rien de bien nouveau. Ce n'est qu'un recyclage de souvenirs, comme Volkswagen l'avait initié avec la New Beetle. Oui mais voilà : la décennie qui nous occupe est toute entière prise entre des tensions permanentes et extrêmes – recycler le recyclé en fait partie.

Alors, précisément, quelle sensation éprouve-t-on en Juva 4 à hydrogène ? Vous verrez bien… De toute façon, la grande affaire, c'est le retour de la traction animale.

On plaisante ! Enfin, peut-être… Une esthétique du chaos ? On a déjà parlé du cheval de trait[1].

---

1. Dans le chapitre « Les métamorphoses du vélo », p. 214.

▶ UNE TECHNOPARADE PERMANENTE

Les paysages sont parsemés de lignes à haute tension qui transportent des miracles technologiques. Fascinant cortège de promesses lardées d'un vocabulaire ésotérique. Il faut bien nommer ce qu'on invente. Parfois, au détour d'une vulgarisation bien faite, le grand public comprend, sinon l'idée, du moins ses applications. Qu'il y ait là une fracture en termes de connaissance n'a d'ailleurs pas d'importance. Chacun reconnaît aux savants une légitimité à manipuler des concepts compliqués. De ces cohortes de vocables inaccessibles au grand public, on attend avant tout des retombées sur la vie quotidienne.

- Le contrôle de l'activité des neurones permet de traiter des maladies comme celle de Parkinson.
- La technologie *compressive sensing* s'applique aux systèmes d'imagerie numérique dans le domaine médical et la photographie.
- La technologie de réalité mobile augmentée, une fois intégrée aux téléphones portables, permet de connaître la position de l'utilisateur en tout lieu et à tout moment.
- Des moniteurs médicaux personnalisés effectuent tous les diagnostics[1].
- L'analyse unicellulaire des procédés biologiques de base permet d'élaborer des tests de dépistage des maladies avant même l'apparition des premiers symptômes.
- De minuscules fibres nanotechnologiques permettent de stopper les hémorragies et de réparer les lésions cérébrales.
- Des nanochargeurs solaires sont intégrés à la fabrication de cellules photovoltaïques moins chères et plus productives.
- Des antennes optiques concentrent la lumière et permettent de stocker des centaines de films sur un seul DVD.
- Des métamatériaux (matériaux composites artificiels invisibles) sont introduits dans les télécommunications, les supports d'information et l'énergie solaire...

Ces techniques se diffusent peu à peu. La haute technologie est accaparée par les savants. Nous sommes cernés par une surenchère de vocabulaire high-tech. Fait majeur, c'est une bonne nouvelle. Quelques Cassandre émettent des doutes sur les bienfaits de la technologie. Elles ont tort. La technologie a toujours raison.

Les êtres humains ont-ils déjà résisté à quelque tentation que ce soit ?

---

1. www.technologyreview.fr/?id=157

▶ UNE SOCIÉTÉ CABOSSÉE

Quid du paysage sociétal ? Le siècle est tenté par l'idéalisation du technologique et la diabolisation du sociétal. Seulement tenté, parce que le sociétal l'emportera en fin de compte.

L'air du temps est à l'imprévisibilité. Précarité, multipolarité, instabilité, retournements brusques, risques, microcycles économiques, contractualisation à court terme : voilà la musique de l'époque[1].

Ce qui n'encourage guère à prendre au pied de la lettre tout ce qui se propose dans cette enquête.

Les fractures sont nombreuses : numérique, esthétique, financière, au niveau de la santé, du bien-être, de l'éducation. Elles creusent les écarts.

La violence économique est de toutes les transactions.

L'accroissement de l'écart structurel des salaires et la généralisation de la pauvreté larvée menacent la décennie.

La globalisation amère et rugueuse, l'effondrement du système économique sur lui-même, la crise structurelle forment l'horizon perceptible du monde.

Le stress et l'anxiété face à l'inconnu permettent une remise en cause des acquis.

▶ DES HÉROS PAR MILLIONS

Que reste-t-il à l'individu ? Tous les signes concordent : tout. Au cœur d'une mutation inquiétante de la planète, l'individu garde confiance. Des innovations permanentes et spectaculaires accélèrent la lubrification des rouages sociaux.

- L'individu devient une vraie entité économique, avec sa réputation, son marketing, son réseau, sa production. À charge pour lui de se construire son référentiel de valeurs et son projet de vie. Il possède une confiance aveugle en ses propres capacités, un besoin vital de réalisation immédiate et de créativité, un grand idéalisme et un sens quasi nul du compromis.
- L'imagination, la confiance, la prise de risque immédiate constituent son nouveau carburant. Retour des rêveurs réalistes, des utopistes engagés dans l'action.
- Le communautarisme réenchanté lui permet de ne pas vivre en solitaire. Le mutualisme et les nouveaux cercles de confiance redonnent de l'élan au vivre ensemble.
- De la convergence art, ville, innovation, technologies de l'information et de la communication, développement durable, transports, éthique, développement local, l'homme est à nouveau le centre.

---

1. Smartfutur.fr de René Duringer et ses différents blogs, newsletters et interventions.

- Le don et le jeu sont les nouvelles formes de savoir-être qui gagnent la vie des affaires aussi bien que la vie affective.
- La « sérendipité », la créativité, l'innovation, la « disruption » se mettent au service du génie propre à chacun.
- La spiritualité réincarnée, les religions mutantes, le retour aux sources, le comeback des textes anciens permettent à chacun d'aller directement à l'essentiel, avec simplicité, frugalité et minimalisme… c'est une des retombées de la transparence. On ose un progrès *off* (que l'on qualifie de déconsommation – forme modérée, moins hystérique – de l'information, avec un usage fonctionnel du progrès sous toutes ses formes, une prise de recul[1]).

Et ainsi jusqu'à l'épuisement. Mais ne soyons pas naïf. L'horizon immédiat est trop dense pour qu'on y voie autre chose que quelques grandes lignes, quelques possibles. Les écrans sur lesquels s'inscrit le récit du futur sont placés si près qu'on ne perçoit que des figures floues, des mouvements indistincts. La pléthore d'information a pris le futur en otage.

⇨ D'un imaginaire du passage et du fragment émerge l'aspiration à une utopie de la cohérence retrouvée

Chacun veut reprendre la main : illusion ou compulsion, le futur s'invente selon nos désirs. L'envie de consommer n'est plus centrale pour une partie de la population mondiale, toujours la même, celle de l'*upstream*, histoire de proposer une nouvelle métaphore dont personne n'est dupe. L'essentiel pour l'*upstream*, c'est d'inventer un nouveau savoir-vivre.

La grande idée, la véritable utopie qui s'élabore sous nos yeux et qui va être déterminante, c'est d'accepter la porosité entre le réel et la fiction, c'est de faire siens les transferts d'énergie entre les figures du spectacle de la société et les événements affectifs personnels. Et là, tout le monde est concerné à un moment ou un autre.

Le spectacle du monde est vécu comme une information sur soi. Le microcosme et le macrocosme convergent. Cette vieille rengaine ésotérique a finalement été réhabilitée par une caste savante qui invente des bombes en relisant les textes alchimistes (il doit bien y avoir quelque chose là-dessous, non ?). Il va falloir réapprendre à vivre avec les récits de fin du monde, avec le retour des grandes peurs des temps obscurs, avec les tensions entre le moi et le nous qui tardent à se réconcilier, avec le pouvoir du féminin, avec le quantitatif qui se

---

1. René Duringer, *ibid.*

dilue dans le qualitatif, avec l'agrégation d'expériences et de conversations où nous serons tous dans l'instant présent.

⇨ Le réel n'a pas la cote : il manque de vraisemblance. On ne croit plus à rien. N'y a-t-il plus de vérité ?

Que se passe-t-il ? À quoi les gens croient-ils désormais ? À ce qu'ils voient. Le problème étant que ce qui leur est donné à voir est de plus en plus sujet à caution, on veut dire sujet à options. La vérité vraie existe-t-elle encore ?

Une piste : ne cherche-t-on pas la meilleure vérité possible ? Après tout, l'époque qui nous intéresse est toujours celle de la consommation. Consommation de quoi ? De soi ?... Oui, oui c'est entendu, mais se consommer soi-même, cela reste un peu abstrait. On parle plus volontiers de « triangulation de soi ». Il s'agit d'un de ces concepts à la mode qui permet de conjoindre technologie et forme de spiritualité à partir du principe de l'ancien GPS, et dont la métaphore fondatrice est la recherche de l'endroit où on est et, par extension, du lien avec l'autre. Cette notion est largement déclinable. N'est-ce pas l'approche retenue par cette enquête ?

⇨ La vérité est coopérative

La vérité se construit à partir de l'intervention de plusieurs acteurs. La vérité est ce qui donne à chacun le sentiment d'être en phase avec sa pente ascendante. Dire que la vérité est relative est du dernier vulgaire et n'a, finalement, aucun intérêt.

De même en est-il des produits de consommation qui ont maintenant acquis, entre autres fonctions, celle de raconter les nouvelles mythologies. Optimisation, montée en grade, courbe ascendante vers le haut de gamme, c'est-à-dire vers l'*upstream*. Recherche effrénée de distinction, de différenciation. Luxe sans doute : nous y consacrons un chapitre.

Les marques et les créateurs font route ensemble pour se réinventer les uns les autres. Et les consommateurs eux-mêmes sont sollicités. Le *crowdsourcing*[1] bat son plein. Et ces mêmes consommateurs deviennent entrepreneurs.

Tout cela mène à l'édification de vérités à multiples facettes, pleines d'histoires qui ont un je-ne-sais-quoi de presque vrai... Cela fait l'affaire de tous. La seule vérité, c'est la fiction.

---

1. ... ou comment le grand public devient une source d'innovation.

Le temps étant le bien le plus précieux, c'est avec lui qu'il convient de négocier, et les acteurs du marché s'emploient à limiter les temps néfastes, les tempos intempestifs : ces moments où plus rien ne marche, quand on perd son temps, qu'on loupe un rendez-vous, qu'on perd ses lentilles, qu'on va faire ses courses...

L'expérimentation, l'épreuve et la pratique : voilà le vrai. Et cela doit se concentrer en un temps unique, essentiel vers lequel convergent toutes les sensations convoquées pour que cette seconde infinie existe chaque seconde.

On en revient toujours au même paradigme : toutes les expériences de la vie quotidienne doivent intégrer tous les potentiels de sensation – ce qui n'est guère vivable, ni au fond très satisfaisant. Trop c'est trop. À tout vouloir ressentir, on ne ressent plus grand-chose.

On va donc se rabattre sur les lubrifiants quotidiens : les services. Demain, le service sera le véritable centre de gravité de l'économie occidentale. Des services simples, malins, intuitifs, interactifs, inspirés de l'univers professionnel. Entre le domaine grand public et le domaine privé, il existe désormais un partenariat bien compris. On parle d'*inspérience* : une expérience inspirée par l'usage optimisé d'objets et de pratiques techniciennes et spécialisées dans la vie quotidienne. La vérité du monde est donc dans l'exceptionnel, dans une *inspérience* unique que l'on se construit de façon méticuleuse et passionnée.

Chacun a l'exceptionnel à portée de création digitale, cette dernière débouchant maintenant sur la création en 3D, règne de l'egonomie, c'est-à-dire ici de la création, de la customisation, de la personnalisation d'un nombre incalculable de produits.

À la limite près qu'on a déjà signalée : il y a un moment où, à être le seul à posséder quelque chose d'absolument unique, on finit par se sentir esseulé. D'où le retour annoncé du convivial, du confraternel, du communautaire et des uniformes.

⇨ **Quel joyeux bordel !**

 De la gourmandise

Quels sont les signes indestructibles les plus évidents de la société ? « La gourmandise », répond Serge Guérin[1], spécialiste du chocolat haut de gamme et des seniors. Où que vous alliez en Europe, des recettes typiques, exclusives, transmises de génération en génération forment comme autant de cathédrales érigées

---

1. prospectivesociale.blogspot.com et entretiens avec l'auteur.

à la gloire de la mémoire, des forteresses inexpugnables où l'identité d'une culture se préserve. Ce prospectiviste gourmet permet de filer la métaphore. Le génie d'une culture se mesure à son appétit d'être soi. Le communautarisme des papilles permet de résister à la mondialisation et fait le bonheur des régions. Cette gourmandise souverainiste est un acte de foi, un étendard, une déclaration du droit à la différence, voire à l'existence. Vision plutôt joviale des temps à venir.

Il en est qui le sont moins. Partout des murs s'élèvent, le monde se fait forteresse :

> « [Dans les vingt ans qui viennent] *plus les êtres humains seront incités à partager les mêmes désirs, à aspirer au même mode de vie, à devenir de plus en plus identiques les uns aux autres, c'est-à-dire similaires à un citoyen occidental standard, plus ils se raidiront dans la compulsion des concepts restrictifs qu'ils supposent les constituer : la terre, l'ethnie, le clan, la langue, la religion, la culture. […] Si le communautarisme rassure en singularisant et en proposant un refuge, il néglige […] les vastes ensembles humains (sauf dans le cas des religions) et surtout l'individu soi-même, finalement davantage « libre », à savoir contraint de faire des choix, dans l'impersonnalisation de la mondialisation que dans le cercle restreint de la communauté qui exige que chacun s'oublie en s'identifiant à elle et en la défendant au prix de sa vie s'il le faut*[1] . »

Les choses simples, elles, continuent d'appartenir au passé, au présent et à l'avenir – les salons de coiffure ? les terrains de foot ?. L'invasion des technologies biocosmétologiques ou électroniques ne change pas grand-chose : il faut toujours une paire de ciseaux, un ballon. Il y a des durées longues qui donnent décidément raison à la conviction de Robert Metcalfe : « Le futur n'est pas réparti de manière uniforme. »

---

1. http://endehors.org/news/la-fievre-communautariste, quotidien en ligne qui se réclame de l'anarchisme.

Ombres et lumières

Les prospectivistes de tout poil sont désormais cotés en Bourse. Sur ce marché, les spéculateurs parient sur des hypothèses technologiques, politiques, sociétales. Le marché dicte sa loi et... l'économie ne ment pas[1]. Ce sont les cotations qui décident de l'avenir.

C'est la belle fiction-invention de Nick Bostrom, par ailleurs chantre du *transhumanisme*. Il imagine :
– un horizon démographique à mille milliards d'humains ;
– une espérance de vie de cinq cents ans ;
– une grande partie de la population avec des capacités cognitives deux fois supérieures à celles d'aujourd'hui ;
– une maîtrise sensorielle quasi absolue et permanente pour la plupart des gens (fin de la souffrance physique...) ;
– la très grande rareté des maladies psychologiques... et des changements aussi radicaux dans pratiquement tous les domaines de l'existence.

Après avoir triomphé dans les hypothèses techno-prospectives, Nick Bostrom, dans *Idea Futures*, introduit sur le marché le concept de la vie comme œuvre d'art. Une Bourse aux célébrités en quelque sorte, dont l'accès est possible pour chaque individu assez créatif et entreprenant. Les experts en tout genre, les sommités de toutes les latitudes de la vie sociale s'inscrivent avec fièvre sur le marché dans l'espoir que leur cote leur donne la cote.

Pour Ray Kurzweil[2], la *singularité technologique* (ou simplement la *singularité*) est un concept, selon lequel,

> « [...] *à partir d'un point hypothétique de son évolution technologique, la civilisation humaine sera dépassée par les machines – au-delà de ce point, le progrès n'est plus l'œuvre que d'intelligences artificielles, elles-mêmes en constante progression. Il induit des changements tels sur l'environnement que l'Homme*

---

1. Guy Sorman, *L'Économie ne ment pas*, Fayard, 2008.
2. Raymond C. Kurzweil, informaticien, inventeur et créateur de plusieurs entreprises pionnières dans les domaines de la reconnaissance optique de caractères, de la synthèse vocale et de la reconnaissance vocale. Il est également l'auteur de plusieurs ouvrages de prospective et de futurologie, et théoricien du transhumanisme et de la singularité technologique. En 2048, il sera en pleine forme, estime-t-il.

d'avant la Singularité ne peut ni les appréhender ni les prédire de manière fiable[1]."

Bostrom et Kurzweil incarnent une prospective à long terme – qui dépasse donc, et de loin, le champ de cette enquête – mais l'imaginaire qu'ils développent appartient à l'époque. Leurs visions imprègnent les représentations que leurs lecteurs se font de l'avenir – par tensions ahurissantes, par des paris qui fascinent. Leurs façons de parler de l'avenir à partir de l'avenir, dans des rétrofictions spectaculaires, influencent les récits de fiction, les blockbusters, les dîners en ville.

 ## La déclaration transhumaniste

   " ① *L'avenir de l'humanité va être radicalement transformé par la technologie. Nous envisageons la possibilité que l'être humain puisse subir des modifications, telles que son rajeunissement, l'accroissement de son intelligence par des moyens biologiques ou artificiels, la capacité de moduler son propre état psychologique, l'abolition de la souffrance et l'exploration de l'univers.*
② *On devrait mener des recherches méthodiques pour comprendre ces futurs changements ainsi que leurs conséquences à long terme.*
③ *Les transhumanistes croient que, en étant généralement ouverts à l'égard des nouvelles technologies, au lieu d'essayer de les interdire, et en les adoptant, ils favoriseront leur utilisation à bon escient.*
④ *Les transhumanistes prônent le droit moral, de ceux qui le désirent, de se servir de la technologie pour accroître leurs capacités physiques, mentales ou reproductives et d'être davantage maîtres de leur propre vie. Nous souhaitons nous épanouir en transcendant nos limites biologiques actuelles.*
⑤ *Pour planifier l'avenir, il est impératif de tenir compte de l'éventualité de ces progrès spectaculaires en matière de technologie. Il serait catastrophique que ces avantages potentiels ne se matérialisent pas à cause de la technophobie ou de prohibitions inutiles. Par ailleurs, il serait tout aussi tragique que la*

---

1. Wikipédia.

vie intelligente disparaisse à la suite d'une catastrophe ou d'une guerre faisant appel à des technologies de pointe.
⑥ Nous devons créer des forums où les gens pourront débattre en toute rationalité de ce qui devrait être fait ainsi que d'un ordre social où l'on puisse mettre en œuvre des décisions responsables.
⑦ Le transhumanisme englobe de nombreux principes de l'humanisme moderne et prône le bien-être de tout ce qui éprouve des sentiments, qu'ils proviennent d'un cerveau humain, artificiel, posthumain ou animal. Le transhumanisme n'appuie aucun politicien, parti ou programme politique[1]."

René Duringer[2], on l'a vu, est un chasseur de tendances et d'idées, observateur passionné et avisé, scrutateur infatigable. Il constate avec une certaine jubilation que la prospective est peuplée d'étranges individus… On peut établir un premier clivage, dit-il, entre ceux qui sont de simples observateurs, et les autres, qui combinent réflexion prospective et action dans le monde réel. Faut-il être un chercheur contemplatif ou bien doit-on agir sur le monde pour éviter les évolutions les plus sombres ? Faut-il sortir de sa réserve ?

Le deuxième clivage, continue-t-il, se situe au niveau de la méthodologie : doit-on privilégier une approche exclusivement scientifique, qui passe notamment par l'élaboration de *big* scénarios ou bien peut-on miser sur l'intuition, l'observation de l'air du temps, la détection de signaux qui peuvent paraître faibles mais qui n'en sont pas moins pertinents ? Le prospectiviste est-il ingénieur ou artiste ? *A priori*, les deux camps disposent d'arguments valables, même si l'incertitude qui sévit depuis l'entrée dans le XXIe siècle souligne les limites de l'approche traditionnelle.

Et puis, il y a ceux qui considèrent la prospective comme une discipline à part entière, réservée à des spécialistes, et ceux qui pensent qu'elle relève plus d'une posture ou d'un état d'esprit que chacun peut avoir avec un peu de curiosité, au jour le jour. Le citoyen lambda peut-il s'autoproclamer prospectiviste ? Les prospectivistes doivent-ils rester dans leur tour de Babel ?

On peut aussi décrypter la tribu des adeptes de la prospective selon l'âge des individus, car chaque strate se manifeste par une empreinte. Un mille-feuille générationnel est perceptible, avec un

---

1. http://www.transhumanism.org/index.php/WTA/more/148/
2. smartfutur.blogspirit.com et entretiens avec l'auteur. René Duringer exerce également une activité au sein de l'Ordre des experts-comptables. *Cross-fertilization* oblige, l'image de cet ordre a pris avec lui un sacré coup de jeune.

clivage plus marqué entre les modernes et les anciens, même si l'âge biologique n'est pas le critère le plus fiable...

En outre, selon la culture d'origine (marketing, management, politique, innovation, design, ressources humaines, autodidacte, scientifique, spécialiste des TIC [technologies de l'information et de la communication], sociologue, philosophe, ethnologue, coach, chercheur, politologue...), la tonalité des travaux prospectifs est bien sûr totalement différente. La nature du regard que l'on porte sur le monde influence lourdement la vision prospective ; l'exercice est par nature subjectif. En y incluant une vision du monde et un parti pris très personnel, certains ont d'ailleurs du mal à éviter les écueils d'une démarche qui peut alors s'apparenter à celle d'un gourou.

Enfin, René Duringer propose une liste non limitative d'incarnations possibles de ce peuple étrange de la prospective :

- *Anticipateur*
- *Auteur d'ouvrages prospectifs*
- *Butineur d'idées*
- *Catalyseur d'optimisme*
- *Chasseur de tendance (trend setter)*
- *Chercheur d'idées (ou de vérité)*
- *Connecteur*
- *Consultant*
- *Décrypteur*
- *Designer*
- *Don Quichotte*
- *Électron libre*
- *Expert éclairé*
- *Futurologue*

- *Gourou*
- *Innovacteur*
- *Innovateur*
- *Intellectuel*
- *Journaliste curieux*
- *Marketeur*
- *Méta-observateur*
- *Metteur en perspective*
- *Observateur attentif*
- *Philosophe*
- *Planneur stratégique*
- *Professeur*
- *Prospectiviste*
- *Tête de pont de think tank*
- *Veilleur*
- *Visionnaire...*

Les transhumanistes veulent transformer la nature humaine. Les post-conservateurs modèrent les enthousiasmes vis-à-vis des hautes technologies intrusives et s'appliquent à préserver l'héritage. Entre les deux extrêmes, vous et moi.

6 Lignes de haute tension

On peut identifier sept registres pour cerner un peu mieux nos concitoyens, et donc nous-mêmes :

      ① le registre de *l'émancipation* ;
      ② le registre de *l'ordre* ;
      ③ le registre de *la jouissance de soi* ;
      ④ le registre de *la fraternité* ;
      ⑤ le registre de *la réconciliation* ;
      ⑥ le registre du *surnaturel* ;
      ⑦ le registre du *surhumain*.

On les prendra pour ce qu'ils sont : une méditation sur des facteurs qui déterminent nos comportements. En embuscade, une question lancinante : allons-nous changer ? Les vingt années qui viennent seront-elles si différentes des vingt précédentes ? On a vu qu'il était un peu présomptueux d'affirmer quoi que ce soit. Mais les uns ou les autres tentent quelques hypothèses.

⇨ **La question est ici de savoir**
où en est l'idée de liberté et ce qu'on veut en faire

L'émancipation

La soutane du prêtre, la blouse blanche du médecin, puis les figures omniprésentes de l'ordinateur et du robot avaient fini par incarner un monde dans lequel l'individu était aux ordres. Une instance supérieure, plus ou moins arrogante, plus ou moins débonnaire, signifiait à chacun que l'expert, le vrai, ce n'était pas l'individu. C'est justement cela que l'on conteste. Le thème récurrent, c'est que chacun devient expert. S'agit-il d'une reprise en main de soi? Si émancipation il y a, elle réside sans doute dans la recherche de la plus grande expression possible de soi. Ce qui est assez usant.

   Cela peut-il durer? S'inventer soi-même, certes, certes... Cette émancipation s'incarne dans la très médiatique dictature de l'opinion. Les médias s'emparent de la parole des gens. Pas une émission de télévision ou de radio, pas un quotidien qui ne demande un avis à chacun... On est tenté de dire, à n'importe qui. Ce qui n'est pas très bienveillant. Ni très politiquement correct. Le besoin des gens d'exprimer une opinion ne peut être assouvi que parce qu'il y a écoute. C'est commercialement profitable pour les médias. Les uns parlent, les autres écoutent. Et vice versa. Tout le monde s'y met. Il y a là quelque chose qui est de l'ordre de l'envahissement. Francis Pisani a bien mesuré l'ampleur du phénomène :

> « [...] *la participation des usagers, la possible émergence d'une intelligence collective et la menaçante sagesse des foules ont de quoi impressionner et faire peur aux tenants d'un mode de pensée traditionnel*[1]. »

Qui s'exprime donc dans ces paroles profuses? La multitude. Les réseaux sociaux, les blogs incarnent une nouvelle alchimie relationnelle – le *peer-to-peer* –, démarche plus ciblée que celles des médias grand public, plus efficace. Wikipédia (où chacun peut intervenir comme expert en se jouant de la fracture entre opinion publique et

---

1. Francis Pisani, *L'Alchimie des multitudes*, L'Atelier, 2008.

opinion instruite) offre une plate-forme universelle – forcément sujette à polémique – qui tend à se substituer aux organes officiels du savoir. Le registre de l'émancipation est celui de la remise en cause radicale de l'organisation pyramidale du savoir. On n'a pas de chiffres mais on imagine qu'il y a plus de bonne volonté que de malice dans cette horizontalisation de l'échange des connaissances. C'est peut-être ici qu'il faut rechercher des éléments d'explication : des *connaissances*, se connaître, se faire connaître, partager. Finalement l'individualisme ne conduit peut-être pas à l'enfermement égoïste que l'on prévoyait. On est tenté de dire, avec Francis Pisani, que tout cela est de l'ordre de la dynamique relationnelle et que cela traduit un besoin social profond. Chacun s'exprime, toutes les pulsions sont autorisées dans une sorte d'assentiment global. Ce qui se dit est généralement flou, souvent sans autre intérêt que la prise de parole elle-même. Encore que cette affirmation soit sans doute un jugement de valeur qui n'a plus lieu d'être. Ce qui compte, c'est d'être ensemble dans ce nouvel imaginaire. La vision anarcho-romantique qui envisageait une autonomie totale de l'individu par rapport à la norme sociale tombe en désuétude. Quelque chose émerge. *Fusions-acquisitions* des individus. Absorption de soi dans le grand tout ? Encore une idée ésotérique, spiritualiste. Une idée de nantis ? Sans doute ne faut-il pas avoir faim pour jouer à ce jeu. La fracture entre les maîtres et les esclaves, ou pour le dire autrement, pour faire moderne, entre les classes privilégiées et ceux qui n'ont rien, reste béante[1].

On se demande si la vraie liberté n'est pas de rallier l'ordre des choses. Mais l'histoire de l'émancipation et de la liberté n'est pas close. On trouvera toujours un pouvoir politique à combattre, une puissance économique à contourner. S'émanciper des limites de la nature humaine ou intégrer celle-ci, enfin, comme seul horizon possible ?

Et si l'intégration était la plus violente des rebellions ?

“ *Aujourd'hui, il ne suffit plus de se situer dans une dynamique de contestation nihiliste et/ou de dénonciation dépressive. Nous ne pouvons plus nous satisfaire d'une esthétique basée sur une déconstruction devenue l'apanage d'élites prédatrices avec les conséquences que l'on découvre aujourd'hui. Nous devons refuser les dystopies dont on entend nous gaver, retrouver l'envie de croire en des lendemains qui chantent. Nous devons*

---

1. Fort-faible, maître-esclave, seigneur-serviteur, souverain-laquais, prince-domestique, unique-rien… pour emprunter à Michel Onfray.

nous réapproprier notre futur car la suite de l'aventure dépendra de notre seule capacité à réagir. Les périodes de crises, comme celle que nous traversons – et qui devrait selon toute probabilité empirer – sont aussi des périodes de remise en question. Les fondations s'effritent. Des brèches s'ouvrent. Plus que jamais, c'est le moment d'oser, de proposer et d'inventer. Les marges et les avant-gardes doivent maintenant repenser le monde en termes de construction, car c'est aujourd'hui sur ce terrain que se situe la transgression, la vraie rébellion[1]."

L'ordre

Le rebelle s'intègre pour faire exploser la machine de l'intérieur et trouve un mécanisme au bord de l'implosion. Une métasocialisation fraternelle et une démondialisation démocratique ne sont plus des signaux faibles. Nous y sommes. C'est le quotidien du vivre ensemble. Le féminin est *de facto* l'imaginaire d'un nouvel ordre du monde. Idem pour le calendrier qui propose des champs temporels nouveaux avec le décalage des grands moments de la vie. La jeunesse s'allonge, la retraite s'étire. On fait des enfants, on s'installe dans la vie active, on devient propriétaire plus tard. On reste actif socialement et économiquement de plus en plus vieux. Bref, tout change, et il faut faire avec. L'ordre nouveau est un désordre annoncé.

Et il agit comme un aiguillon. Parce qu'on assiste aussi au triomphe de son contraire. L'impertinence est la fille de l'émancipation. Ordre et émancipation vont de pair et se regardent avec une ironie non déguisée. La féminisation du monde ? Mènera-t-elle à une nouvelle domination, ou à une négociation ? Le risque de dévirilisation du rôle de l'homme en est-il vraiment un ? Faudra-t-il inventer de nouveaux repères d'autorité ? ou tout simplement des repères ?

On assiste à des inflexions, qui, pour subtiles et discrètes qu'elles soient en apparence, vont changer la donne. Vieux – c'est quoi être vieux ? On s'émancipe des grands stéréotypes. D'ailleurs, c'est quoi être jeune ? On entre dans une ère nouvelle sur ces référents-là. Ce sont des temps nouveaux porteurs d'innovations et de demandes

---

1. Laurent Courau sur laspirale.org, prône une créativité *embedded* dans l'ordre du monde pour le régénérer de l'intérieur.

nouvelles. Avant de s'y ajuster tout à fait, on a l'impression que tout ça fait très désordre.

La jouissance de soi

Une nouvelle frontière est proclamée : le plein emploi de soi, considéré comme un nouveau contrat social à base d'intelligence collective – terme décidément clé –, de compassion et d'une bonne dose de patience vis-à-vis de l'impatience généralisée du monde. Ce qui ne va pas sans états d'âme antagonistes. Cette nouvelle jouissance de soi fait la part belle à la quête de l'ataraxie, la quiétude absolue de l'âme. Mot-clé : le calme. Suivi immédiatement…

    […] par la mise en jeu de soi, tous les plans de l'être : matière, corps, sensations, mental, plans supérieurs de conscience, âme… Masculin et féminin, yang et yin, intelligence conceptuelle et émotionnelle font également partie de la danse. Évolution et involution… Cela va de la façon de se nourrir à celle de vivre le sommeil, et cela construit l'intelligence collective[1]."

De même que bien manger va combler le trou de la Sécu, être bien dans sa peau et transformer cette sérénité en énergie collective va sauver le monde.

Bien entendu, les cyniques s'en donnent à cœur joie : la crise de 2008-2009 a peut-être fait rabattre leur caquet aux filous du premier rang, ceux qui n'avaient pas pu échapper à la vindicte médiatique. Ils ont pris pour les autres et ont servi de boucs émissaires. Ils avaient considéré que la jouissance de soi, comme la charité, impliquait de se servir d'abord. Une fois épinglés, le champ est resté libre pour ceux qui trafiquent dans l'ombre.

Difficile de ne pas porter un regard ironique sur le monde qui se dessine. Est-il partagé entre filous et gourous ? Pas très encourageant. Il faut vraiment vouloir y croire pour ne pas se mettre en colère.

---

1. Jean-François Noubel, figure emblématique d'un parcours réticulaire, chercheur en Intelligence, Sagesse et Conscience Collectives (ISCC) – TheTransitioner.org –, conseil en entreprise aux États-Unis, conférencier dans le monde entier. Il est le nomade absolu et démocrate aux multiappartenances dont parlait Attali il n'y a pas si longtemps. Noubel est légion. Ses légions sont pacifiques.

Croire à quoi ? À une rédemption du monde ! Les réponses à la crise se construisent autour de ce nouvel espoir. La crise est une leçon. Retenons la menace. Pensons autrement. Il est encore temps.

« Nous vivons déjà une conscience du troisième type, affirme Jean-François Noubel, c'est une transformation de l'espèce humaine elle-même ! » Il émet l'hypothèse que tout espace d'être et d'échange est aujourd'hui devenu un espace sacré :

Un bodhisattva collectif

" *Les humains possèdent ainsi, comme les loups ou les dauphins, une intelligence collective « originelle » leur permettant de réussir ensemble ce qu'aucun ne parviendrait à faire seul. [...] Abandonnons cette polarisation entre virtuel et réel. Si les habitants d'un village utilisent les logiciels relationnels et le cyberespace, ça ne veut pas dire qu'ils sont enfermés chez eux et ne se parlent plus. Ils ne font que réguler leurs activités, échanges, flux énergétiques, marchés, sans passer par les travers hiérarchiques. Cela n'a rien de virtuel ! [...] Est-ce que vous vous sentez dans le virtuel quand vous téléphonez ou lisez un livre ? En leur temps, ces technologies ont paru parfaitement virtuelles à ceux qui ne les connaissaient pas. [...] La sensation de mon corps est d'être relié au monde et à autrui d'une façon que mes parents n'ont absolument jamais connue. Et ce n'est qu'une expérience de connexion via une infrastructure technique encore balbutiante. Demain, on le sait, la technologie et le corps vont se mêler, nos mondes intérieurs se rencontreront de plus en plus. Voilà pourquoi je parle de mutation d'espèce. [...] Réconciliant l'être et le faire, la personne peut accéder à des états de sagesse collective, faisant appel, par un retour à l'intelligence originelle débarrassée de ses limites, à des techniques psycho-techno-corporelles énergétiques et vibratoires qui engagent intellect, corps, émotions, l'être tout entier. On entre dans un chemin spirituel. Un bodhisattva[1] collectif, voilà ce que la conscience a envie aujourd'hui d'inventer[2]."*

---

1. Le terme sanskrit *bodhisattva* désigne des êtres (*sattva*), humains ou divins, qui ont atteint l'état d'éveil (*bodhi*). Les sources d'inspiration orientale font partie des signes indéfectibles de la nouvelle modernité.
2. Jean-François Noubel, échanges avec l'auteur et entretien avec Sylvain Michelet et Patrice van Eersel, *Nouvelles Clés* et thetransitioner.org.

L'intelligence en ruche

“ *Plus le temps avance, et plus j'ai la confirmation qu'être intelligent seul, c'est faux et cela ne veut rien dire. Donc vive l'intelligence connective de l'immense ruche et riche des atypiques, électrons, individualités ou tout émetteur de pensée[1] !*"

Peu à peu, on assiste au glissement de la *jouissance de soi* à la *jouissance d'être*[2]. Le soi est englobé par l'être (passage du « moi-je » au « nous ») qui trouve sa source et se ressource dans tous les soi des autres réunis chez tous et chacun : une sorte de maison commune nomade (genre *longhouse* des Dayaks de Bornéo).

Sur le seuil de la véranda, là où pendent des têtes coupées, au « Nul n'entre ici s'il n'est géomètre » de Platon répondrait « C'est ici que s'estompe la frontière entre réel et virtuel ». C'est la sensation qu'on éprouve quand on visite les peuples premiers et lointains qui pratiquent leurs rites.

Leur jouissance de soi s'y exprime dans un réenchantement communautaire : vivants et morts à la table du banquet.

La fraternité

Serait-ce l'idée la moins nouvelle et la plus neuve ? Le jeu de mots est tentant. Plus que jamais, le futur se frotte au passé. De grandes figures sont convoquées, comme autrefois. L'ordre du monde ancien était géré par ses grands hommes, ce sont eux qui s'y collent tant que l'intelligence collective n'a pas pris le pouvoir. L'ombre des grands hommes porte loin. Ils sont les figures modèles. Pas forcément des modèles à suivre (parce que là aussi la fracture est grande entre ce que va pouvoir faire la multitude et ce que font quelques-uns), mais des modèles à méditer pour l'avenir. Ainsi en est-il de Bill Gates, qui aura tout le temps de regarder le monde changer pendant cette période. Il sera en pleine forme d'un bout à l'autre. Et même s'il n'est plus là – et surtout s'il n'est plus là –, il aura régénéré un mythe. Car ce qui compte ici, et avec lui, c'est le mythe qu'il a créé. Il a donné une impulsion nouvelle à la philanthropie, et on ne peut pas faire

---

1. Courriel de René Duringer à l'auteur.
2. Expression proposée par Jean-François Noubel lors d'un échange avec l'auteur.

l'économie de radiographier son geste. Antoine Vaccaro n'a pas résisté à la tentation de comparer Bill Gates à Laurent de Médicis :

Bill et Laurent

" *On compare la fortune du « Magnifique » avec celle du patron de Microsoft. [...] Comme Laurent de Médicis, Bill Gates est un capitaine... un capitaine d'industrie. Son champ de bataille : les marchés, la concurrence, la Bourse... Foin d'angélisme, on ne devient pas numéro 1 mondial sans avoir blessé, sans avoir tué professionnellement des opposants ou sans avoir absorbé tel ou tel concurrent et, dans bien des cas, en faisant fi des réglementations antimonopoles et positions dominantes. Mais face à cet itinéraire de vif-argent, ce capitaine d'industrie est assez magnanime pour convertir ses milliards de dollars en programmes d'aide aux victimes de la plus grande tragédie humaine, le sida. Misanthrope d'un côté, philanthrope de l'autre, la ressemblance avec Laurent de Médicis n'est-elle pas troublante ?*

L'imperium de l'un, catholique, est dynastique, celui de l'autre, protestant, découle d'une prédestination divine attestée par sa réussite sociale. Le « Magnifique » a consumé sa fortune dans le mécénat artistique et a permis aux plus grands génies de son époque de rivaliser de chefs-d'œuvre. La munificence des princes de la Renaissance ne se préoccupait guère de la misère de leurs sujets. Ils nous ont laissé le patrimoine artistique le plus fabuleux de tous les temps. L'Américain a décidé de consacrer le patrimoine qu'il a amassé à une œuvre titanesque de bienfaisance. Mécénat pour l'un, saint François d'Assise pour l'autre ! La modernité de Bill Gates est toute dans ce choix. Car la question qui est posée à notre société de plus en plus inégalitaire est plus que jamais celle de l'extrême pauvreté, dans un monde globalisé où plus rien ne peut être caché : de l'hyperluxe à la plus grande misère. Car une telle accumulation appelle des destructions d'énergies en compensation aussi vertigineuses. Elles peuvent se faire par la guerre, on peut espérer qu'elles se feront par la philanthropie. Le prochain point d'inflexion du renouveau philanthropique est à rapprocher de ce phénomène[1]."

---

1. Antoine Vaccaro, président du CerPhi (Centre d'études et de recherches sur la philanthropie) et philanthropes.net

L'intérêt de l'exemple est que Bill Gates adosse sa démarche à une fondation de type ONG. Or, les ONG vont être au cœur de ce registre. Leur carburant sera l'efficacité, grâce à l'intégration des techniques opérationnelles de la modernité :

« *Les sites d'ONG respecteront de plus en plus les standards d'utilisabilité, de marketing et de Web 2.0 (RSS, formulaires de donations* online, *e-mail, newsletter…). Les stratégies Internet des organismes caritatifs insisteront aussi plus sur la notion d'engagement, et intègreront plus d'outils destinés aux réseaux sociaux et aux téléphones cellulaires. Leur arme sera le marketing viral. Les organismes utiliseront de plus en plus des services tels que YouTube. Les donations* online *augmenteront, notamment grâce au succès des plates-formes de dons virtuels. Les nouvelles technologies vont permettre aux ONG de réduire la distance entre donateurs et les bénéficiaires, ce qui renforcera le lien entre l'organisme et ses donateurs. Quand on pense aux zones du monde qui, aujourd'hui, sont encore animées d'esprits tribaux (ex-Yougoslavie, ex-Union soviétique, Inde, Afrique…), on ne peut que souhaiter qu'elles aillent plus vite et fassent moins de morts que nous dans leur passage à l'après-tribalisme*[1]. »*

Le paragraphe sur la « Jouissance de soi » (p. 267) concluait par une note plutôt optimiste sur les retrouvailles des communautés avec elles-mêmes. La fin de la citation ci-dessus de Paolo Ferrara permet de revenir à une question fondamentale : l'état naturel du monde est-il guerrier ou fraternel ?

Relevant que l'Europe venait de vivre « soixante ans de paix douce[2] », Michel Serres remarque que ce n'est pas la plus mauvaise idée inventée récemment. « Une idée à ne pas oublier[3]. » Il n'est pas le seul à faire preuve d'optimisme.

« *Les ONG représentent l'avant-garde de ce que sera le meilleur du monde d'après-demain : un monde fait de diversité, de tolérance, d'altruisme, d'intérêt pour le bonheur des autres. D'ailleurs, avons-nous le choix ? Si le monde de demain ne ressemble pas à cela, il cessera d'exister sous les chocs de la*

---

1. Paolo Ferrara, sur le blog La Fontaine de pierres et sur le blog de Sacha Declomesnil sur la Philantropie 2.0.
2. Michel Serres, *La Guerre mondiale*, Le Pommier, 2008.
3. Michel Serres, interview sur Radio Ethic.

*violence terroriste, des désordres écologiques, des inégalités et de
tous les autres maux que les ONG s'efforcent de combattre*[1]*."*

La réconciliation

Le thème de la réconciliation est omniprésent. La réconciliation de
l'homme et de la nature imprègne l'espoir d'une écologie raisonnable, industriellement maîtrisée. La réconciliation entre les sexes,
entre les générations, entre les cultures est vécue comme une dette
que l'humanité a envers elle-même. N'est-ce pas une des formes possibles de l'accomplissement espéré de la nature humaine, la stratégie secrète de l'espèce?

Comment cela se présente-t-il?

Il n'est pas de semaine où une nouvelle philosophie n'est convoquée. Quitte à prendre des paris, prenons celui de Malo Girod de
l'Ain, qui propose une idée intéressante, holistique.

Le Vexism *comme (ré)conciliation avec les temps nouveaux*

" *Liberté, plaisir, rapidité, intensité, variation, extrême, virtuel,
nouveaux univers... feront partie des mots pouvant le qualifier. Quelques images vont nous permettre de mieux comprendre le Vexism. Nous pourrions représenter notre existence
dans la réalité par un paquebot fendant l'eau avec sa forte
inertie. Les changements de cap sont longs à mettre en œuvre,
l'accélération et le freinage également. Ce sont les contraintes
de nos habitudes, de nos structures, de notre environnement
socioculturel qui nous imposent des évolutions dans certaines
limites acceptables et à un rythme modéré. Au contraire, dans
les univers virtuels, notre existence serait plutôt à représenter par
une Formule 1 avec des accélérations foudroyantes, des capacités de freinage et de tenue de route dans les virages impressionnantes. En plus nous pouvons choisir d'avoir cinquante
Formule 1 ou, à l'inverse, la seconde suivante nous pouvons cheminer tranquillement le long d'un chemin ensoleillé pour écouter les oiseaux chanter. Nous sommes entièrement libres de nos*

---

1. Discours de Jacques Attali à la tribune des Nations unies, à la clôture du sommet
mondial des ONG, le 10 septembre 2004.

choix, de notre existence, enfin presque libres car nos choix sont encore dictés par notre conscience avec ses habitudes et ses structures. Le Vexism, le Virtuel Existentialisme, soutient que ces nouveaux univers vont largement élargir l'espace de liberté de chacun[1]."

À suivre. Pour une fois qu'on déniche quelqu'un de bonne humeur !

Le surnaturel

Le surnaturel est revenu, ce n'est qu'un juste retour des choses, au demeurant a-t-il jamais été bien loin, a-t-il jamais disparu ?

On assiste – comme toujours, ici comme ailleurs – à une double tension. Tout d'abord, un versant sobre et policé, érudit et pondéré. Pas réactionnaire. Plus réactionnaire en tout cas. En s'appuyant sur des bases historiques et culturelles examinées avec prudence et retenue, certains cénacles finissent par reconnaître que, oui, peut-être, il se passe quelque chose. Oui, sans doute, il y a derrière les apparences des forces lumineuses. Des forces qui éclairent, donnent du sens, vont permettre de comprendre. Les gens dont on parle ici appartiennent aux générations précédentes. Leurs croyances, leurs savoir-vivre et leurs savoir-faire sont profondément enracinés dans le monde ancien. Mais ce sont des gens intelligents. Ils ne peuvent pas ne pas constater ce qui se passe. Ce sont des femmes et des hommes de pouvoir qui ont jusqu'à maintenant pensé qu'ils devaient leur position à leurs savoir-faire rationnels, leurs connaissances des mécanismes abondamment décrits dans leurs manuels.

On lit certes, çà et là, que certains consultent des mages… S'agit-il de médisance ? Peut-être pas. Le mage est le compagnon des puissants depuis toujours. Il se dit désormais, dans les sphères du pouvoir, qu'une connaissance absolue est disponible, et on la prétend sulfureuse pour éloigner les indésirables. Le mage et l'*infomestre* participent ouvertement à la nouvelle pensée du monde. Le premier car il détient les clés d'un savoir qui remonte du fond des temps et le second car il tient l'information universelle des temps présents.

---

1. www.2010virtual.com/fr/vexism.shtml

⇨ L'humanité vit actuellement l'une des mutations les plus importantes depuis le néolithique

" Dieu n'est pas mort !... et le sacré revient dans le champ social. L'humanité vit actuellement « l'une des plus grandes mutations religieuses que l'homme ait jamais connues[1] ». Une mutation qui nous mettrait en résonance avec le XVIe siècle et la Renaissance, c'est-à-dire avec les débuts de la modernité. Il y aurait donc eu plusieurs modernités ? Et qui sont les premiers modernes ?

Des gens comme Pic de La Mirandole ? pour qui l'homme doit être parfaitement libre de ses actes et de ses choix, y compris de ses choix religieux ce qui, à l'époque, est une révolution considérable, chacun doit exercer sa raison, son esprit critique. […]

Puis c'est Montaigne, qui sait allier ses convictions catholiques profondes avec une acceptation des opinions les plus différentes, voire les plus opposées à la sienne. Nous sommes en train d'en retrouver l'esprit en ce moment même, mais riche de cinq siècles de folies meurtrières d'où son appellation d'ultra-modernité.

[…] La nouvelle modernité est […] modeste. Adulte. Tolérante. C'est-à-dire qu'elle accepte les limites du rationnel, du scientifique, de la technologie, et, du coup, le sacré redevient possible et avec lui une nouvelle rencontre du divin[2] !"

Jusqu'ici tout va bien. On est entre gens de bonne compagnie. On imagine volontiers que, dans certains conseils d'administration, on écoute gravement, on prend des notes et on consulte en hochant la tête. On peut – mais c'est tout de même très nouveau – introduire une petite dose de spiritualité dans ces cénacles (nous avons vu que les philosophes eux-mêmes ont fait leur grand retour dans la salle des machines des entreprises[3]).

---

1. Frédéric Lenoir, philosophe et sociologue.
2. Jacques Keystone, philosophe, ingénieur informaticien en intelligence artificielle, au croisement de l'évolution des nouvelles technologies et des savoirs traditionnels, rédacteur en chef de *Prismes Hebdo* (www.prismeshebdo.com) et président de l'IHCRR (Institut d'histoire comparée des rites et religions).
3. Voir le chapitre « La publicité », p. 65.

▶ Retour du satanisme

Le satanisme déboule sur la scène publique et écrase de sa morgue toutes les tentatives désintéressées de calmer le jeu. Il ne paie pas trop de mine, ce satanisme. Il semble démodé sitôt qu'il paraît. C'est sa force. On est convaincu que c'est pur charlatanisme mais il apparaît aux yeux de cohortes de plus en plus nombreuses comme la revanche de la pensée magique sur la raison toute-puissante. On revisite la démonologie, on reconstitue les assemblées de sorciers. Les sectes triomphent. Le débat de société reprend de plus belle.

 Hakim Bey, l'illuminé inspiré

❝ *La sorcellerie fonctionne en créant autour d'elle un espace psychique ou physique ou bien une ouverture vers un espace d'expression non restrictive – la métamorphose du lieu quotidien en une sphère angélique. [...] La sorcellerie ne brise aucune loi de la nature, car il n'y a aucune Loi Naturelle, seulement la spontanéité de la natura naturans, le Tao. La sorcellerie viole des lois qui cherchent à enchaîner ce flot – les prêtres, les rois, les hiérophantes, les mystiques, les scientifiques & les boutiquiers qualifient tous le sorcier d'ennemi, car il menace le pouvoir de leur fantasme, la force extensible de leur réseau illusoire[1].*❞

Sorcellerie dans les stades

❝ *Yanga, le club champion de Tanzanie de football, et son plus sérieux rival, Simba, ont été condamnés à payer une amende de 500 dollars US par la Fédération nationale de football (Fat, Football Association of Tanzania), [...] après s'être rendus coupables de rituels de sorcellerie. [...] Tout le stade de Dar es Salaam avait pu voir deux joueurs de Yanga uriner sur le terrain pour neutraliser des substances (poudre et œufs) jetées sur le terrain par des footballeurs de Simba. « Ce sont nos plus*

---

1. www.laspirale.org/index.php. Peter Lamborn Wilson, dit Hakim Bey, théoricien iconoclaste et poète terroriste, imprégné par le soufisme et le tantrisme. Le texte est extrait de *Propagande de l'anarchisme ontologique*. On retrouve ici le site et la démarche de Laurent Courau (La Spirale) pour qui, avec un peu de chance et beaucoup de détermination, le futur peut redevenir souriant... Il n'est pas si éloigné de la démarche de Philippe Lemoine.

*grands clubs et leur forte croyance dans la sorcellerie peut
donner un mauvais exemple pour les équipes », avait regretté
Mwina Kaduga, le secrétaire général du comité intérimaire de
la Fat. Il avait également annoncé le lancement d'une « campagne pour expliquer à toutes les équipes de la Ligue nationale
que les rituels juju n'ont pas leur place dans le football ». Elle
ne semble pas avoir porté ses fruits[1]."*

Hakim Bey, nouvel Aleister Crowley, a sans doute l'air d'un sorcier
cérébral au langage sibyllin, mais il entrecroise les savoirs et les énergies qui vont peut-être nous tirer d'affaire. Pisser sur un terrain de
foot est moins convaincant mais ce qui est sûr c'est que la révolte
gronde.

Et voici que les sectes se fâchent et réclament chaque année un
peu plus de latitude.

Les sectes à la recherche d'une légitimité

" *Le jeûne sera-t-il un jour sanctionné ? Les veillées de prière
seront-elles demain mises au ban d'une société strictement
rationaliste ? Le végétarisme devra-t-il être dénoncé à la police ?
L'abstinence avant le mariage sera-t-elle considérée comme
relevant de la psychopathologie ? La rupture avec les membres
violents de son entourage sera-t-elle interdite ? Le refus de poursuivre des relations avec des parents maltraitants sera-t-il
classé parmi les déviances ? Les conversions seront-elles interdites par la République, sauf celles qui consistent à passer
d'une « grande religion » à une autre ? Sera-t-il préjudiciable
de participer à un groupe de prière non agréé par la préfecture
de son département ? Faudra-t-il demander une autorisation
administrative pour faire publiquement des commentaires non
orthodoxes des textes fondateurs ? Risque-t-on d'être puni si on
a du charisme ? Y aura-t-il un délit d'éloquence non institu-
tionnelle ? Enfermera-t-on bientôt les fols en Dieu ? Voudra-
t-on bannir la mystique contemporaine et la chasser hors de la
cité comme une pestiférée des temps modernes[2] ?"*

---

1. www.afrik.com/article10738.html
2. Bernard Lempert, *Le Retour de l'intolérance. Sectarisme et chasse aux sorcières*,
Bayard, 2002.

Batterie des questions spécieuses qui produit un effet de sidération. C'est une des armes du temps. « L'accumulation met fin à l'impression de hasard », dit Freud quelque part.

Le surhumain

Sans en faire une affaire mystique, la médecine travaille. Sans prétendre non plus à faire du transhumanisme, elle s'efforce d'améliorer l'espèce. Le registre du surhumain est la tentation permanente d'améliorer les performances de la machine humaine.

Débat sur les frontières

    ❝ *Âgée de 27 ans, une mère britannique a décidé de recourir à la sélection génétique parce que la grand-mère, la mère et la sœur de son mari ont eu un cancer du sein. Le bébé est issu d'un embryon présélectionné afin de s'assurer qu'il n'est pas porteur du gène BRCA, qui aurait accru de 50 à 80 % ses risques de développer la maladie. [...] « Le but n'est pas seulement de faire en sorte que l'enfant n'ait pas le gène, mais d'interrompre sa transmission de génération en génération », a déclaré à la BBC Paul Serhal, spécialiste de la fertilité à l'University College Hospital de Londres. Josephine Quintavalle, du mouvement chrétien « CORE », a critiqué cet eugénisme : « Cela nous mène encore plus loin sur la route qui finalement aboutit à la fabrication de bébés parfaits », a-t-elle dit sur la BBC[1].* ❞

Rien ne change. Les positions des uns et des autres se tendent. Les chrétiens créationnistes – Dieu seul peut faire un être parfait, et la Bible est un traité scientifique – continuent d'être tournés en dérision par les partisans d'un partenariat bien compris entre l'Être suprême et la chirurgie nanomoléculaire. Guerre des tranchées. Si le mage revient, pourquoi le créationniste n'aurait-il pas voix au chapitre ?

    Parce que le créationniste est enfermé dans ses certitudes hallucinées. Et le mage ? Il écoute la musique des sphères. Et le chirurgien ? Il opère la tumeur des deux.

---

1. www.newstin.fr/rel/fr/fr-010-001711644, en relais de nouvelobs.com

7 Six paradigmes

Vous avez dit paradigme ?

" *Edgar Morin a* [...] *étudié l'évolution du connaître à partir du terme remanié de « paradigme ». Il le présente à la fois comme « réservoir matriciel » et « gouvernail invisible » dans la vie des idées. Infalsifiable, occulte, et exclusif, celui-ci crée de l'évidence, génère un sentiment de réalité, détermine une vision du monde. On redécouvre* [...] *que plusieurs paradigmes peuvent coexister au sein d'une même culture, soumis parfois à une hiérarchie[1]."*

Le paradigme sonore

On consacre un temps infini à l'élaboration de sa signature sonore, qui devient un mode d'identification légal. On élabore de vastes édifices virtuels qui permettent de classer toutes les musiques dont il n'est pas question de se séparer. « Jamais sans ma playlist. »

---

1. Alain Peyronnet et Jean-François Tressol, *Bulletin interactif du Centre international de recherches et d'études transdisciplinaires*, n° 18, mars 2005.

Techniquement, toutes les musiques jamais créées sont accessibles dans les nuages : le *cloud computing* a triomphé. On écoute tout ce que l'on veut, quand on veut, où on veut, dans une dématérialisation de plus en plus poussée. On ne possède plus de support physique – sauf, bien entendu, quelques nostalgiques des platines[1]. Si les formes musicales s'interpénètrent, comme on s'y attendait, et s'hybrident, ce n'est pas pour autant une rupture. C'est une accumulation pantagruélique d'une infinité de sons, de bruits, d'ultrasons, aussi. Mais c'est avant tout un domaine musical dont on est l'usufruitier. Il ne s'agit pas de posséder, mais d'avoir accès.

La créativité musicale continue ses explorations. On fait remonter des fonds culturels sonores les musiques les plus inattendues (ou peut-être les plus attendues). On synthétise avec certitude les premières musiques du monde, dont on constate qu'elles étaient sans doute une interprétation des bruits du monde. On imagine que les peuples premiers voulaient ainsi participer à la grande symphonie du monde qui naissait. On n'en sait rien, bien entendu, mais ce genre d'idée fait fureur. La musique est à la fois une façon d'être soi, de retrouver ceux de sa tribu, d'appartenir à l'histoire de l'espèce et de retrouver une essence minérale, organique. Toujours ce besoin d'appartenance à une histoire commune. Une analyse superficielle de ce phénomène fait dire à certains observateurs que la musique permet d'atténuer la montée générale de l'angoisse. D'autres considèrent plutôt qu'elle n'est que l'autre nom du besoin de fusion du « je » dans le « nous ». Mais, au fond, qu'en savent-ils ? Ne sommes-nous pas à l'époque où l'on fait pousser des tomates dans les serres du bois de Boulogne sur des concertos de Mozart ?

Le paradigme humain-machine

Les technologies collaboratives avaient annoncé une nouvelle ère de consommation : la « cool & friendly proactivité ». Elle est arrivée. Commerçants, producteurs, consommateurs, citoyens participent à une grande création sociétale commune, une machine collaborative qui fonctionne en gigantesques feed-back permanents. Les encyclopédies en ligne sont toujours nourries des interventions et commentaires de la multitude, mais elles sont désormais adoubées ou non

---

1. Hugo Amsellem, www.onyourcloud.com

par le grand collège des experts qui s'intéressent à la question que vous avez envie de traiter. Certes, c'est un peu la voix du nombre qui l'emporte, à nouveau dictatoriale, car les experts sont souvent auto-proclamés. Les rôles sociaux connaissent quelques turbulences du côté de la consommation.

    « La technologie a bouleversé les rôles sociaux et la culture de la distribution. Un produit n'est pas bon, dans l'absolu, parce qu'il est recommandé par une marque, mais parce qu'il est testé et labellisé par ses utilisateurs. [...] Il faut bien noter que la dynamique de prolifération de ce nouveau système n'aboutit pas à opposer les « commerçants » aux « désintéressés » mais de les agglomérer dans un vague espace commun « cool » offrant des services « friendly », véritablement utile et créatif.
On assiste à l'avènement d'une société de consommation fondée sur le feed-back permanent des utilisateurs et qui devrait, à terme, convaincre les plus grandes entreprises (et notamment les entreprises « média ») d'adapter leur modèle économique à cette nouvelle forme de démocratie participative[1]. »

    « C'est exactement ce qui se passe quand Google interprète un lien comme un vote en faveur d'un site, ou quand Wal-Mart interprète un achat comme un vote en faveur d'un article. Le secret consiste ensuite à tenir compte en temps réel de ces « intentions » pour mettre l'ensemble du système à jour, qu'il s'agisse de la place d'un site dans le classement général ou du réassortiment immédiat des produits achetés. La campagne d'Obama faisait la même chose, estime O'Reilly avec son projet Houdini. Il consistait, le jour du scrutin, à demander aux volontaires de signaler immédiatement les gens qui avaient voté à mesure qu'ils votaient. Cela a permis de réduire de 25 % la liste des sympathisants potentiels à relancer en fin de journée pour les convaincre de se rendre aux urnes. L'efficacité de la mobilisation le jour J s'en est trouvée accrue.
« Il est essentiel, ajoute-t-il, de reconnaître que chacun de ces systèmes est un système hybride humain-machine, dans lequel les actions humaines font partie de la boucle computationnelle. » Il y a trois idées fondamentales dans cette analyse :

---

1. Antoine Couder, contribution à e-dito.com

— L'efficacité de ces entreprises tient à leur capacité à capter les intentions des gens dans une base de données, dont les informations sont aussitôt remises en circulation.

— Cela permet et oblige à une évolution en temps réel. La grande plasticité (voire la liquidité ?) des entreprises en question est d'autant plus efficace qu'elle repose sur des données concrètes et précises.

— Dans ces systèmes hybrides, les humains ne sont pas que des données, ils fonctionnent comme des capteurs (sensors) dont les actions et réactions contribuent à l'intelligence du système. La vertu d'une telle approche me semble d'être qu'elle permet de faire sens en même temps de la force brute du calcul informatique et du rôle que peuvent jouer les humains qui s'en servent et qui y participent[1]."

Autrement dit, le transhumanisme est en route. Depuis le début de cette enquête.

Le paradigme communautaire

Les médias sociaux ont bonne presse. Fred Cavazza (FredCavazza.net) en a fait un recensement. Bon joueur, il annonce que « ce n'est pas l'outil qui fait vivre une communauté, mais plutôt la capacité des membres à trouver de nouveaux sujets et modes d'interaction ». Le panorama qui suit est donc destiné à être bouleversé, mais pas ce qui en fait l'âme... la conversation. Il distingue :

① *Les outils d'expression*, qui permettent à un individu de prendre la parole, de discuter et, plus généralement, d'agréger sa production :

    a) *Outils de publication*, comme les plates-formes de blog (Blogger, Typepad, Wordpress), les plates-formes de wiki (Wikipédia, Wetpaint, Wikia), les plates-formes de micro-blog (Twitter, Tumblr, Identica), les portails de *news* et de

---

1. Francis Pisani, toujours, dans son blog, inspiré ici par un papier de Tim O'Reilly sur son blog Radar, et échanges avec l'auteur.

journalisme citoyen (Digg, Wikio, Le Post), les outils de *livecast* (JustinTV, Ustream, BlogTV) ;

b) *Outils de discussion,* comme les plates-formes de forum (phpBB, Phorum) et de forum vidéo (Seesmic), les logiciels et services de messagerie instantanée (Y! Messenger, Live Messenger, Meebo, eBuddy), les services de gestion de commentaires (IntenseDebate, Cocomment, Disqus, BackType) ;

c) *Services d'agrégation* (FriendFeed, SocialThing, LifeSteam, Profilactic, Plurk...).

② *Les services de partage*, qui permettent de publier et de partager du contenu :

a) *Partage de contenu* pour des vidéos (YouTube, DailyMotion, Vimeo), des photos (FlickR, SmugMug, Picasa, Fotolog), de la musique (Last.fm, iLike, Deezer), des liens (Delicious, Magnolia, Reddit), des documents (Slideshare, Scrib, Slideo) ;

b) *Partage de produits* avec des services de recommandations (Crowdstorm, ThisNext, StyleHive), de suggestions d'évolution (FeedBack 2.0, UserVoice, GetSatisfaction) ou d'échange (LibraryThing, Shelfari, SwapTree) ;

c) *Partage de lieux* avec les services focalisés sur les adresses (BrighKite, Loopt, Whrrl, Moximity), sur les événements (Upcoming, Zvents, EventFul, Socializr) et sur les voyages (TripWolf, TripSay, Driftr, Dopplr).

③ *Les services de réseautage*, qui servent à mettre en relation les individus :

a) *Réseaux de recherche* permettant de retrouver d'anciens camarades (CopainsDavant, Trombi, MyYearBook), des personnes (MyLife) ou des « conjoints » (Badoo) ;

b) *Réseaux de niche* (Boompa, Dogster, PatientsLikeMe, Footbo) ;

c) *Réseaux BtoB* (LinkedIn, Plaxo, Xing, Viadeo) ;

d) *Réseaux mobiles* (Groovr, MocoSpace, ItsMy, Zannel) ;

e) *Outils de création/gestion de réseaux* (Ning, KickApps, CrowdVine, CollectiveX).

④ *Les services de jeux en ligne*, qui intègrent des couches sociales très développées :

a) Les portails de *casual games* (Pogo, Cafe, Doof, Kongregate, PlayFirst, PopCap, BigFish, Prizee) ;

b) Les portails de *social games* (Zynga, SGN, ThreeRings, Play-Fish, CasualCafe, ChallengeGames) ;

c) Les *MMORPG* : jeux de rôle massivement multijoueurs (World of Warcraft, EverQuest, Lord of the Rings Online, EVE Online, Lineage, Dofus, Runescape) ;

d) Les *MOG* : jeux massivement multijoueurs (Drift City, Kart Rider, Maple Story, Audition, Combat Arms, Quake Live) ;

e) Les *casual MMO*, qui se positionnent à mi-chemin entre les deux dernières catégories (Puzzle Pirates, Club Penguin, Neopets, Gaia Online, SmallWorlds, OurWorld).

Le développement de ces sites s'est ensuite très nettement orienté vers une « relocalisation », dont l'objectif est de sortir du virtuel pour rejoindre le *locus solus*[1]. Cette évolution n'est pas due à un désenchantement vis-à-vis de ces univers. Elle est tout simplement le signe de leur arrivée à maturation.

Est-il possible de vivre non connecté ? La « fracture numérique » se réduit, mais se durcit aussi, les non-usagers d'Internet étant de moins en moins nombreux mais de plus en plus « fixés » dans leur situation[2]. La solidarité numérique de proximité n'a plus d'effet sur eux. Pendant un temps ces « timorés » et « réfractaires » ont été considérés avec commisération. Dans les années 2020, ces populations rappellent les réserves d'Indiens du Grand Ouest ou les dernières tribus primitives qui n'ont pas encore eu de contact avec l'homme blanc. Ça a du charme.

D'autant que se dessinent de grandes utopies flottantes et autonomes, qui prennent le large. Elles agrègent des communautés décidées à vivre jusqu'au bout la logique d'affinités électives.
Les premiers « paquebots affinitifs » sont affrétés, incarnant tout à la fois la glisse, le réenchantement maritime, l'écologie[3]. Conçus au départ pour les croisières des nantis, ils sont détournés de leur vocation première pour incarner le rêve ultime de communautés en exil volontaire.

---

1. Voir « Une géographie de soi », p. 21.
2. www.internetactu.net/2004/03/02/la-fracture-numrique-se-rduit-elle-toute-seule
3. www.linternaute.com/mer-voile/bateau-a-moteur/photo/l-eoseas-le-paquebot-ecolo-de-demain/l-eoseas-le-paquebot-ecolo-du-futur.shtml

Le paradigme des marques

2029. La réorganisation radicale de l'imaginaire des marques, qui commençait à se mettre en place vingt ans auparavant, a pris corps. Les marques commerciales sont plus que jamais des réservoirs d'imaginaire : les produits de consommation sont les nouveaux contes populaires, comme nous l'avons déjà dit. Depuis longtemps, cette notion de marque ruait dans les brancards. Peu à peu, les marques ont tout de même fini par avoir raison des tenants de leur diabolisation. On ne parle plus des marques comme des valets du capitalisme, des marques aux ordres, des marques au cœur d'un grand complot pour subvertir le monde.

Le champ traditionnel de la marque a débordé. Marc Casali en avait eu l'intuition visionnaire en 2007.

> « *Les marques sont devenues une réponse à notre compréhension du monde. Elles sont nos repères, nos identifications, nos identités d'appartenance : sexuelle, raciale, nationale, religieuse, commerciale. Notre autonomie et notre liberté s'y développent. Les marques nous définissent, elles sont culture et contribuent au processus culturel. Chacune d'entre elles possède ses lois, son droit, ses canons. Elles engendrent des comportements qui modifient nos sociétés. Elles régulent et administrent notre quotidien. Elles sont si bien acceptées qu'elles apparaissent comme « légitimes » et ressenties comme « originelles ». Pourtant, aucune d'entre elles n'est biologiquement naturelle. Les marques deviennent le point d'origine depuis lequel on pense, on agit, on vit ensemble. Elles relient les hommes entre eux, les hommes avec les objets, les hommes avec les dieux*[1]. »

Pour autant, une telle perspective n'interdit pas une segmentation, et Casali poussait sa vision jusqu'à faire cohabiter dans un même paradigme les marques commerciales, les marques religieuses et les marques « nations ». On lui reconnaît, en 2029, une belle intuition mais on constate que, sous le couvert de cette théorie très générale et généreuse, qui accorde aux marques une finalité sociale quasi rédemptrice, les marques commerciales existent encore en tant que telles. Même si elles ont toutefois pris une nouvelle dimension

---

1. Marc Casali, lamarque.com et échange avec l'auteur.

sociétale. Toutes les marques n'ont pas le même destin, mais elles existent comme communautés de valeurs, comme lien entre individus qui partagent la même vision du monde.

▶ EN ROUTE VERS DE NOUVELLES TYPOLOGIES !

Les typologies sont toujours à la mode en 2029, et les observateurs distinguent trois grands modèles dominants qui composent la carte mentale des marques. On avait pensé que le xxıᵉ siècle serait celui de la femme. Bingo ! Les grandes figures symboliques qui gèrent l'imaginaire des marques sont *yin*. Ce sont trois grandes figures de la féminité : la reine, la rebelle et la déesse. Chacune de ces trois matrices puise dans le fonds culturel de l'humanité avec gourmandise et délectation. Chacune s'irrigue à un système d'imaginaires, de mythologies, de potentiels d'identifications aussi bien que de raisons d'acheter et de consommer qui réconcilie sociologues, philosophes, créatifs d'agences, directions marketing... et surtout les citoyens consommateurs. Nous avons assez dit de ces derniers qu'ils allaient être de véritables acteurs du marché. Ce fut chose faite assez vite, dès les années 2010. Puis le mot consommateur lui-même a fini par être réducteur. On a parlé de non-consommateurs, d'alter-consommateurs, de consommacteurs. On imaginait que les individus étaient des protagonistes du commerce et de l'industrie, que le terme d'acteur signifiait une sorte de partenariat entre les marques et les gens. Bref, le terme « acteur » s'entendait comme « acteur économique ».

C'était beaucoup trop réducteur. Le terme de consommacteur est passé de mode en 2029 parce qu'on a fini par voir ce qui crevait les yeux : l'acteur dont on voyait l'émergence allait être appelé à jouer son rôle dans un spectacle total, une scène, un théâtre où tous les genres seraient convoqués, où tous les registres de l'émotion auraient droit de cité. Bref, le consommateur des années 2029 est un acteur à part entière, une star, un héros.

En 2029, il est parfaitement établi que la société du spectacle est ce qui pouvait arriver de mieux à l'humanité. Et les marques sont aux avant-scènes. Le spectacle, le récit du monde par le jeu des imaginaires et des produits de consommation, ne choque plus personne. La frontière entre la réalité et la fiction s'est estompée, chaque jour davantage, avec les nouvelles technologies. La virtuosité des marques permet à chacun de vivre une expérience unique parmi la multitude des similarités. Les marques sont des espaces de sensorialité, de ressenti, où chacun se sent épaulé, soudé, empli d'une énergie unique.

Le monde en 2029 ? Une société de palpation ! Sentir, toucher, humer, en prendre plein les yeux, à pleines mains, s'embraser, embrasser, devenir soi-même organique, la chose que l'on touche, l'air que l'on respire. Pour être reconnues les yeux fermés, les marques sont allées plus loin que les codes visuels ou sonores d'aujourd'hui. Spectacle total !

⇨ **Les mythes sont un des moteurs de l'imaginaire du vivre ensemble**

▶ ÉTAT DES LIEUX

Trois « univers-marques » dominent donc, trois triomphes du féminin. Les entreprises, les directions marketing ont à faire des choix. Pour les uns, il s'agit simplement d'accepter la logique de leur ADN et de surfer sur leurs fondamentaux. Pour les autres, il faut construire un territoire de marque qui s'adosse de près ou de loin à l'une de ces nouvelles mythologies.

▷ *La marque historique*

Elle est ancrée dans l'immémorial, fondée encore et toujours sur son histoire unique, trésor inscrit au patrimoine culturel, transmis de génération en génération. Elle s'inspire d'une tradition régalienne, monarchique – une aristocratie d'hidalgos qui ont fait leurs preuves. Son côté « vieux jeu » fait fureur – sans cesse légitimé. Il ne s'agit pas simplement de faire du neuf avec du vieux, mais aussi de vénérer le vieux, de l'inscrire comme signe de ralliement : le temps ici ralentit et se fige.

La marque historique traverse l'histoire, mais elle dénie le temps qui passe. Elle prétend avoir été là de toute éternité. Elle hésite en permanence entre l'euphémisme et la litote (ne pas trop en faire), et l'ostentation (faire savoir que l'on appartient à une histoire, à un long règne). Ces marques se chuchotent, elles réinventent les sociétés secrètes. De Néfertiti à Elizabeth II et Laxmi, déesse hindoue de la Beauté, de la Prospérité, tout un panthéon plutôt kitsch fait le bonheur des amateurs.

Elles fonctionnent dans l'imaginaire comme des salons d'hôtels de première classe où il fait bon se poser parfois. Le plus souvent, ce sont des marques-clubs, il faut montrer patte blanche. Elles sont réservées à de petites cohortes. Elles attirent pas mal de monde. Elles vivent dans un autre temps.

▷ *La marque folklorique*

Elle s'inspire du populaire et de ses inventions rebelles et subversives. Elle se renouvelle en permanence, elle crée les modes du temps, se délecte de son caractère éphémère. C'est le royaume des bandits au grand cœur, des controverses, des escarmouches. Elle dure le temps d'une rébellion, d'un carambolage. Ce sont les marques des saltimbanques et des picaros. Sont-elles féminines ? Oui, bien sûr. L'homme joue à la femme et inversement – allez donc savoir qui se cache sous le masque. Arlequin en est le symbole : l'étymologie de son nom (Hellequin, prince des Enfers), ses vêtements bigarrés, ses multiples facettes en font la figure de référence dans un monde mouvant, incertain et inquiet. Ces marques se signalent par des cris de guerre, une créativité exubérante, une activité sexuelle revendiquée et ostentatoire, des ruptures permanentes, des défis, le besoin de se différencier, de jouer, et de mélanger les genres. Elles sont difficiles à suivre, impossibles à mesurer par des études de marché. Elles se jouent des dogmes. Leur énergie est quasi animale. Elles ont trouvé leur place et leur légitimité dans l'instabilité même de la scène sociétale. Philippe Stark, génial touche-à-tout, en fut l'inspirateur. Insaisissable, la marque folklorique vaut évidemment mieux que les connotations négatives de pittoresque et de manque de sérieux qui lui sont attachées. En réalité, on la nomme ainsi parce qu'elle fait peur. La société de palpation passe d'abord par elle : autant dire que le chameau est passé par le trou de l'aiguille. Ces marques-là inventent et réinventent le monde tous les jours. Elles réactivent le mythe des Amazones, effrayantes et fascinantes. Ce sont des marques individuelles, égocentrées.

Elles accomplissent l'exploit d'attirer à elles les irréductibles qui affirment encore résister à la société de consommation, et de séduire tous ceux qui n'ont pas encore intégré la nouvelle sagesse des foules : à savoir, que chacun est une marque, que tout le monde est un logo ! Enfin, tout le monde, c'est beaucoup dire… parce que ces deux premiers registres sont de petits joueurs comparés à ce qui s'est préparé de longue date et qui triomphe en 2029 : les marques océaniques.

▷ *La marque océanique*

Elle est synchronique : c'est ici et maintenant qu'elle advient, et partout en même temps. Ce qui compte pour elle, c'est l'ampleur de son champ d'influence. Son image de référence est la déesse des eaux qui envahissent le monde. Ce sont des marques géantes, massives, cosmiques, trous noirs attrape-tout, gigantesques aspirateurs à ima-ginaires. Elles ont leurs villes, leurs univers, leurs parcs à thèmes. On les admire comme on contemple, bouche bée, les paysages déme-surés et les scènes homériques des films à très gros budgets. On se dit qu'elles en font trop, mais c'est encore peu de chose comparé au plaisir qu'on y prend. Les marques océaniques sont spectaculaires, issues du spectacle *mainstream*, façonnées par l'affluence et la mul-titude. Elles reculent chaque jour les limites de l'excessif et de l'exor-bitant avec bonne humeur et bonne conscience. Elles se croient tout permis – mais simplement parce que les limites du politiquement correct reculent chaque jour. Ces marques ont une fonction essen-tielle : agréger dans une communauté de sens tous ceux qui ont besoin de se sentir appartenir au plus grand nombre. Le besoin jamais assouvi de fraternisation massive, de s'épancher dans la mul-titude, est plus que jamais dans l'air du temps.

L'expérience de ces marques est une totale immersion, marque-Église à cérémonial envié, jalousé. Elles reposent sur le désir d'ap-partenance à une unité centrale qui n'est pas vécue comme une autorité qui broie l'individu mais, au contraire, comme une puissance tutélaire protectrice. Elles ont une légitimité populaire, alimentée par les réseaux sociaux qui agrègent les enthousiasmes des foules. Il y a vingt ans, on y voyait des tentations fascistes, on suspectait des com-plots tortueux pour conquérir le monde. Mauvaise pioche. Ces gou-vernements transnationaux ont une utilité universelle : ils ont du charisme, ils ont même de l'humour, ce ne sont pas des monstres froids. Si ces grands comploteurs avaient dû mettre le monde à leur botte, il y a longtemps que ça aurait été fait.

Ces marques triomphent, certes, dans les grands-messes sportives, politiques, religieuses. Dans les stades, elles transforment les com-pétitions sportives, les meetings charismatiques et néospiritualistes en cérémonies rituelles où l'individu se noie à l'unisson dans un sen-timent d'appartenance enivrant. Il y a vingt ans la collusion entre marques et stades envahissait déjà la planète. La liste impressionnait : Allianz Arena Bayern de Munich (Allemagne), AOL Arena Hambourg HSV (Allemagne), Color Line-Aren (Allemagne), Porsche-Arena Stutt-gart (Allemagne), Ricoh Arena Coventry (Angleterre), Kyocera Arena (Brésil), Toyota Arena AC Sparta Praha (République tchèque), Finnair Stadion (Finlande), Skoda Xanthi Arena (Grèce), Philips Stadion PSV Eindhoven (Pays-Bas), Nissan Stadium Yokohama F-Marinos (Japon), M&T Bank Baltimore Ravens (États-Unis), FedEx Field Washington Redskins (États-Unis), Bank of America Stadium Charlotte Carolina Panthers (États-Unis), Ford Field Detroit Lion

(États-Unis), MMA Arena (France), Emirates Arsenal (Londres)… Cette accumulation était bien dans l'air du temps. Effet de masse, effet de puissance, envahissement océanique.

⇨ 2029 : la messe est-elle dite ?

Les marques empruntent déjà des cheminements radicalement différents d'autrefois : le temporaire, le flexible, l'immédiat sont des valeurs pérennes ! On s'attend à ce que les marques explosent en vol, mais, si certaines le font, c'est pour être aussitôt rebaptisées sous de nouvelles appellations. Cette instabilité de vocabulaire – de pure forme – est de mise pour répondre au besoin de changement – purement théâtral. On change le décor, on modifie les dialogues mais les mythes fondateurs resurgissent inlassablement.

Alors, évidemment, se pose la question de la vraie vie, au-delà des représentations que l'on se fait dans l'imaginaire. Autrefois, on attendait d'une marque – spécialement en période de crise – qu'elle soit à même de proposer, au-delà de produits de qualité – ce qui était alors le contrat de base –, des initiatives salutaires, des services dont on puisse faire usage dans la vraie vie. On lui demandait donc d'être pragmatique et pas seulement poétique. Chacun attendait d'une marque qu'elle lui permette de s'accomplir, de réaliser ses objectifs.

Des vingt années qui viennent de s'écouler, on peut tirer quelques constats. Les marques dont on vient de parler concernent le monde nanti, les pays riches ou en passe de l'être et, sans doute, au cœur de ces zones privilégiées, les populations qui ont les moyens de leurs fantasmes. Les marques peuvent aussi représenter une aspiration plus ou moins précise pour une partie des populations émergentes qui sortent de la misère absolue. En revanche, elles n'ont pas de sens pour toute une partie de l'humanité abandonnée à son sort. Les fractures du monde de 2029 sont innombrables. Si on ressort la pyramide de ce bon vieux Maslow, on constate avec effarement que la satisfaction des besoins essentiels (besoins physiologiques, besoin de sécurité, pour commencer par eux) n'est effective que pour une partie privilégiée de la planète. Les trois grands territoires, historique, folklorique et océanique, prennent sans doute en compte les besoins d'appartenance, d'estime de soi et de connaissance. Chacun choisit le territoire qui autorise le mieux l'accomplissement de soi. Est-ce suffisant ?

Pour que les marques ne soient pas que l'emblème d'un savoir être mais qu'elles participent d'un savoir-faire qui sauve la planète de ses fractures et de ses indigences, il aura fallu passer à un autre registre de mythes.

▶ LE NOUVEAU REGISTRE MYTHIQUE

Le prospectiviste Philippe Cahen ne peut, en 2029, que constater qu'il avait vu monter en puissance les signes annonciateurs de ces transformations. Comme il l'avait imaginé, l'Europe avait perdu du terrain sur le plan économique, ce qui avait provoqué des glissements de référents culturels irréversibles. La Chine avait entraîné dans son sillage non seulement les pays voisins, mais – après des années d'instabilité et la chute du Parti communiste – l'Empire chinois avait retrouvé son rôle de centre du monde. C'est – chacun l'aura reconnue – la déesse chinoise Mazu, dont le culte, originaire du Fujian, s'étend d'abord à toute l'Asie puis au reste du monde, qui a été choisie comme emblème des marques océaniques.

L'Inde avait affirmé sa puissance, et son attractivité s'était étendue largement au-delà de la sphère d'Asie du Sud. Laxmi est élue plus belle idée de tous les temps.

Les États-Unis avaient continué leur marche en tête pour avoir su élire comme président un homme dont la couleur de la peau avait symbolisé un profond renouveau. Le symbole était de fait prophétique : le monde allait reprendre des couleurs.

Jaune, brun, rouge et noir, ce melting-pot planétaire et joyeux fut accueilli pour ce qu'il était : la chance pour le monde blanc de rosir aux joues et de retrouver la santé. C'est à cet imaginaire-là que les marques – quelles qu'elles soient – se sont ressourcées. L'Européen en 2029 est plus vieux, plus sage qu'autrefois peut-être, plus sensible au monde qui l'entoure, plus collectif, plus patriote probablement, mais plus citoyen du monde sûrement, et sans doute, aussi, meilleur publicitaire. Il puise dans les mythologies exotiques. Il les décline et les fait partager. Aux marques océaniques, il donne la saveur transculturelle, qui assoie davantage leur légitimité planétaire ; aux marques historiques, il ajoute la patine d'ancêtres retrouvés dans les arbres généalogiques que seul Internet, la bibliothèque-monde, pouvait révéler ; aux marques folkloriques, il insuffle l'impertinence de tous les fripons divins qui se dissimulent joyeusement dans les mythologies des peuples primitifs.

Le paradigme du mythodrome personnel

Le jeu à la mode est de se constituer un mythodrome personnel, dont le mode d'emploi a été affiché dans une galerie *off* au début du siècle. À chacun son cabinet de curiosités…

“ *Laissez-vous surprendre par un objet. Quotidien, familier, peut-être un peu banal. Un objet anodin. N'importe quel nodin fera l'affaire, ils sont tous très serviables. Il vous aborde un jour ou l'autre. L'air de rien, ou l'air d'un autre. Ne vous laissez pas prendre trop tôt. Résistez, juste assez. Il a tout son temps. Vous aussi. Il est là, quelque part dans le bric-à-brac universel – inventions en pleine gloire comme l'automobile, découvertes décaties comme le verrou, principes abandonnés comme la roue à aubes. L'objet qui vous aime prendra la parole. Ce jour-là, il faudra passer du temps avec lui, l'apprivoiser, le chevaucher, lui trouver un endroit. Les objets sont des véhicules qui voyagent en amont et en aval du temps. Certains remontent vers les sources et témoignent à leur retour. Quelques-uns ont assisté au commencement de toutes choses. D'autres descendent vers le fleuve et nous annoncent au monde futur. Quand reviennent ces voyageurs, il leur faut un endroit pour se reposer, jouer, pisser, raconter : un mythodrome*[1].”

Vuk Vidor, artiste serbo-parisien, l'avait illustré sur une toile qui fit le tour du monde, et que la blogosphère reproduisait avec délice :

Mondrian owns Geometry
Pollock owns Drippings
Hockney owns California
Beuys owns Felt
Johns owns The Flag
Lichtenstein owns Comics
Warhol owns Pop
Schnabel owns Crockory
Munch owns Despair
Ernst owns Glue
Klein owns Blue
Cesar owns Compression

Arman owns Accumulation
Oldenburg owns Rubber
Ruscha owns Words
Nitsch owns Blood
June Paik owns Television
Baselitz owns Upside Down
Kiefer owns Germany
Opalka owns Numbers
Kawara owns The Calendar
Manzoni owns Shit
Fontana owns Holes
Duchamp owns Everything

---

1. Blaise Gingembre, sur e-dito.com

Gilbert owns George
Koons owns Kitsch
Hirst owns The Pharmacy
Soulages owns Black
Botero owns Fat
Raynaud owns Tiles
Sherman owns Herself
Serra owns Steel
Boltanski owns White
Flavin owns Neon
Judd owns Shelves
Holzer owns Slogans
Malevitch owns The Square
Calder owns Mobiles

Balthus owns Little Girls
Long owns The Lang
Boetti owns Tapestry
Rotella/Villeglé owns Torn
Picasso owns The Century
McCarthy owns Trash
Orlan owns Plastic Surgery
Fleury owns Shopping
Flanagan owns Rabbits
Hally owns Cells
Christo owns Wrappings
Prince owns Jokes
Buren owns Stripes

⇨ **Et vous, votre mythodrome, c'est quoi ?**

Le paradigme du luxe

La terre, l'air, l'eau et le feu – le luxe retrouve la scène fondatrice de ses origines, luxe inouï d'exister…

Penser le luxe, c'est penser le désir du désir. On sera toujours surpris par nos prochains désirs. Le désir des origines ne sera pas le dernier à frapper à la porte. Le luxe retrouvera sa scène fondatrice : le luxe d'exister.

La terre rassurante, solide, puissante ; l'air, que l'on respire et sans lequel il n'y aurait pas de vie ; le feu de l'émotion et des alambics sorciers ; l'eau enfin, qui symbolise tous les enjeux éthiques de demain.

▶ LE LUXE RATIONNEL : UN IMAGINAIRE DE RÉASSURANCE

Le nouveau luxe[1] s'envisagera dans la rareté, la lenteur, le temps long, le silence. Le temps et l'espace, denrées rares et précieuses, seront les nouveaux Graal.

Le luxe des années 2010-2020 sera d'abord une quête de réassurance. Dans une société de l'éphémère en mutation permanente, le nouveau consommateur de luxe sera à la fois hédoniste et inquiet. Il cherchera en permanence à être rassuré, sans toutefois renier son

---

1. Alexandra Sprung, de l'agence Simone, a largement inspiré ce passage ; Sabine Baffray, consultante, nous a apporté des éléments éclairants.

plaisir. Le luxe sera une balise, un repère intemporel qui s'ancrera dans le temps et dans l'espace, et guidera le consommateur. Le terme de sa quête en sera aussi la fascination exercée par les commencements mythiques. Les grandes figures de l'avenir seront les origines. Chacun cherchera à devenir son propre Faust pour retrouver la perfection primordiale. Le désir de revivre l'exaltation créatrice des commencements demeure vivant dans l'imaginaire de l'homme moderne[1]. Faust, dans l'essence de son mythe, est aspiré par la dynamique de la Renaissance qui valorise la quête du savoir. La veine romantique en fit ensuite l'incarnation de la condition humaine écartelée entre le plaisir immédiat et des aspirations plus audacieuses. Dans l'imaginaire des temps à venir, il faut s'attendre à ce qu'il réapparaisse sous la forme d'un héros de la connaissance, assoiffé d'expériences. Les grands mythes performants sont éternels ou, tout au moins, parfaitement recyclables. Les grands schèmes de ce genre paraissent donc pouvoir alimenter notre avenir proche. Dans la version finale du *Faust* de Goethe, Faust est sauvé : un cortège d'anges escorte son âme vers la lumière. « Celui qui s'efforce toujours et cherche dans la peine, nous pouvons le sauver. » Parions pour ce Faust des années 2015.

▷ *La terre*

Le luxe qui s'annonce sera donc pédagogique et intelligent. Il valorisera la transmission, la montée en expertise des consommateurs, l'apprentissage de la qualité et des savoir-faire. Un imaginaire de « terre », de durabilité, de patience. La terre comme expérience, la terre nourricière, qui apporte le « calme », une quête essentielle de l'époque.

La consécration post-moderne du luxe s'accompagnera d'un nouveau rapport à l'héritage, d'une valorisation inédite de l'histoire, du désir de réconcilier création et permanence, mode et intemporalité. Hermès en est le symbole, marque patrimoniale par excellence. « Hermès est une marque qui sait prendre son temps[2]. »

▶ LE LUXE STATUTAIRE : UN IMAGINAIRE D'OPPOSITION

Dans un monde globalisé où les frontières tendent à s'effacer au profit d'un modèle égalitariste qui lisse les différences, la tentation

1. Gérard Peylet, Michel Prat, *in* « Mythes des origines », http://lapril.u-bordeaux3.fr/spip.php?article158
2. Michel Gutsatz, sur Brandwatch.com

du repli identitaire sera forte. Ne l'est-elle pas déjà ? Quand tout change autour de soi sans que l'on puisse espérer influer sur le cours des choses, il n'existe qu'une seule valeur refuge : soi-même. Un capital (image, santé…) qu'il faudra valoriser pour lutter contre l'anonymat, le temps qui passe ou toute autre agression extérieure…

▷ *L'air*

C'est l'air qui sera retenu comme symbole. L'air qu'on respire, l'air qu'on expire, l'air qui permet l'activité mentale, qui irrigue le cerveau. Rien n'arrêtera l'expansion de soi – l'air comme principe de circulation des énergies, l'air comme art de vivre, l'air qui permet de se réinventer toujours.

Un luxe hyperpersonnalisé gérera la rareté pour un nouveau narcisse qui vivra dans le culte de la personnalité et cherchera à marquer sa différence : nous serons tous des stars uniques à condition d'être maîtres de notre destin.

Un luxe idéologique manifestera ouvertement ses valeurs autour d'un parti pris créatif et de symboles forts, et militera pour une certaine vision du bon goût. Dior, marque reconnue, pourra continuer à l'incarner.

▶ LE LUXE ÉMOTIONNEL : UN IMAGINAIRE DE FUSION

Cette individualisation du luxe couplée à une désinstitutionnalisation entraînera l'émergence d'un rapport plus affectif et plus sensible aux biens de luxe, et donc moins conventionnel : un luxe pour soi plus que pour les autres.

Un luxe spirituel, sous la forme de voyages intérieurs, permettra à chacun de vivre une expérience d'élévation personnelle.

Un luxe artistique inventera un univers extraordinaire et polysensoriel, dans lequel chacun s'immergera de manière ludique pour aller y chercher l'inspiration. Le somptuaire et le superflu seront regardés avec commisération. Cette forme de dénégation de ce qu'aura été le luxe des très riches sera aussi bien sûr une pirouette : on maquillera une relative pauvreté en richesse intérieure. Ce luxe-là ne sera pas du goût des vraiment riches, mais le débat ne sera jamais clos. Ce ne sera d'ailleurs pas un enjeu de marque. Ce luxe-là, que le plus grand nombre appellera de ses vœux, n'aura ni logo, ni boutique branchée. Il sera mystérieux et discret. Chacun s'en construira une fiction personnelle. Ce luxe ne sera plus dans la profusion et l'abondance mais, au contraire, dans l'extrême simplicité de ses signifiants, la discrétion, l'implicite. Déjà, aujourd'hui, le luxe se chuchote. Demain, il se murmurera.

Cet imaginaire sera la recherche d'une scène fondatrice, celle de la première émotion de l'homme devant la nature intacte, insondable, incompréhensible et pourtant incontournable. Luxe de la quête des origines à nouveau, mais plus puissante encore que celle de Faust. La fusion avec le commencement même du monde, scène mythique où l'homme, sans savoir pourquoi ni comment, venait de s'extraire du non-identifié. Une scène qui aurait été la plus fabuleuse des rencontres : celle de l'homme avec le concept d'homme ! Luxe inouï que la conscience ! Conscience inouïe que celle d'exister ! De découvrir cette tension de la différence entre moi et le reste du monde. *In illo tempore*, faute de concept – ou de l'idée même de concept – et pour fixer cette émotion considérable, la préserver, la maintenir, c'est le sacré qui émerge comme première solution conceptuelle. Le moi devient unique. Cette « émergence héroïque de la conscience de soi » (Cassirer) est un mystère que l'on approche en tremblant. Le mystère du sacré.

▷ *Le feu*

Que les créateurs de mode, d'art, de culture en général – et donc de luxe – aient un rôle analogue à celui du prêtre – toute religion confondue – n'est pas un scoop. Cela relève d'une lecture systémique de notre temps. Ce qui est nouveau et intéressant, c'est que le rôle de prêtre-créateur n'est plus aujourd'hui l'apanage de quelques-uns qui seraient « plus élus que d'autres ». Le vrai luxe, ce sera que le rôle du prêtre-créateur pourra désormais être endossé par le plus grand nombre. Ils détiendront le feu. Le feu qui catalyse, le feu qui enthousiasme et purifie.

▶ LE LUXE ÉTHIQUE : UN IMAGINAIRE D'ALLIANCE

Portée par le mouvement Internet 2.0 qui place l'individu au centre d'un nouveau modèle de société horizontale et interactive, la société de consommation va revoir ses stratégies de marques, au profit d'une plus grande transparence et d'un véritable engagement éthique qui dépasse son champ d'action traditionnel pour s'inscrire au plus près de la vie réelle des consommateurs.

Un luxe démocratisé et participatif établira une relation durable et équitable avec le consommacteur, cocréateur de la marque.

▷ *L'eau*

L'eau qui déferle et envahit, l'eau qui déborde et abreuve, l'eau qui féconde sera l'inspiratrice de cette tendance.

Un luxe holistique s'inscrira dans un art de vivre global, du corps et de l'esprit, réconciliant toutes les facettes du consommateur moderne.

Le consommateur de luxe empruntera ses modèles à différents groupes sociaux, mélangera différentes catégories d'objets de différents prix et styles. La mobilité, l'hybridation, le disparate auront pris la relève du luxe guindé, « comme il faut ».

Chanel, luxe hybride, peut jouer ce rôle.

✳

Une récompense, un moment de plaisir et d'émotion, un instant unique seront les nouveaux fondamentaux du luxe. Exit le *mass market* ou le *mass prestige*. En 2015 s'ouvrira une ère où, plus que jamais, l'originalité et la personnalisation engendreront les nouveaux codes. Le consommateur pourra vivre une expérience hors norme, faire aboutir un rêve – être lui-même –, trouver l'exemplaire unique et rare qui affirmera sa différence. Les marques de luxe n'imposeront plus leurs diktats, mais chercheront à se mettre au service du consommateur et à lui proposer un univers correspondant à la fois à son éthique et à son style de vie.

Le retour vers soi, la valorisation de la discrétion, la contemplation comme phase ultime des valeurs du luxe, le minimalisme comme forme aboutie de l'art contemporain – minimalisme qui s'exprime aussi bien dans l'art conceptuel que dans l'art brut –, toutes ces tendances murmurent de plus en plus sourdement. Est-ce l'œil du cyclone? Est-ce la dernière minute de concentration avant la catastrophe régénératrice que nous annoncent les prospectivistes?

Le luxe ressortit de cette problématique. Le besoin de se recentrer sur soi, le *cocooning*, la recherche d'une spiritualité douce sont peut-être les signes avant-coureurs d'un sacré remue-ménage dans nos certitudes.

Un renouveau des codes, un bouleversement des clichés, une rupture fondamentale est à prévoir : la scène archaïque a peut-être même été « rejouée », enfin. Cette proximité avec le « sacré retrouvé » évoque ce conte tibétain dont l'épilogue est célèbre : les étoiles s'éteindront quand tous les noms de Dieu auront été prononcés. Ce sera après 2030.

8 Nuages, carrefours

Les années 2015-2020 sont au cœur de ce que l'on appelle sans plus d'hésitation le « génie mémoriel », qui utilise désormais tous les processus de la connaissance, toutes les métaphores du passé, du présent et du futur pour mettre en place des aménagements qui dessinent un vivre-ensemble enfin possible.

Ce chapitre nous amène à convoquer deux personnages qui ont marqués, *nolens volens* – mais plutôt *volens*, vu la faconde et l'énergie qu'ils ont déployées à témoigner de leurs convictions –, l'aube des deux décennies qui nous occupent.

Il s'agit de Claude Grunitzky et de Francis Pisani. On les qualifiera de personnages au motif que leurs personnes importent ici moins que le rôle qu'ils jouent dans la diffusion de la nouvelle vision du monde qui se prépare. Les nommer « passeurs » serait d'ailleurs plus précis. Pour couper court à toute polémique, on ne retiendra subjectivement de leurs (vastes) contributions à l'histoire (courte) de la période que des apports sélectionnés selon un parti pris largement assumé : pour Pisani[1], quelques extraits de son blog dans le Monde.fr, et pour Grunitzky[2], son invention du « transculturalisme ». Pisani revisite l'alchimie et les nuages. Grunitzky passe les carrefours.

---

1. Transnets (Pisani.blog.lemonde.fr) et son livre avec Dominique Piotet, *Comment le Web change le monde. L'alchimie des multitudes*, Pearson, 2008.
2. Claude Grunitzky, *Transculturalismes*, Grasset, 2008.

L'avenir des nuages et Francis Pisani

L'époque a décidément ses petites manies. Impossible qu'apparaissent là une image, ici une idée, sans qu'elles soient sollicitées, épluchées, et enfin l'objet d'une concaténation infinie. C'est le cas des nuages, qui succèdent à l'ère de la transparence comme figure mythique dominante en 2015.

> " *Le nuage... arbre céleste, souffle symbolique d'une perpétuelle métamorphose... Fugace, le nuage révèle l'autre, l'Étranger. Protéiforme et mouvant, il établit par sa seule présence des rapports entre l'indéterminé et le déterminé, l'éphémère et le permanent, la sensualité et la rigueur."*

▷ *Les nuages dissimulent les dieux...*

Ils sont aussi leur trône, leur moyen de transport, leur abri et leur parure. Ils sont symbolisés par le dragon. Ils sont le visible de l'invisible, l'entrée dans l'inconnaissance. Et, pour les adeptes de concepts moins abstraits, ils dispensent la pluie et symbolisent la fertilité. En Chine, ils symbolisent la paix, au motif qu'ils proviennent de l'union des principes fondamentaux yin et yang. Le jeu des nuages et de la pluie désigne, chez ces Chinois qui sont désormais les grands maîtres du jeu mondial, l'union sexuelle. Il n'en faut pas plus aux observateurs, penseurs et acteurs de ces années pour y déceler l'incontournable Web.

Ainsi, à l'image désormais reléguée dans le grenier des mythologies anciennes – l'araignée et sa toile – succède un nouveau paradigme à la fois poétique et opératoire : la nébuleuse imprécise, insaisissable et universelle qu'incarne désormais le Web. Certes, la métaphore des nuages n'est pas nouvelle dans l'arsenal linguistique, mais, depuis ses premières apparitions, elle a pris racine, elle a fécondé, elle a essaimé.

C'est une très vaste machine qu'un auteur comme Kevin Kelly, techno-transcendantaliste visionnaire, désignait déjà comme le lieu de la prochaine rencontre entre technologie et spiritualité. Sa conception néodarwinienne – post-post-darwinienne serait sans doute plus juste – propose que les machines connaissent une évolution comparable à celle de l'espèce humaine et que, de ce parallélisme, surgisse une connivence : on est dans le même bateau, les machines et nous – ou plutôt, dans le même paquebot, dont la conduite requiert une bonne intuition des itinéraires à venir. Cette idée est partagée par Jean-Sébastien Loygue pour qui « le Web ne serait pas né du hasard, mais de la nécessité. Les technologies ne précéderaient pas les mutations. Ce serait la fonction qui créerait l'organe, et non le contraire. Le Web serait une invention de l'espèce pour sauver sa peau[1]. »

Il revient donc à Francis Pisani – et à Dominique Piotet qui signe avec lui *Comment le web change le monde, l'alchimie des multitudes* à l'aube de ces deux ardentes décennies – l'intuition d'inviter un vocabulaire *a priori* en décalage avec son sujet. Avec une charmante vraie-fausse naïveté, ils expliquent leur choix de l'alchimie comme référence. Ils en définissent le champ : ce qui peut donner le pire (satanisme et charlatanisme) et le meilleur (élévation spirituelle et – si on y croit – pierre philosophale pour la transformation du plomb en or, élixir de vie éternelle). Et c'est un outil à la disposition des multitudes que sont les webacteurs, c'est-à-dire l'ensemble des internautes en communautés digitales et tribus symbiotiques. Nos deux auteurs ne vont pas plus loin dans l'exploitation de ce filon sémantique. Pourtant, ces fins observateurs ont lâché dans la nature des brûlots qu'on n'était pas près de neutraliser.

▷ *Une lecture radicalement nouvelle du monde*

L'alchimie, aux frontières de la science orthodoxe, les multitudes, qui suggèrent une vision plus spéculative que quantitative de la nature des rassemblements humains : c'était la porte ouverte à une lecture radicalement nouvelle des « nuages ».

C'est chose faite dans les années qui suivent la publication de leur ouvrage. Le Net et les nuages ouvrent des pistes encore jamais explorées dans l'histoire de l'humanité : la potentialité pour chacun de participer à une intelligence collective de l'espèce, d'être soi-même – et avec enthousiasme – partie prenante de la machine-monde. Et ce pas seulement – voire presque pas – pour assouvir un désir plus ou moins illuminé ou visionnaire de transcendance. Il y a autre chose, et cette autre chose est tout à fait inattendue : les *sensors*, les palpeurs connectés en réseau, qui réunissent l'intelligence de l'univers, permettent d'envisager très précisément ce que les alchimistes, depuis le fond des âges, cherchaient à réaliser : la fusion de l'esprit et de la matière. La rupture épistémologique est profonde et perturbante pour les uns, applaudie par les autres. Des trésors de connaissance s'organisent et s'enrichissent au travers des générations successives

---

1. www.loygue.com

de technologies de plus en plus intuitives. On discerne quelles influences réelles s'exercent sur les temps nouveaux.

La gestation de cette évolution ne se fait pas sans débat. Un jour, Francis Pisani parle dans son blog des 6 500 prochains jours du Web. Kevin Kelley est le héros du jour. Les commentaires postés les jours suivants dessinent assez précisément l'état d'esprit de ce temps (d'avant). Extraits.

[Kevin Kelley] ouvre d'abord sur le fait que ce Web sera très différent de celui que nous utilisons aujourd'hui. Il y a 6 257 jours, nous pensions que le Web serait la TV en mieux, et ce n'est pas arrivé. Alors le Web de demain ne sera pas le Web, mais en mieux. Ce sera autre chose. [...] Dans 6 500 jours, selon Kelly, la vie sera toujours connectée. Nous vivrons dans un état d'extrême dépendance à la connexion au réseau. Et il faudra inventer de nouvelles valeurs, voire ce qu'il appelle le Socialisme 2.0 (faute de meilleurs mots, dit-il) pour gérer collectivement les règles de partage de ces données qui seront l'essentiel de nos vies et de nos valeurs collectives. 6 500 jours : autant dire demain ! Effrayant ? Inéluctable ? Visions utopiques d'un allumé de la Silicon Valley ? Et si tout cela était déjà en route ?

(rédigé par Dominique Piotet)

OK, donc tout ce qu'il dit sera totalement faux dans 6 500 jours, l'informatique ayant pour caractéristique de ne se conformer à aucune des prévisions des gourous, et surtout pas aux prévisions de ceux qui y travaillent...

(rédigé par Law)

Ne soyons pas dupes, ne marchons pas à reculons. S'il est des évidences, en voici une parmi tant d'autres : Oui, Big Brother est là ! Et alors, qu'avons-nous à cacher ? Sachons-le, tout simplement, et quoi que l'on fasse, c'est ainsi et inéluctable. Faisons avec. Dès l'instant où j'écris une ligne sur un blog, je suis pisté. [...] Oui le Web est notre avenir, celui de nos enfants et des générations à suivre. Il est de notre devoir d'agir : créons des sites, le ciel ne nous tombera pas sur la tête. Nous vivons tous avec la même certitude : un jour nous quitterons cet éden, alors mettons tout en œuvre pour le façonner à l'image de la beauté du monde...

(rédigé par Jean-Lou Bourgeon)

[...] Non merci. Ce Web-là ne m'intéresse pas... Avoir mon frigo connecté, ça sert à quoi ? À ce qu'il fasse les courses tout seul ! Et le GPS de la voiture, à me tracer ! Super comme futur...

(rédigé par e-Herve)

[...] il faut apprendre le monde dans lequel on vit. J'ai la chance d'avoir une fille de 18 ans et d'observer l'approche qu'elle a de tout cela. Eh bien, c'est vraiment réconfortant. Les jeunes n'ont pas nos *a priori*, ils se débrouillent très bien, ils ont juste à apprendre les tenants et aboutissants de leurs publications sur Facebook et autres. Mais quand je les observe, il y a des raisons d'espérer en ce futur, dont certains d'entre nous ont peur. [...] Restons optimistes et allons de l'avant !

(rédigé par William.f)

[...] je partage cette quasi-sensation que les neurones de l'espèce se connectent avec le Web. À mon sens, l'espèce mute, polymérise sa conscience. Je m'en explique dans *L'Idée de la joie* – http://www.edilivre.com/doc/2119 [...] Aux sceptiques, aux inquiets, aux paranos : comme je partage votre crainte que chacun sache ce que vous aimeriez cacher : votre manque d'imagination, par exemple. Et combien aussi je crains, pour vous, qu'une caméra « dans les nuages » – ah ! la garce ! – capture l'image de l'arbre le long duquel vous aviez pissé en sortant d'une boîte où la belle ne vous avait pas dit oui. Alors, depuis, vous avez épousé Germaine. Si elle savait, Germaine, que l'autre s'appelait Noémie... Jean-Lou dit une chose assez marrante à ce sujet, dans le genre « cela ne m'empêche pas d'être moi ». Vous, si ? Votre négatif vous terrorise à ce point ? Votre glace vous glace ? Allez, je sors...

(rédigé par Jean-Sébastien Loygue)

[...] et on aura le droit de pas être dans les nuages et de s'occuper de ses affaires, ou la police de Microsoft viendra nous traquer et nous mettre un casque sur la tête ? [...] Les nuages, c'est chouette, mais les forêts, c'est bien aussi.

(rédigé par Benoît)

Penser que nos contributions sont enregistrées dans des bases de données est d'autant plus angoissant que Big Brother est un idiot qui, sous un nom donné, amalgame toutes sortes d'informations inadéquates par le jeu d'associations approximatives. La notion de « nuages » est d'ailleurs révélatrice de cette imprécision sur qui fait ou dit quoi. Exemple : Francis Pisani pourra un jour se retrouver dans une base de données sous la dénomination d'agitateur propagandiste sous prétexte qu'il a fait l'apologie du Socialisme 2.0, mouvement pouvant être identifié comme une tentative de déstabilisation du pouvoir en place. La transparence, oui, mais à quel prix ?

(rédigé par Jean)

Et pour le cyberflicage, méditons la pensée d'Ivan Illich. « Ne craignez pas d'être espionnés. Rajoutez-en, noyez les surveillants sous les informations. Ils seront submergés et inefficaces. » C'était au temps de la guerre du Viêtnam, période de tension. Certes, Google n'existait pas, mais les capacités d'analyse d'un cerveau humain n'ont aucune raison d'avoir grandi depuis.

(rédigé par Ebolavir)

En plus des critiques déjà faites, ce qui fait peur n'est pas seulement la redoutable précision des informations croisées... ce sont les inévitables bugs, erreurs, incohérences et coïncidences qui se logeront dans ces mégabases. Croyez-vous en l'infaillibilité de l'administration ? Des systèmes semi-automatiques, froids et cyniques, vous jugeront sans *habeas corpus*. Vous ne saurez jamais pourquoi vous (n')avez (pas) été sélectionné pour telle opération, vous ne serez même pas au courant, et, évidemment, vous ne posséderez aucun droit effectif de défense ou de rectification. Vous pouvez être broyé à vie pour une simple homonymie revenant inlassablement, vous contraignant à réexpliquer, à des centaines de fonctionnaires trop zélés, le pourquoi du comment.

(rédigé par Piyou)

L'ivresse des carrefours et Claude Grunitzky

Les nuages proposent une symbolique de la verticalité, les carrefours diffusent une symbolique de l'horizontalité. C'est cette dernière qu'on choisira pour Claude Grunitzky, Français d'éducation et de passeport, Américain de métier, Anglais de formation, Polonais d'origine, Togolais de naissance. Son cheval de bataille est le transculturalisme. Mieux que personne il sait que le monde va être de plus en plus pluriel et métis[1].

La croisée des chemins est un lieu inquiétant. Les carrefours sont des lieux de révélations et d'embuscades. Au carrefour, il faut faire des choix.

C'est un espace de méditation avant l'action. Au carrefour, on se prépare à l'action. C'est un lieu d'espérance. Le carrefour est une scène récurrente et forte de l'imaginaire : un lieu d'initiation. On ne sort jamais tout à fait indemne d'un carrefour. On s'y expose à la circulation des énergies, à la dangerosité des transports (transports comme émotion, transports comme circulation), on court le risque de s'y transformer puisqu'on y passe d'un état à un autre.

> ⇨ **L'image du carrefour est au cœur du transculturalisme**

Ce sont deux épreuves tonifiantes. L'une et l'autre civilisatrices. C'est au carrefour que le transculturalisme a commencé. Le carrefour – le tout premier carrefour, à la sortie du village – était le passage obligé vers la découverte de l'autre et du monde. Il incarnait une forme de renoncement : renoncement à l'hégémonie des bonnes manières du village, renoncement à la tribu et au sol natal. Le premier carrefour est le premier pas vers l'aventure. Au carrefour, la vie bifurque, et il faut choisir une voie. On pourrait tout aussi bien écrire : la voie bifurque, il faut choisir une vie. Au carrefour commence l'hybridation de soi. Premiers pas vers le transculturalisme qui est une fabrique permanente de liens sociaux, de conciliations culturelles apaisantes ou irritantes, d'échanges. C'est sa scène fondatrice pleine

---

1. Cette conviction, largement partagée, inspire des auteurs aussi divers que Jean-Claude Guillebaud (*Le Commencement d'un monde*, Le Seuil, 2008) ou Michel Hébert (*Raisonner métis*, Maxima, 2008). Ce buzz-là commence à l'aube de notre sujet et va s'amplifier sans discontinuer.

de dieux et de déesses, d'histoires vraies et de contes. Le transculturalisme de Claude Grunitzky n'est pas tant une nouveauté, mais des retrouvailles. Une invention comme on dit qu'on invente un trésor : il découvre quelque chose qui était là mais qui, sans lui, n'aurait pas existé aux yeux du monde. Se nourrir de toutes les expériences, de tous les mondes, de toutes les latitudes : le transculturalisme n'était pas un combat gagné d'avance. Dans les années 2010-2015, c'est la dernière chance de l'*upstream* nomade : créer et se donner à vivre des moments chimères. Chimère ? En biologie, c'est un organisme possédant des cellules d'origines génétiques différentes. La mythologie décrit un monstre fabuleux, à tête de lion, corps de chèvre et queue de dragon. C'est un être féminin qui crache des flammes. Et enfin, et peut-être surtout, c'est un projet irréaliste qui n'a aucune chance d'advenir. Le défi était trop beau. Grunitzky n'allait pas le laisser passer. Vers 2020, il a gagné son pari. Qui est celui d'un état d'esprit. Il n'a certainement pas bâti une Église, ni créé des succursales. Il a laissé diffuser des idées, ses idées.

Et pour asseoir cette histoire, on l'a racontée...

⇨ Le premier acte transculturel fut-il réalisé en état d'ivresse ?

Sans doute le fallut-il pour donner au premier héros transculturel le courage de cet accomplissement. Sortir du clan et faire un choix d'itinéraire, partir à la recherche de la différence. Il fallait être un peu inconscient pour entamer ainsi ce qui allait se révéler l'acte civilisateur le plus radical : sortir de l'indifférence et de l'indifférencié du clan de naissance. La fascination pour le « par-delà » a poussé les Phéniciens et les Carthaginois, les Croisés et les Vénitiens, les Routards et les Roms vers de nouveaux terrains d'élection, vers de nouveaux Eldorados. Étaient-ils tous en état d'ivresse ? Sûrement. Grisés par l'espérance. Ils étaient, au demeurant, assez peu nombreux. Tous les autres étaient sagement restés à la maison. Assez indifférents.

Sans refaire l'histoire (réelle ou fantasmée) du transculturalisme, on va s'intéresser à la façon dont il fonctionne ici et maintenant. Plus précisément, nous nous proposons de visiter les lieux qui le facilitent ou le créent, le freinent ou le tuent : petite sélection de mythes, dieux et déesses, aéroports, bazars et comptoirs, salles d'attente, cafés, places publiques, rues... quand elles débouchent au carrefour.

▷ *Hécate*

Ainsi on se souvient qu'à l'origine des origines Hécate est la première déesse des Carrefours.

Hécate : une tête de chien, une de lion et l'autre de jument. Elle incarne les trois mondes, le Ciel, la Terre et les Enfers, au carrefour des clairières et des routes. Elle condense l'inconnu. Elle est bienfaisante et terrifiante. Elle côtoie Hermès, le psychopompe, le médiateur entre les trois univers. Hécate et Hermès. Sacré couple, couple sacré.

Pas démodé pour deux sous, quand on voit le succès de l'occulte hollywoodien, et de l'ésotérisme de bazar qui continuera de faire la fortune des charlatans jusque bien au-delà de la période qui occupe cette enquête. Succès aussi, et c'est sa face plus noble, qui dévoile à nouveau l'aspiration puissante, irrépressible, de l'espèce humaine à s'emparer de l'invisible, à convoquer sans cesse témoins à charge et à décharge dans le grand procès pour conduite en état d'ivresse mystique entamé dès les premiers babils de l'histoire des hommes.

▷ *Le désir*

Que reproche-t-on à ce premier voyageur entêté, ivre de vie, ivre de lui-même, grisé par l'imprécise espérance de l'imprévisible ? Le désir ! L'âpre détermination de connaître les mondes d'en face, l'aspiration à une histoire nouvelle dans un espace nouveau. Que fuyait-il ? Fuyait-il ? Jamais content, jamais satisfait, jamais assez. Une fuite peut-être, parce qu'il manquait d'air. Cette espèce de besoin irrépressible de recréation de lui-même.

▷ *Roue taoïste et génome humain*

Pourquoi aller plus loin et jouer avec sa vie, alors qu'ici tout est bien, tout est balisé ? C'est que le carrefour est le moyeu immobile de la roue pressée du monde. Le *wu wei*, le principe d'action du sage taoïste. C'est un lieu de révélation, de dévoilement. Pendant que tout tourne à une vitesse de plus en plus vertigineuse, au carrefour, on peut reprendre son souffle. On peut faire le point. Le transculturaliste s'y régale d'une exaltation immobile. Les recherches sur le génome humain disent que la vie est « marquée pour l'essentiel par la formation constante de liens entre les objets qui la constituent ». Le transculturalisme crée de la vie sans le savoir. Par bifurcation, hybridation, instabilité. Le carrefour est donc d'abord un lieu de vie, le lieu de tous les possibles.

▷ *Accouplement au carrefour*

Chimata-No-Kami est le dieu japonais des Carrefours. Il a la particularité d'être un dieu phallique. Tout carrefour est un lieu sexué, où le temps et l'espace s'accouplent et se figent. Le rut est le moment le plus dense de l'instabilité créatrice. Le transculturaliste est un être en chaleur, « heureux comme un Italien qui sait qu'il va avoir de l'amour », comme dit la chanson. La réduction de la symbolique sexuelle à la seule sexualité a toutefois quelque chose de limité et d'obtus. Le transculturaliste sait bien – pour en avoir une pratique délicate et tendre – que la copulation ne se limite pas à une partie de jambes en l'air. Le coït (du latin *coire*, aller ensemble) est un accès privilégié aux forces positives de l'invisible. L'énergie dispensée est aussitôt redistribuée : souffle de vie !

▷ *Le carrefour aux portes de Thèbes*

Dans l'inconscient collectif, la rencontre entre Œdipe et le Sphinx – et l'histoire qui s'est ensuivie – représente lucidité et aveuglement, destin et liberté. On ne saurait mieux parler d'un moment où se joue un destin transculturel. De semblables destins se jouent dans les carrefours des années 2020.

Au niveau symbolique, le bazar, le comptoir (devenu le centre commercial, la grande surface) réactualisent en permanence la consommation, l'échange de marchandises, tandis que l'aéroport, la gare en font de même pour la circulation : dynamiques de marchés croisés, lieux de permutation. Ces carrefours sont aujourd'hui au croisement du réel et du virtuel : on peut rester chez soi, et envoyer son avatar faire le marché ou manifester sur la place de la République.

Échanges, toujours et encore. Entre Œdipe et le Sphinx, il s'agissait aussi d'échange : un échange d'information vitale ! Dans la grande surface du coin, au bazar d'Istanbul, sur le marché bio du boulevard, le produit, le corps sont tour à tour possédés et dépossédés. Dévoration et autodévoration. Le sphinx de la consommation interroge, et dévore celui qui ne sait pas répondre, celui qui ne sait pas gérer les flux d'information-consommation qui l'entourent.

Les consommateurs sont, à cet instant précis, au cœur de la dynamique essentielle du transculturalisme, confrontés à des choix, une alternative, des options. C'est aussi le cas des touristes – tant il est vrai que le tourisme est une industrie de consommation et que pays, paysages et cultures sont consommés au kilo. Consommateurs, touristes, même soif dévoratrice, mêmes appétits, mêmes désirs. Le bonheur repu du consommateur-touriste se lit dans le chiffre d'affaires des acteurs industriels : le choix d'un produit par le consommateur détermine la survie d'une industrie, le choix d'une destination par un touriste assure la pérennité du PIB de la nation visitée.

Le choix d'un itinéraire par l'aventurier de la transculture va déterminer le territoire qu'il va visiter. Une fois passé le carrefour, il va irriguer le territoire qu'il découvre, il va apporter sa semence civilisatrice. À leur manière, le consommateur et le touriste imitent le modèle transculturel.

▷ *Carrefours de demain : faire une pause*

Il faut savoir revenir à ses fondamentaux. Si le premier carrefour du premier aventurier transculturel a sans doute suscité un moment suspendu de perplexité – où aller ? quel itinéraire choisir ? –, le retour au carrefour est l'occasion de faire une pause. Au carrefour, le temps et l'espace s'arrêtent. Les carrefours et les places publiques divisent et rassemblent, tranchent les mondes culturels d'un bloc à l'autre, d'un arrondissement à l'autre, d'une zone à l'autre, et pourtant cette ligne de partage fonctionne aussi dans le don et l'échange. Ligne de partage finalement bien nommée, puisqu'elle discrimine et sépare tout autant qu'elle fait pont et passerelle. Ces hauts lieux de la transculturalité sont des lieux de fractures et de réduction de ces fractures, des lieux de passage et d'ancrage où chacun dépose un fragment d'histoire de soi. Lieux de voisinage et d'échange, de bagarres sanglantes et de paix négociées. Tout y semble possible, tout est latent, tout est posé, tout s'y arrête – ne serait-ce qu'un instant. Le transculturaliste fait un usage immodéré de tout un arsenal de paradoxes, dont le moindre n'est pas cette vitesse immobile. Voilà un thème absolument contemporain : faire une pause n'est-il pas l'aspiration, secrète ou proclamée, la plus évidente de cette décennie où la vitesse triomphe, où l'accélération permanente nous fait perdre le souffle ? Diviseur géographique, rassembleur historique, le carrefour est probablement un des hauts lieux symboliques de 2029. Il s'y forge un nouveau souffle.

⇨ Et l'enquête se termine le 1er janvier 2029...

Regardons ces vingt dernières années. Qu'est-ce qui a changé ? On ne parle plus des gens de la même façon : autrefois, on disait les consommateurs... Le terme paraît aujourd'hui étrangement désuet. C'était pourtant un métier de les observer, de les disséquer, de comprendre leurs motivations. Pendant des années, les professionnels se penchèrent sur le sujet, persuadés de pouvoir circonscrire les individus dans des protocoles pragmatiques, opératoires, marketing. On ne peut plus envisager ce type d'approches mercantiles. Les choses se passent à un autre niveau. Il faut aujourd'hui parler en termes d'échelle d'initiation, de niveaux d'éveil psychospirituel pour décrire les gens.

Que savons-nous de nouveau en cette fin de deuxième décennie du xxie siècle ?

Que les individus appartiennent à des cohortes élues, autoproclamées, revendiquées doublement : diachroniquement, parce qu'ils ont conscience de leur appartenance à une histoire qui les unit, à un passé pluriel, sédimenté par des histoires de vie dont ils sont les porte-parole, les témoins, des histoires qui se répètent à travers eux… et synchroniquement, par affinités avec des histoires proches des leurs – pas tout à fait identiques –, similaires néanmoins parce que leur structure est analogue, par effet de contagion. Dans les premières années du siècle, on hésitait : avec prudence des typologies se dessinaient, pertinentes parfois, mais aussitôt reformulées sous d'autres sigles, d'autres appellations, au gré des analyses, au gré des intuitions des chercheurs qui ne parvenaient pas à suivre, repérer et comprendre la volatilité des cohortes parce que leurs analyses se bornaient au champ microscopique. Aucune typologie n'épuisa jamais le réel des gens.

Mais revenons à cette notion d'échelle : la *doxa* (le « politiquement correct » de l'époque) était de proposer des échelles de valeurs liées à une idée de progrès : ainsi le courant *mainstream* était toujours le basique du corpus social, dans « basique » on retenait le bas – la France d'en bas fut un succès médiatique. Alors que le courant *upstream* passait pour être le modèle – en avance. Ça dévalorisait le «bas peuple » et ça valorisait les « élites ».

Ce plus grand nombre – croyait-on – recevait passivement les injonctions culturelles, et regardait avec une gourmandise frustrée les têtes d'affiche. Les élites dominaient les médias. La scène visible semblait mener la scène invisible.

Une lecture radicalement différente de l'humus socioculturel est en cours.

Ce que personne n'avait alors compris, c'est que ces catégories concernent la totalité de l'humanité, mais pas au même moment. C'est à cette époque qu'on finit par reconnaître la fluidité générative, c'est-à-dire le fait, qui paraît si évident aujourd'hui, que les appartenances, les affinités ne relèvent pas d'une lecture figée du social, mais d'un désir ontologique de lien avec ce à quoi on aspire. Chacun peut, à tout moment, appartenir à des catégories électives. Cette fluidité permet à chaque individu de faire des étapes, dans le grand jeu socioculturel, en fonction de sa propre logique évolutive.

Cet aveuglement de la société sur elle-même s'explique : la masse des gens – considérée comme masse – est imbécile (*ce n'est pas une injure, c'est le sens étymologique : la masse imite, la masse répète*). Les gens finirent par comprendre que la masse n'existait que par les médias, par leurs injonctions et leurs agencements. Les individus – par la puissance, redécouverte, de la spiritualité ontologique – purent trouver en eux-mêmes l'énergie d'être ce qu'ils étaient – c'est-à-dire chacun, individuellement, maître de son destin, chacun créateur, chacun acteur. Ce fut la magie de l'internet (*phase archaïque de ce que nous connaissons aujourd'hui sous le nom de Soi-Monde*) que de révéler à chacun son potentiel. Mais cette phase de rupture épistémologique est trop connue aujourd'hui pour qu'on y revienne.

ANNEXE

Quelques lignes de fuite qui pourraient être nos prochains mythodromes sociétaux

(à utiliser comme mantras portatifs…)

De la consommation
(de soi et des autres)

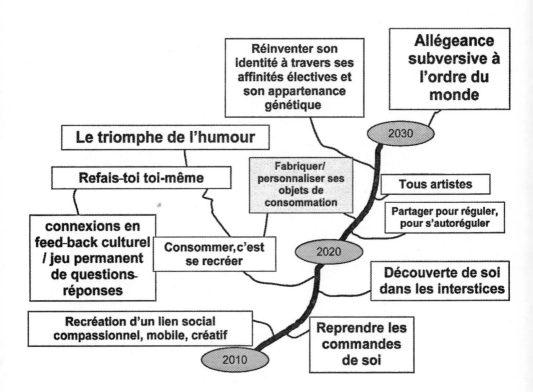

Réinventer son identité à travers ses affinités électives et son appartenance génétique

Allégeance subversive à l'ordre du monde

Le triomphe de l'humour

Refais-toi toi-même

Fabriquer/ personnaliser ses objets de consommation

Tous artistes

Partager pour réguler, pour s'autoréguler

connexions en feed-back culturel / jeu permanent de questions-réponses

Consommer, c'est se recréer

2020

Découverte de soi dans les interstices

Recréation d'un lien social compassionnel, mobile, créatif

Reprendre les commandes de soi

2010

2030

De la (re)connexion

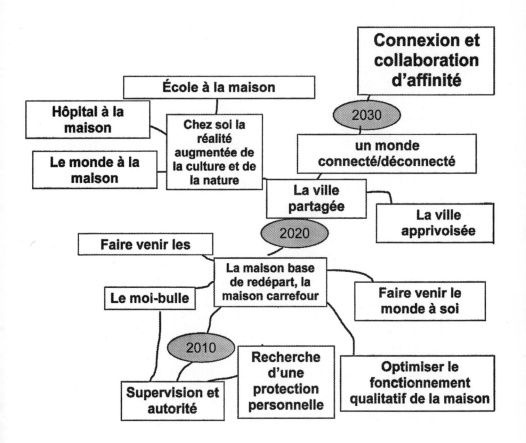

De (nouvelles) hautes tensions

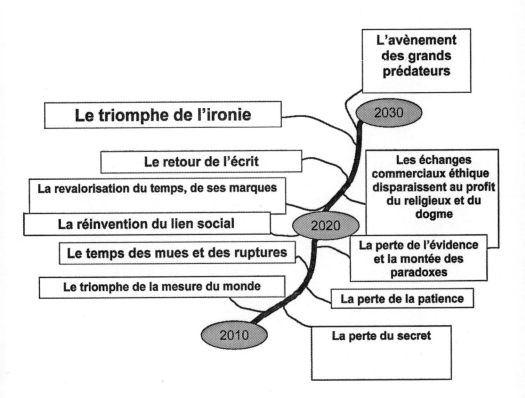

L'avènement des grands prédateurs

2030

Le triomphe de l'ironie

Le retour de l'écrit

Les échanges commerciaux éthique disparaissent au profit du religieux et du dogme

La revalorisation du temps, de ses marques

La réinvention du lien social

2020

La perte de l'évidence et la montée des paradoxes

Le temps des mues et des ruptures

Le triomphe de la mesure du monde

La perte de la patience

2010

La perte du secret

De la méditation

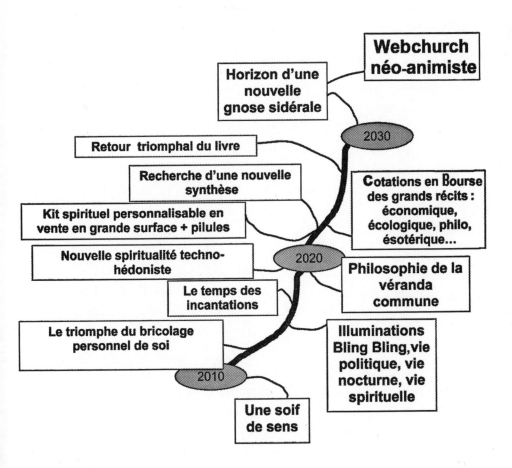

De la manducation

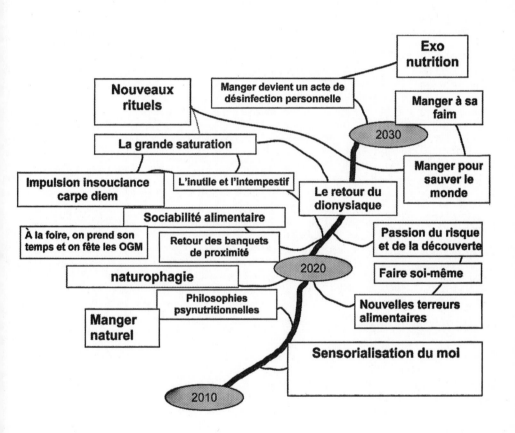

Exo nutrition

Nouveaux rituels

Manger devient un acte de désinfection personnelle

Manger à sa faim

2030

La grande saturation

Manger pour sauver le monde

Impulsion insouciance carpe diem

L'inutile et l'intempestif

Le retour du dionysiaque

Sociabilité alimentaire

À la foire, on prend son temps et on fête les OGM

Retour des banquets de proximité

Passion du risque et de la découverte

naturophagie

2020

Faire soi-même

Philosophies psynutritionnelles

Nouvelles terreurs alimentaires

Manger naturel

Sensorialisation du moi

2010

Vers une nouvelle triangulation
(pour entrer dans nos vingt prochaines années)

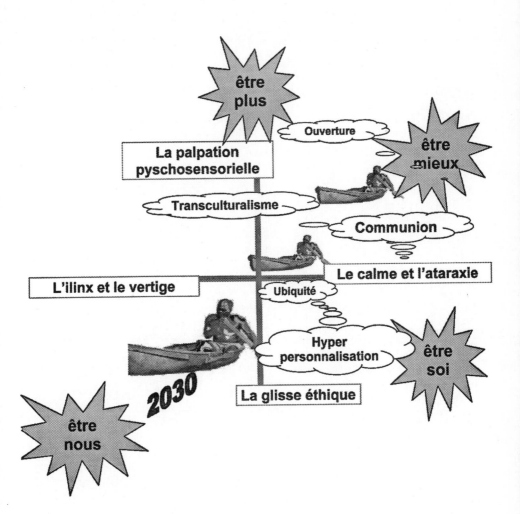

⇨ Une dernière chance ?

Stephen Hawking l'imagine sur une autre planète, et il décroche un prix[1].

« La race humaine doit essaimer dans l'espace pour survivre. La vie sur Terre est plus que jamais menacée d'extinction – par le réchauffement climatique, la guerre nucléaire, un virus génétique ou un danger auquel on n'a pas encore songé. »

Sacré Stephen ! Toujours aussi blagueur…

---

1. 2008 Lifeboat Foundation Guardian Award.

XXIᵉ SIÈCLE
Les innovations qui vont changer notre vie
Eric de Riedmatten

Vivre jusqu'à 120 ans grâce à la DHEA… Regarder la télévision sur un écran fin comme du papier et s'éclairer sans le moindre fil électrique… Bénéficier d'une transfusion de sang artificiel. Dormir les fenêtres ouvertes sans bruit grâce aux inverseurs de fréquence… Faire le plein de carburant d'hydrogène liquide. Recourir à une greffe de cerveau pour augmenter ses connaissances…

Non, ces innovations ne relèvent pas de la science-fiction ! Nombre d'entre elles sont déjà au point, sur le plan théorique tout au moins. Bientôt, elles vont bouleverser notre vie quotidienne.

Se fondant sur des informations validées par des scientifiques, ce livre nous ouvre les portes du futur. Quelles étapes l'être humain va-t-il encore franchir ? Que nous réservent les décennies à venir ? Science, médecine, transports, communications, nouvelles technologies : de 2006 à 2100, découvrez année après année les innovations du XXIᵉ siècle.

*Né en 1963, **Eric de Riedmatten** a été journaliste reporter à Europe 1 Genève, puis journaliste au service économie à Paris où il a animé l'émission « Décideurs ». Ancien chroniqueur à* La Vie financière, *il est l'actuel directeur de la communication de Siemens France. Il y a créé le « Grand Prix Siemens de l'Innovation » et le « Club de l'innovation Européenne ».*

ISBN 978-2-84187-724-9 / H 50-7530-4 / 480 pages / 24,95 €

MÉDECINE : OBJECTIF 2035
Paul Benkimoun

La médecine et les technologies associées connaissent des progrès incroyables. Demain, ces nouvelles feront la une de la presse. Et elles seront parfaitement vraies ! À partir d'informations validées par un comité constitué des plus grands scientifiques, *Médecine : objectif 2035* présente vingt-cinq ans d'innovations médicales à venir.

Chirurgie de pointe, biotechnologies, médecine régénératrice, imagerie médicale, cancérologie, reproduction, génétique… : découvrez les progrès issus de la recherche qui vont bientôt révolutionner la médecine et notre vie quotidienne.

Médecin, **Paul Benkimoun** *a été rédacteur en chef d'* Impact Médecin Hebdo *avant de rejoindre la rubrique « Médecine » du quotidien* Le Monde. *On lui doit notamment* Les Maladies d'aujourd'hui : de la maladie d'Alzheimer au sida *(Librio, 2003) et* Les Nouvelles Frontières de la santé : comment serons-nous soignés demain ? *(avec Didier Tabuteau, Jacob-Duvernet, 2006).*

ISBN 978-2-8098-0082-1 / H 50-5742-7 / 380 pages / 24,95 €

Cet ouvrage a été composé
par Atlant'Communication
aux Sables d'Olonne (Vendée)

Impression réalisée par

La Flèche (Sarthe)
en août 2009
pour le compte des Éditions de l'Archipel
département éditorial
de la S.A.S. Écriture-Communication.

Imprimé en France
N° d'impression : 54108
Dépôt légal : septembre 2009